de Bibliotheek

Breda Centrum

Familievloek

Van Lisa Lutz verscheen eerder
bij Archipel:

Familiedossier

Lees meer op
www.uitgeverijarchipel.nl
www.uitgeverijarchipel.be

Lisa Lutz

Familievloek

VERTAALD DOOR
CATALIEN EN WILLEM VAN PAASSEN

AMSTERDAM · ANTWERPEN

Copyright © 2008 Lisa Lutz
Copyright Nederlandse vertaling © 2008 Catalien en Willem van Paassen/
Uitgeverij Archipel, Amsterdam
Oorspronkelijke titel: *Curse of the Spellmans*
Uitgave: Simon & Schuster, New York

Omslagontwerp: Studio Ron van Roon
Omslagfoto: Roy Botterell / Corbis

ISBN 978 90 6305 362 8 / NUR 302

Voor Stephanie Kip Rostan
& Marysue Rucci

In het midden...

'Hallo?'
  'Hoi, mam'
  'Met wie spreek ik?'
  'Met Isabel, en vraag dat niet nog eens.'
  'Wie?'
  'Je bent echt niet grappig, hoor.'
  'Met wie spreek ik toch?'
  'Ik heb nu geen zin in die spelletjes van jou.'
  'Ik ook niet,' zei mama, die eindelijk haar alzheimeract opgaf.
'Ik bel je over een paar dagen.'
  '*Niet ophangen!*' schreeuwde ik in de hoorn.
  'Beheers je, Isabel.'
  'Als je maar niet ophangt.'
  'Waarom niet?'
  'Omdat ik... maar één keer mag bellen.'

Arrestatie #2 (of #4)*

Die uitspraak klopte eerlijk gezegd niet. Ik deed hem louter om het dramatische effect. Volgens het Californische wetboek van strafrecht, artikel 851.5, gunt Californië arrestanten het recht op drie telefoontjes naar de volgende personen: 1. een advocaat; 2. een borgsteller; 3. een familielid of ander persoon. Het wetboek zegt er niet bij of je al die drie personen moet bellen of dat je er eentje twee of drie keer mag bellen.

Mijn moeder was in ieder geval niet mijn eerste keus. Ik had vóór haar al mijn broer David geprobeerd (nam niet op), en Mort Shilling, een oude** vriend van me die ooit advocaat was. Ik had tot aan deze arrestatie nog nooit een borgsteller nodig gehad. Nadat ik door mijn innerlijke Rolodex had gebladerd en de lijst had doorgenomen met mijn nieuwe vrienden Scarlet en Lacey (die ook vastzaten maar voor een ander vergrijp), waren ze het erover eens dat ik mijn moeder moest bellen.

'Als je moeder je borg niet wil betalen, wie dan wel?' vroeg Lacey.

Haar redenering klopte, maar ik belde mijn moeder omdat ik vond dat ze me na arrestatie #1,5 (of #3, afhankelijk van hoe je telt) nog iets schuldig was. De rest van het gesprek ging als volgt:

MAMA: Toch niet wéér, hè Isabel. Goed, leg maar uit.

IK: Dat vertel ik zodra je me ophaalt.

MAMA: We zijn al op weg, lieverd. Ik ga onze verdwijning*** niet opgeven om jou uit de bak te halen.

---

* Afhankelijk van of je #2 en #3 meetelt – wat ik niet doe.

** 'Oud' verwijst naar de leeftijd van de vriend, niet naar de lengte van de vriendschap.

*** 'Verdwijning' betekent 'vakantie' bij de Spellmans. Ik leg later uit hoe dat zo gekomen is.

IK: Ik was die verdwijning even vergeten.

MAMA: Je staat er alleen voor, schatje.

IK: Nee, mam! Je moet iemand bellen die me hier uithaalt. Ik wil hier niet de hele nacht blijven.

MAMA: Dat lijkt me anders een goed idee. Weet je *Scared Straight!* nog?

IK: Natuurlijk herinner ik me die. Ik heb daar van jou minstens tien keer naar moeten kijken toen ik op de middelbare school zat.

MAMA: Dat heeft nogal geholpen, zeg.

IK: Luister, bel Morty nog een keer. Blijf bellen tot hij de telefoon opneemt. Hij is thuis. Hij kan hem alleen niet horen.

MAMA: Hij kan 's avonds beter niet achter het stuur kruipen.

IK: Toe nou, mam.

MAMA: Overdag trouwens ook niet.

AGENT LINDLEY: Schiet eens op, Spellman.

IK: Ik moet ophangen. Zorg nou maar dat iemand me hieruit haalt.

MAMA: Ik zal mijn best doen, Isabel. Tot maandag.

IK: Geniet van de verdwijning.

Drie uur later sloeg agent Lindley met zijn knuppel tegen de tralies en zei: 'Spellman, je kunt gaan.' Nadat ik van de politiebeambte mijn spulletjes had teruggekregen, werd ik naar een wachtruimte gebracht die ik afspeurde op een bekend gezicht. Over een van de stoelen van groen vinyl hing Morty, diep in slaap. Zijn wilde, dunner wordende haar sliertte over zijn vierkante jampotglazen. Op zijn schoot lag een verkreukeld boterhamzakje. Zijn gesnurk wisselde af tussen keukenmachine en zuinige afwasmachine.

'Wakker worden, Morty,' zei ik, terwijl ik zachtjes aan zijn schouder schudde. Morty schrok wakker en keek me toen glimlachend aan. 'Hoe gaat het met mijn favoriete delinquent?' vroeg hij.

'Ik heb me wel eens beter gevoeld,' antwoordde ik.

'Waar zijn we inmiddels, bij je vierde arrestatie?'

'Vind je het dan eerlijk om twee en drie mee te tellen?'

'We hoeven ze niet mee te tellen als jij dat niet wilt. Ik dacht dat je wel honger zou hebben, dus heb ik een sandwich voor je meegenomen,' zei Morty, en gaf me de mishandelde papieren zak. 'Het is

9

je lievelingssandwich. Pastrami op roggebrood.'

'Nee, dat is jóúw lievelingssandwich, vandaar dat er nog maar de helft van over is.'

'Ik moest meer dan een uur wachten,' zei Morty ter verdediging van zichzelf.

Ik sloeg mijn arm om mijn ultrakorte tachtigjarige vriend en kuste hem op de wang. 'Ik wist dat je me hier niet zou laten wegrotten.'

'Nu even serieus,' zei Morty.

'Kom maar op,' zei ik, voorbereid op slecht nieuws.

'Je wordt maandag voorgeleid. Volgens mij kan ik deze aanklacht niet ongedaan maken. Vier arrestaties in nog geen twee maanden tijd. Ze beginnen hier genoeg te krijgen van die smoel van jou. Je hebt een tijdelijk contactverbod overtreden. Waar was je in godsnaam mee bezig, Izzele*?

'Arrestatie twee en drie tellen niet mee, Morty. En tegen die andere twee aanklachten kunnen we ons volgens mij wel met succes verdedigen, al heb ik meer bewijs nodig.'

'Je hebt je problemen juist te danken aan het verzamelen van bewijs. Je moet daarmee ophouden. Ik moest trouwens van je moeder zeggen dat je huisarrest hebt.'

'Ik ben dertig jaar. Ze kan me niet opsluiten.'

'Ze kan je ontslaan,' antwoordde Morty. 'En wat moet je dan?'

Morty had een punt. Maar ik was ervan overtuigd dat als ik mijn belangrijkste mysterie eenmaal had opgelost, al mijn problemen zouden verdwijnen. Maar eerst moest ik zorgen dat ik uit de bajes bleef, wat betekende dat ik een verdediging moest opstellen.

De maandagochtend daarna werd ik om 9.00 uur voorgeleid in Rechtszaal Vier van de rechtbank voor strafzaken van San Francisco. Morty had het goed voorspeld: ze lieten de aanklacht niet vallen. Mijn hoorzitting stond voor de komende maandag gepland, waardoor Morty en ik een week hadden om mijn verdediging voor te bereiden. Later die ochtend gingen we terug naar Morty's kantoor om de details van mijn zaak door te nemen.

* Morty houdt ervan mijn naam te verjiddisjen.

Het 'advocatenkantoor' van Mort Schilling

Maandag 24 april
10.00 uur

Morty drukte gaatjes in mijn arrestatieformulier en borg het op in zijn gloednieuwe dossier over Isabel Spellman, of Spellman, Isabel (zaak #2★). Ik.

'Het zou moeten lukken om de tweede en derde arrestatie buiten deze zaak te houden. Ik kan aanvoeren dat die er niets mee te maken hebben.'

'Goed.'

'Wat?'

'*Goed!*'

'Je hebt me tijdens onze lunches★★ het een en ander over deze zaak verteld, maar ik heb het hele plaatje nodig om te bedenken hoe ik je verhaal het best voor de rechter kan brengen.'

'Denk je echt dat deze zaak voorkomt?'

'Wat? Praat eens wat harder.'

'*Denk je echt dat deze... Doe je gehoorapparaat in, Morty.*'

Morty grabbelde in zijn bureaula, deed zijn gehoorapparaat in en frunnikte aan het volumeknopje.

'Ik word gek van dit ding. Wat zei je?'

'Denk je dat deze zaak überhaupt voorkomt? We kunnen het bewijs met de officier van justitie bespreken en misschien gaan ze dan eindelijk onderzoek doen naar die vent.'

★ Let op het zaaknummer. Morty had dit jaar nog maar één andere zaak, een verkeersovertreding van zijn neef.
★★ Morty en ik hebben een vaste lunchafspraak iedere week. Ik zal te zijner tijd uitleggen hoe we elkaar hebben leren kennen en wat de aard van onze relatie is.

'Alles op zijn tijd, Isabel. We schrijven nu eerst je verhaal op en daarna bekijken we hoe we het gaan aanpakken bij de officier van justitie. Je moet me het hele verhaal vertellen zonder ook maar iets weg te laten. Ik wil graag details horen en heb de hele dag de tijd. En morgen en overmorgen ook, deo volente.'

'Maar ik heb mijn verdediging al helemaal op een rijtje.'

'Verklaar je nader,' antwoordde Morty.

'Ik ben onschuldig,' zei ik.

'Maar geef je toe dat je een tijdelijk contactverbod hebt overtreden?'

'Dat geef ik toe.'

'Hoe kun je dan onschuldig zijn?'

'Omdat degene die het contactverbod aanvroeg niet de persoon is voor wie hij zich uitgeeft. Daarom is het verbod ongeldig.'

'Laten we bij het begin beginnen, Isabel.'

Deel een

Begin

Subject verhuist naar Clay Street 1797...

Zondag 8 januari
11.00 uur

Ik heb moeite met een begin. Ik vind verhalen bijvoorbeeld helemaal niet interessant als je bij het begin begint. Als je het mij vraagt, weet je pas dat er een verhaal is als je al bijna halverwege bent. Bovendien is een begin moeilijk te onderscheiden. Je zou kunnen stellen dat het echte begin van alle verhalen het begin van de tijd is. Maar Morty is al 82, dus gezien de beperkte tijd die ons wellicht nog rest begin ik dit verhaal maar op de dag dat ik 'John Brown' (hierna aangeduid als 'Subject' of met een variant op zijn alias, 'John Brown') ontmoette, of beter gezegd: toen ik voor het eerst mijn oog op hem liet vallen.

De dag dat Subject naast mijn ouders kwam wonen, herinner ik me als de dag van gisteren. Hij nam een appartement op de tweede verdieping in een huis van drie etages over, waar eerst Mr. Rafter woonde, die de woning bijna dertig jaar had gehuurd.

David kende Mr. Rafter beter dan ik, aangezien zijn kamer maar twee meter van Mr. Rafters woonkamer lag en hun ramen zich nagenoeg op gelijke hoogte bevond, waardoor ze een vissenkomuitzicht op elkaar hadden. Aangezien Rafter meestal televisie zat te kijken in zijn woonkamer en David de meeste tijd zat te blokken op zijn kamer, leerden die twee elkaar kennen in hun respectieve aangename stiltes (afgezien van het geluid van de tv, natuurlijk).

Maar ik dwaal af. Zoals ik al zei, herinner ik me de dag dat Subject naast ons kwam wonen als de dag van gisteren. En ik herinner me dat volgens mij zo levendig als gevolg van de gebeurtenissen die zich eerder op die dag afspeelden, de gebeurtenissen waardoor ik in mijn ouderlijk huis was net op het moment dat de verhuiswa-

15

gen van Subject pal ervoor dubbel parkeerde. Dus kan ik misschien maar beter eerder op die dag beginnen en het over bovengenoemde gebeurtenissen hebben.

9.00 uur

Ik werd wakker in mijn bed of, om precies te zijn, het bed in het huis van Bernie Peterson, een gepensioneerde inspecteur van het politiekorps van San Francisco, bij wie ik in onderhuur was. Mijn illegale woning in de wijk Richmond is precies 4,5 kilometer en een reusachtige heuvel van mijn ouderlijk huis verwijderd, maar één telefoontje en ik ben er zo.

Zoals altijd ging de telefoon voor ik genoeg koffie op had om de dag aan te kunnen.

'Hallo.'

'Met mama, Isabel.'

'Wie?'

'Ik ben hier nu niet voor in de stemming.'

'Zegt me niks. Waar kennen we elkaar van?'

'Luister goed; ik zeg dit maar één keer. Je moet Rae ophalen uit het ziekenhuis.'

'Is alles goed met haar?' vroeg ik met een op slag door bezorgdheid veranderde stem.*

'Haar mankeert niks. Henry** wel.'

'Wat is er gebeurd?'

'Ze heeft hem overreden.'

'Hoe?'

'Met een auto, Isabel.'

'Dat snap ik ook nog wel.'

'Ik ben druk bezig met een klus, Izzy. Ik moet gaan. Verzamel alle gegevens over wat er is gebeurd. Leg alles zoals altijd vast op tape. Bel me zodra je thuis bent.'

---

* Ik weet wanneer ik moet stoppen met de act, mocht je het je afvragen.

** Inspecteur Henry Stone. Ik zal later alles over hem vertellen.

De vrouw achter de balie vertelde me dat er alleen directe familieleden bij Henry mochten. Ik wapperde met mijn kwartkaraats verlovingsring en vroeg of verloofden ook voldeden.

Een verpleegster bracht me naar kamer 873 en vertelde dat zijn toestand ernstig, maar stabiel was. 'Kunt u me ook vertellen wat er is gebeurd?' vroeg ik de verpleegster.

'Uw dochter is bij hem. Zij mag het uitleggen.'

'Mijn dochter?'

Ik trof mijn zusje Rae aan naast het bed van inspecteur Henry Stone, turend naar het elektronische apparaat dat zijn vitale functies controleerde.

Henry's verpleegster probeerde haar ergernis over Raes superalerte mededelingen achter een glimlach te verbergen.

'72. Zijn hartslag is vijf slagen sneller geworden,' zei Rae toen ik binnenkwam.

Mijn zusje had bloeddoorlopen ogen en haar rode wangen vertoonden sporen van verse tranen. De verpleegster keek opgelucht toen ze me zag en zei tegen Rae: 'Mooi zo, je moeder is hier.'

'Oeps,' zei ik beledigd. 'Zie ik er oud genoeg uit om een dochter van vijftien te hebben?'

'Ik stond er niet bij stil,' antwoordde ze.

'Ik ben zijn verloofde,' legde ik uit aan de verpleegster en wendde me toen naar de inspecteur.

Henry Stone lag in het ziekenhuisbed met een keur aan slangetjes en monitors aan zijn lichaam, gekleed in een standaard ziekenhuispyjama. Afgezien van die ongelukkige outfit en dat ene gaasverband dat op zijn linkerslaap was geplakt, zag hij er eigenlijk min of meer uit zoals altijd: verzorgd, iets te mager en knap op een manier die je gemakkelijk kunt negeren. Zijn normaal gesproken kort geknipte peper-en-zoutkleurige haar was in de afgelopen weken wat langer geworden, wat het bijkomende voordeel had dat hij er jonger dan zijn 44 jaar door leek. Hoewel de donkere kringen rond zijn ogen en zijn duidelijk onrustige gezichtsuitdrukking dat voordeel op dit moment tenietdeden.

'Hoe is het met hem?' vroeg ik de verpleegster, in een poging een gepaste mate van bezorgdheid aan de dag te leggen.

'Hij heeft vlak onder zijn knieën wat blauwe plekken, maar er is niks gebroken. Het gaat vooral om de hersenschudding. Hij is vijf minuten bewusteloos geweest en is misselijk. We hebben een CT-scan gemaakt en alles ziet er goed uit, maar we moeten hem achtenveertig uur in observatie houden.'

'Zijn zijn hersenen blijvend beschadigd?' vroeg Rae.

Henry greep mijn pols. Hard. 'Ik moet je onder vier ogen spreken,' zei hij.

Ik keerde me naar Rae. 'Ga de kamer uit.'

'Nee,' antwoordde ze. Ik wist niet dat een enkele lettergreep zo veel hartverscheurende wanhoop kon bevatten.

'Eruit,' gebood Henry, die zich niets van haar peilloze emoties aantrok.

'Zul je me ooit kunnen vergeven?' zei ze tegen hem.

'Je hebt me nog maar twee uur geleden overreden,' antwoordde hij.

'Per ongeluk!' schreeuwde ze.

Henry wierp haar daarop een blik toe die effectiever leek dan alle preken, straffen en uitgaansverboden die mijn ouders ooit op Rae hadden losgelaten.

'Tweeëneenhalf uur,' mompelde Rae, terwijl ze rustig de kamer uit liep.

Toen Rae buiten gehoorsafstand was, greep Henry mijn arm nog steviger beet.

'Dat doet nogal pijn, Henry.'

'Begin me niet over pijn.'

'Oké. Sorry.'

'Je moet iets voor me doen.'

'Zeg het maar.'

'Hou haar uit mijn buurt.'

'Hoe lang?'

'Een paar weken.'

'Vergeet het.'

'Alsjeblieft, Isabel. Ik heb even rust nodig.'

'Ik zal mijn best doen, maar...'
'Je zusje heeft me vandaag bijna vermoord...'
'Per ongeluk!' riep Rae vanaf de andere kant van de deur.
'Stuur Rae alsjeblieft op vakantie.* Alsjeblieft. Help me.'

---

* Het woord 'vakantie' is hier in de letterlijke betekenis gebruikt.

Het 'advocatenkantoor' van Mort Schilling

Maandag 24 april
10.15 uur

'Sinds wanneer zijn inspecteur Stone en jij een stel?'

'We zijn geen stel. We zijn "een stel",' zei ik, terwijl ik met mijn vingers aanhalingstekens maakte.*

'Je draagt geen verlovingsring.'

'Ik hoef hem niet meer te dragen.'

'Ik vat het even niet.'

'Het is een lang verhaal. Wil je het echt horen?'

'Ik wil elk verhaal horen dat licht werpt op de bewijzen die tegen jou zijn verzameld.'

'Dat kan even duren.'

Morty haalde zijn schouders op. Pensioen was niet zijn ding. Alles wat hem bezighield, was dat wel.

Zoals ik al zei, is een begin onmogelijk te definiëren. Als ik wil dat mijn verhaal en mijn verdediging ergens op slaan, moet ik dingen vertellen die teruggaan tot lang voor mijn problemen met 'John Brown' begonnen.

---

* Ik ben in het algemeen tegen het gebruik van vingeraanhalingstekens. Er zijn een paar uitzonderingen.

Een korte geschiedenis van mij

Ik ben het tweede kind van Albert en Olivia Spellman. Ik werk sinds mijn twaalfde voor het familiebedrijf, Spellman Investigations, een detectivefirma die is gevestigd in het huis van de Spellmans in San Francisco, Californië. Mijn broer David is twee jaar ouder dan ik en mijn zusje Rae ruim veertien jaar jonger.

Ik was onmiskenbaar het lastige kind (en puber en jongvolwassene). Mijn terreurbewind over de familie Spellman hield bijna twintig jaar stand. Ik heb een theorie dat mijn kwaadaardige gedrag voortkwam uit de aanwezigheid van een broer (David) wiens fysieke en intellectuele perfectie niet te evenaren was. Ik kon dus niet wedijveren met mijn broer en reageerde daarop door af te glijden naar imperfectie, met overal waar ik kwam oeverloos vandalisme en spijbelen. David probeerde de ernst van mijn daden vaak af te zwakken door zo veel mogelijk onder het tapijt te schuiven, maar uiteindelijk werd zelfs hij het beu om altijd maar mijn puin te ruimen. David is nu jurist en getrouwd met mijn beste vriendin, Petra.* Zijn voornaamste bemoeienis met het familiebedrijf is dat hij ons werk toespeelt.

Mijn zusje, Rae, is vijftien(eneenhalf), maar ziet eruit alsof ze amper dertien is. Ze is even klein als onze moeder, maar haar asblonde haar en sproeten zijn verder uniek in de familie. Ze onderscheidt zich van mij en David door haar grote trouw aan de familie, en vooral het familiebedrijf. Rae begon al op haar zesde voor Spellman Investigations te werken en scheen te geloven dat ze een ideaal leven leidde. Voor haar was dat misschien waar; het leek alsof ze in precies de juiste familie ter wereld was gekomen.

Toen ik midden in de twintig was, drong langzaam het inzicht

---

* Die tijdens de meeste van mijn criminele jaren mijn bondgenoot was.

tot me door dat mijn gedrag het grote voorbeeld voor een ontvankelijke jonge tiener was; daardoor, en door een paar andere temperende factoren, werd ik volwassen. Mijn transformatie verliep snel. Het moet voor een ongeoefend oog geleken hebben alsof ik als delinquent in slaap viel en wakker werd als een wat verantwoordelijker lid van de samenleving.

Mijn familie beleefde in die tijd zijn langste golf van normaliteit, die ongeveer vier jaar duurde. Maar twee jaar geleden, nadat mijn oom Ray* bij ons was ingetrokken, begonnen er conflicten te broeien tussen mij, mijn ouders, mijn zusje, mijn oom Ray en mijn broer. Het gedonder begon toen ik achter mijn moeders rug om iets met een tandarts kreeg. Mijn moeder heeft namelijk een hekel aan tandartsen. Dat had ze tenminste, toen ze nog niet over een undercoverklus voor een zaak rond seksueel misbruik heen was, waarbij een tandarts zijn patiënten onzedelijk betastte terwijl ze onder narcose waren. Ik blijf volhouden dat papa en mama zijn begonnen. Ze huurden mijn zusje Rae in (die destijds veertien was) om me te volgen. Zo kwamen ze erachter dat ik een relatie had met Daniel Castillo, tandarts. (Ex #9, zie aanhangsel). Na een vernederende ontmoeting tussen Ex #9 en mijn familie besloot ik uit het familiebedrijf te stappen.

En toen barstte onze oorlog pas goed los. Mijn ouders lieten me de klok rond observeren (waarbij ze mijn zusje als voornaamste agent gebruikten), en net toen ik dacht dat dit kat-en-muisspel niet erger kon worden, verdween mijn zusje.

Later ontdekte ik dat Rae zichzelf had ontvoerd in een preventieve aanval om een einde aan de oorlog te maken. En ze kreeg precies wat ze wilde: de oorlog hield op en mijn familie keerde terug naar zijn eerdere toestand van normaliteit. Hoewel het spectaculaire toneelspel van mijn zusje niet onbestraft bleef.

Tijdens Raes proeftijd van zes maanden begon ze bezoekjes aan Henry Stone te brengen, de belangrijkste agent in haar eigen vermissingszaak. Wat begon als wekelijkse bezoekjes aan de eigenaardig verzorgde, buitengewoon moralistische politie-inspecteur op het hoofdbureau aan Bryant Street, eindigde achttien maanden later toen mijn zusje hem bijna vermoordde met zijn eigen auto.

---

* Ik kom over zo'n vijf bladzijden bij hem.

San Francisco General Hospital

Zondag 8 januari
10.00 uur

Mijn moeder zou me hebben vermoord als ze had geweten hoe lang ik in die ziekenhuiskamer had gezeten zonder de taperecorder* aan te zetten. Voor er nog maar één woord gesproken werd liet ik mijn hand in mijn zak glijden en zette mijn palmsize digitale recorder aan.

Het afschrift luidt als volgt:

[Rae komt de kamer weer binnen terwijl zuster Stinson de status van inspecteur Stone invult. De verpleegster glimlacht professioneel en loopt naar de deur.]

ZUSTER: Als u iets nodig heeft, drukt u maar op het knopje, inspecteur. [Ze richt zich tot Rae en mij.]

ZUSTER: Het bezoekuur is over twee uur afgelopen, dames.

HENRY: Ik ben heel moe. Ze moesten nu maar gaan.

ISABEL: We gaan zo meteen.

HENRY: Nee, ga weg. Alsjeblieft. Zuster?

RAE: Zijn hartslag is net twee slagen sneller geworden. Hij is nu 74.

ZUSTER: Maak je geen zorgen. Ik kom over een uurtje kijken. [Zuster Stinson verlaat de kamer.]

ISABEL: We gaan echt zo weg, Henry. Maar mama wil een uitgebreid verslag van wat er is gebeurd, wat betekent dat ze het van jou moet horen. Ik neem dit trouwens op. Vertel me precies wat er is gebeurd.

---

*Ik zal verderop uitleggen hoe het zit met de voortdurende bandopnames.

HENRY: Je zusje heeft me overreden...

RAE: Per ongeluk!

ISABEL: Dat 'per ongeluk' spreekt vanzelf, Rae. Ik wil graag weten hóé. Je hebt nog maar een voorlopig rijbewijs. Je mag officieel niet achter het stuur zitten zonder dat er een gekwalificeerde automobilist naast je zit. Als je Henry hebt overreden, bevond hij zich duidelijk *buiten de auto*.

HENRY: Praat niet zo hard. Mijn hoofd doet pijn.

ISABEL: Sorry. [Tegen Rae] Vertel.

RAE: We kwamen het politiebureau uit voor mijn rijles.

HENRY: Hopelijk heb je ervan genoten, want het was de láátste die ik je ooit zal geven.

RAE: Zijn hersenschudding speelt op.

HENRY: Knoop dat in je oren.

ISABEL: Kunnen we nu verdergaan met het verhaal?

RAE: Henry droeg een doos en hij stopte voor een praatje met die man die naar vis ruikt.

HENRY: Commandant Greely.

ISABEL: Waarom ruikt hij naar vis?

RAE: Ik heb géén idee.

ISABEL: Hij ruikt dus zomaar altijd naar vis?

RAE: Telkens als ik hem rook, rook hij naar vis.

HENRY: [kribbig] Hij neemt visoliesupplementen voor zijn hart. Kunnen we nu verdergaan?

ISABEL: Oké. Goed, wat gebeurde er toen?

RAE: Ik rende vooruit naar de auto, ging achter het stuur zitten en wachtte op Henry. Maar hij had nog steeds die doos vast en praatte met die vissenman.

HENRY: Commandant Greely.

RAE [geprikkeld]: Commandant Greely.

HENRY: Jongedame, op de dag dat je me hebt overreden...

RAE: Per ongeluk!

HENRY: ...dien je niet zo'n toon tegen me aan te slaan.

RAE: Rustig maar. Je hartslag is nu al tachtig slagen per minuut.

HENRY: Isabel, zorg dat ze ophoepelt.

ISABEL: Zo meteen, Henry. Dat beloof ik je. Mag ik nog even haar kant van het verhaal horen? Schiet op, Rae, vertel.

RAE: Hij had dus die zware doos en praatte met die... commandant Greely, en ik dacht, ik zou de auto best een stuk verderop kunnen zetten, dan hoeft hij die doos niet naar de auto te dragen. Ik wou aardig zijn. Dus ik startte de motor en begon te rijden en toen zag ik Henry en hij keek ontzettend kwaad en hij ging voor de auto staan en schreeuwde dat ik moest stoppen en ik werd bang en wilde op de rem trappen, maar trapte op het gaspedaal. [Raes ogen vullen zich met schuldbewuste tranen.]

ISABEL: Huil je?

RAE: Ik heb vandaag bijna per ongeluk mijn beste vriend vermoord.

HENRI EN ISABEL: Hou daar nu mee op!

Morty had mijn verhaal weliswaar niet onderbroken voor een nadere toelichting op de bizarre relatie tussen mijn vijftieneneenhalfjarige zusje en de vierenveertigjarige inspecteur, maar toch kan wat extra achtergrondinformatie volgens mij geen kwaad om dit moment in de ziekenhuiskamer en veel van de gebeurtenissen die hierna volgen te verduidelijken.

Een korte geschiedenis van Henry en Rae

Weet je nog, die oorlogen waar ik het eerder over had? Die waren niet voorbehouden aan mijn ouders en mij. Mijn zusje, Rae, had zo haar eigen conflict met oom Ray. Oom Ray was de oudere broer van mijn vader. Ongeveer zeventien jaar geleden werd hij binnen een tijdsbestek van zes maanden getroffen door kanker, verliet zijn vrouw hem, ging hij bijna dood en herstelde hij vervolgens. De voormalige onberispelijke/verantwoordelijke/bewonderde politie-inspecteur-oom werd een onverzorgde schaduw van zijn voormalige schoongeboende zelf. De nieuwe oom Ray verdween regelmatig naar boemelpartijen die mijn ouders 'Verloren Weekenden' noemden. Elke keer dat hij verdween, haalden wij hem weer terug; we betaalden zijn gokschulden, ontnuchterden hem net genoeg om te zorgen dat hij algemeen toonbaar was, en hielden hem zo goed mogelijk in de gaten tot het volgende Verloren Weekend.

Mijn zusje had door haar leeftijd en strenge arbeidsethos aanvankelijk een op zijn minst vijandige relatie met haar naamgenoot, maar toen Rae ten slotte inzag dat haar oom geen zelfzuchtige oude dwaas was maar een eenzame man die zich geen raad wist met zijn lot, stelde ze haar mening over hem bij en sloten ze uiteindelijk vrede.

Maar net toen mijn zusje gewend was aan haar regelmatig met haar tv kijkende/suiker nuttigende/kaartende metgezel, legde oom Ray het loodje in een bad in een casino in Reno, Nevada, na een lange dag van verliezen met poker en tomeloos zuipen.

Mijn zusje trok zich de dood van oom Ray meer aan dan wie ook en spoedig werden haar tweemaandelijkse visites aan Henry Stone tweewekelijkse bezoekjes aan zijn bureau. Henry probeerde haar weg te sturen, maar zij bleef maar terugkomen, ondanks zijn herhaalde smeekbedes dat zij vrienden van haar eigen leeftijd moest zoeken. Uiteindelijk aanvaardde Stone mijn zusje als een constant gegeven in zijn leven en ik vermoed dat hij dacht dat hij haar maar beter haar huiswerk kon laten doen als hij toch niet van haar af kon komen.

Aanvankelijk vond ik de keuze voor de rechtschapen, steile inspecteur als surrogaat voor oom Ray nogal vreemd. Maar mijn moeder legde uit dat hij de volmaakte vervanger was: hij leek op oom Ray voor die instortte. Oom Ray was degene die in bad buiten westen raakte; Henry Stone was degene die het lichaam ontdekte.

Bij de eerste bezoekjes van mijn zusje aan de inspecteur (die ongeveer twee jaar geleden begonnen) zat zij gewoonlijk in de leren stoel tegenover zijn bureau huiswerk te maken. Hun dialoog besloeg niet meer dan vijf minuten, maar ze konden uren samen in één vertrek doorbrengen. Aangezien mijn moeder Rae maar zelden daadwerkelijk aan haar huiswerk heeft gezien, ontmoedigde mam deze bezoekjes bepaald niet, zelfs niet nadat Henry haar belde om voor zichzelf op te komen. Mijn moeder antwoordde dat zij zolang Rae voor de avondklok thuis was geen grond zag haar te verbieden een vriend te bezoeken, te meer daar die vriend in een zo veilig oord werkte als een politiebureau.

Ik daarentegen kon wel enige sympathie opbrengen voor de geplaagde inspecteur en als hij mij belde haalde ik Rae op van zijn bureau. Helaas voor Henry moest hij vaak uren wachten voor ze werd verwijderd, afhankelijk van de klus waar ik mee bezig was.

Het grote conflict tussen Henry en mijn zusje betrof de vraag hoe ze hun relatie moesten definiëren – niet tegenover elkaar maar tegenover andere mensen. Dit probleem deed zich voor het eerst voor toen Henry's baas, luitenant Osborn, kort na Raes komst Stones kantoor betrad.

'Henry,' zei de luitenant vriendelijk, 'is deze lieftallige jongedame een informant?'

Waarop Rae, die zich gevleid voelde, antwoordde: 'Nee, we zijn gewoon goede vrienden.'

De luitenant wierp inspecteur Stone een korte blik toe, overhandigde hem een dossier en verliet met een vriendelijk hoofdknikje het kantoor.

'Rae, je kunt me voortaan beter niet je vriend noemen.'

'Maar we zijn toch vrienden?'

'Waarschijnlijk wel,' antwoordde Stone aarzelend, omdat hij geen andere definitie kon bedenken. 'Maar zeg het gewoon niet hardop.'

Ongeveer een half jaar nadat Raes bezoekjes aan het politiebureau begonnen, besloot mijn zusje hun relatie naar een ander niveau te tillen. Ze vroeg aan Henry of hij haar midden in een enorme stortbui van school naar huis wilde brengen nadat zij twee uur had moeten nablijven. Ze belde Stones 06-nummer, dat hij haar in een moment van zwakte had gegeven neem ik aan. Na drie ingesproken berichten en een reeks onderhandelingen* beloofde Henry om Rae van school op te halen. Drie kwartier later stond Stone in Raes klaslokaal met een extra politieregenjack.

'Eindelijk,' zei Rae, terwijl ze haar spullen lukraak in haar schooltas propte.

Mrs. Collins, Raes klassenlerares, lerares Engels en bestraffer, liep met hevig geprikkelde nieuwsgierigheid en achterdocht op het eigenaardige koppel af.

'Rae, wie is deze aardige jongeman die zo vriendelijk is je van school af te halen?'

'Dit is mijn... collega, Henry Stone.'

Henry glimlachte ongemakkelijk en gaf Mrs. Collins een hand.

'We zijn geen collega's, Rae.'

'Compagnons?' vroeg mijn zuster.

'Nee.'

'Dan zijn we vrienden, zoals ik al eerder zei.'

'Ik ben een vriend van de familie,' zei Stone tegen Mrs. Collins, zich bewust van haar achterdocht. 'Inspecteur Henry Stone.'

'Een nieuwe vriend?' vroeg de oudere vrouw met tot spleetjes geknepen ogen.

---

* Zal straks een korte uitleg geven over Raes gewoonte om te onderhandelen.

'Waarschijnlijk,' antwoordde Stone, waarna hij zich tot mijn zus wendde: 'Ben je zover?'

'We rotten op uit deze tent,' zei Rae, terwijl zij naar de deur liep.

'Pas op je woorden,' waarschuwde Henry, terwijl hij Mrs. Collins gedag wuifde en Rae volgde naar zijn auto.

Hoe ik de 'verloofde' van Henry Stone werd

Mrs. Collins antennes roerden zich zodra zij de inspecteur leerde kennen. Voor de ervaren docente was een niet-familielid van het andere geslacht die een vatbaar pubermeisje afhaalde zoiets als een flitslicht tijdens een verduistering. Maar als lerares Engels van Rae had zij nog meer bewijzen die haar achterdocht voedden. Mrs. Collins had haar leerlingen onlangs een essay van vijf pagina's laten schrijven over iemand die zij bewonderden. Vanzelfsprekend schreef Rae over Henry Stone. Dat was op zichzelf niet verdacht, maar het feit dat zij deze man haar beste vriend noemde was dat wél. Kort nadat Rae dat essay had ingeleverd, trof Mrs. Collins Henry en Rae aan op de parkeerplaats toen hij haar weer eens van school kwam afhalen. Rae stelde de inspecteur aan een paar klasgenoten voor als haar 'oom Henry'.

Wat Mrs. Collins niet hoorde was de woordenwisseling die zich op de terugweg in de auto ontvouwde, die ongeveer zo ging: 'Waarom zei je dat ik je oom was? Ik ben je oom niet.'

'Je hebt al gezegd dat ik je geen collega, compagnon of vriend mag noemen. Wat blijft er nog over?'

'Noem me nou maar gewoon een vriend van de familie.'

'Maar je bent meer een vriend van mij dan van mijn familie.'

'Rae, de meeste mensen vinden een vriendschap tussen een vierenveertigjarige man en een vijftienjarig meisje ongepast.'

'Wat dan nog? Ik bedoel wat maakt het uit zolang pap en mam er niet mee zitten?'

Henry besloot dit gesprek met Rae te vervolgen. In plaats daarvan zette hij haar af bij huize Spellman en zette hij het voort met mijn moeder. Van haar kreeg hij precies hetzelfde antwoord.

'Zolang ik een goed gevoel heb bij jou en Albert ook, kan het mij niks schelen wat iemand anders vindt,' zei mijn moeder.

Helaas deed het er wel degelijk toe wat anderen vonden. Mrs. Collins vroeg pap en mam om de week erna naar de school te komen voor een gesprek. Mijn moeder, die altijd op haar hoede is bij schoolbestuurders,* nam de hele conversatie op.

Het afschrift luidt als volgt:

MRS. COLLINS: Mr. en Mrs. Spellman, ik heb u laten komen om de ongebruikelijke relatie van uw dochter met een oudere heer die Henry Stone heet te bespreken.

OLIVIA: Inspecteur Henry Stone.

ALBERT: Wat is daarmee?

MRS. COLLINS: Misschien wilt u nog eens goed nadenken over met wie u uw dochter laat omgaan.

OLIVIA: Pardon?

MRS. COLLINS: Ik heb Rae inspecteur Stone meer dan eens haar, ik citeer, beste vriend horen noemen. Ik vind hun relatie zeer ongepast.

OLIVIA: Met alle respect, Mrs. Collins, als er iets ongepasts gebeurde, zou ik dat veel eerder weten dan u. Ik kan u verzekeren dat Henry Stone geen ouwe snoeper is.

MRS. COLLINS: Dus u keurt hun relatie goed?

OLIVIA: Hij heeft duidelijk een goede invloed op mijn dochter.

ALBERT: Zeker weten.

MRS. COLLINS: In welk opzicht?

OLIVIA: Ik kan me niet eens meer herinneren hoe lang het geleden is dat Rae me vroeg of ik aan de cocaïne was. Dat moet minstens drie maanden geleden zijn.

ALBERT: Eerder zes.

MRS. COLLINS: Ze behandelt hem als haar gelijke. Ik acht hun relatie zeer ongebruikelijk.

OLIVIA: Heeft u daar de rapporten van mijn dochter?

MRS. COLLINS: Inderdaad.

OLIVIA: Wat was Raes gemiddelde twee jaar geleden?

---

* Bureaucratie is volgens haar de natuurlijke voorloper van een fascistische staat.

[Mrs. Collins raadpleegt haar dossier.]

MRS. COLLINS: Dat was twee komma zeven.

OLIVIA: Wat was haar gemiddelde afgelopen semester?

MRS. COLLINS: Drie komma vier.

OLIVIA: Mrs. Collins, ik heb vóór Rae twee kinderen grootgebracht, die beiden uit de greep van ouwe snoepers zijn gebleven. Ik weet heel goed wat de signalen zijn en wat het beste is voor mijn dochter. Ik waardeer uw bezorgdheid, maar ik hoop hier verder niets meer over te horen.

[Einde van de band.]

Maar dit was niet het laatste wat mijn moeder over het onderwerp hoorde. Twee weken later kreeg mam een huisbezoek van een maatschappelijk werker. Mrs. Collins, die niet overtuigd was na het gesprek met mijn ouders, had een aanklacht ingediend bij de kinderbescherming en om een uitgebreid onderzoek gevraagd.

Mijn moeder, in het nauw gedreven door de overheid en bang dat het onderzoek Henry Stones reputatie zou schaden, maakte acuut een einde aan het gesprek met de volgende verklaring.

'Henry Stone is verloofd met mijn oudste dochter, Isabel, die toevallig dertig jaar oud is. Ik weet niet wat Mrs. Collins' probleem is, maar Henry is als een zoon voor mij en zál dat spoedig ook echt zijn. En als mijn aanstaande schoonzoon bereid is af en toe zijn aanstaande schoonzusje van school te halen en haar te helpen met haar huiswerk, is dat volgens mij de belichaming van familiewaarden, vindt u ook niet?'

De maatschappelijk werker las verbijsterd haar dossier na.

'Het spijt me,' zei ze. 'Hierin staat niet dat Henry Stone verloofd is met uw oudste dochter. Dat is heel vreemd. Nou ja, sorry voor het ongemak. We moeten mogelijk nog een keertje langskomen. Zo is de procedure. Maar verder denk ik dat we de zaak kunnen laten rusten.'

'Dank u wel,' antwoordde mijn moeder. 'En ik wil tot slot graag een klein klachtje tegen Mrs. Collins aan het dossier toevoegen. Ze had iemands carrière en reputatie kapot kunnen maken met haar ongegronde beschuldigingen.'

Mama vertelde dit verhaal tijdens het avondeten met een ongebruikelijk klein aantal gasten – Henry, papa en ik. Rae was naar David en Petra gestuurd omdat ze hen zogenaamd moest helpen hun harde schijf te wissen.*

Vanwege die verdacht korte gastenlijst waren Henry en ik al direct op onze hoede. Ik nam de gebeurtenissen op.

Het afschrift luidt als volgt:

OLIVIA: Jullie vragen je waarschijnlijk af waarom ik jullie allemaal bij elkaar heb geroepen.

ALBERT: Ik ging ervan uit dat het voor het avondeten was. Geef het vlees eens door.

OLIVIA: Nee, Al. Begin met de sla, zoals een beschaafd mens.

ALBERT: In Frankrijk eindigen ze met de sla.

OLIVIA: Als je vloeiend Frans spreekt, kun je de sla als dessert nemen. Maar tot die tijd...

ALBERT: Henry, geef het vlees door.

OLIVIA: Henry, geef het vlees niet door.

[Henry luistert naar mijn moeder. Albert schept sla voor zichzelf op en geeft de kom door.]

OLIVIA: Voor ik werd onderbroken door cholesterolspiegel tweehonderdzevenentwintig...

ALBERT: Tweehonderddrieëntwintig.

OLIVIA: Is dat iets om trots op te zijn?

ISABEL: Mam, pap. Bij familieleden kun je dit doen, maar misschien hoeft Henry niet te luisteren naar een twintig jaar oude ruzie.

OLIVIA: Dank je wel. Er is een reden waarom ik jullie bijeen heb geroepen. Ik – eh – had een probleempje met Raes lerares Engels. Mrs. Collins. Ik geloof dat je haar kent, Henry.

HENRY: Inderdaad.

OLIVIA: Nou, Mrs. Collins had het moeilijk met Raes groeiende genegenheid voor jou. Ik legde haar uit dat Albert en ik er totaal niet mee zaten en dat zij zich er niet druk over hoeft te maken. Maar die stomme trut...

* Rae zou naderhand verklaren dat ze verbijsterd was over dat verzoek.

ALBERT: Rustig aan, Olivia...

OLIVIA: Dat mens vertrouwde niet op mijn oordeel en heeft een klacht ingediend bij de kinderbescherming.

HENRY: Heeft ze een klacht ingediend over mij?

OLIVIA: Nou, ze was bezorgd over het feit dat Rae zo'n hechte band had met een niet-familielid van het andere geslacht in jouw leeftijdsgroep. Hoe dan ook, ik heb een maatschappelijk werker op bezoek gehad...

HENRY: Olivia, dit zou wel eens een probleem kunnen worden.

OLIVIA: Ja, Henry, dat weet ik. Maar ik heb het opgelost.

ISABEL: Hoe dan?

OLIVIA: [nerveus] Nou, ik heb verteld dat Henry bij onze familie hoort.

HENRY: Dat kunnen ze nagaan, hoor.

OLIVIA: Die hobbel had ik voorzien, dus je bent geen bloedverwant.

HENRY: Ik begrijp je niet.

ALBERT: Het is alsof je een pleister lostrekt, Olivia. Doe het snel, dan doet het minder pijn.

OLIVIA: [razendsnel] Ik zei dat je verloofd was met mijn oudste dochter Isabel.

ISABEL: Ben je aan de coke?

OLIVIA: Dat was echt de enige optie.

HENRY: Nee. Volgens mij waren er nog een paar andere mogelijkheden.

ALBERT: Henry, je hoeft niet echt te trouwen met Isabel. Je hoeft alleen maar te doen alsóf je met haar gaat trouwen.

ISABEL: Stel dat ik me met iemand anders verloof?

OLIVIA: Met wie?

ISABEL: Weet ik veel. Het is maar een hypothese.

OLIVIA: Je hoeft het maar tweeënhalf jaar vol te houden, tot Rae achttien jaar is. Ik kan me nauwelijks voorstellen dat je je eerder gaat verloven. Ik bedoel, zeg nou zelf, Isabel. Je gaat niet eens met iemand.

ISABEL: Lach niet, pap!

HENRY: Het bevalt me niet dat we dit probleem oplossen met bedrog.

OLIVIA: Het was eruit voor ik het wist, zonder dat ik erover had nagedacht. Maar toen ik het leugentje had verteld, vond ik mezelf geniaal. Ik bedoel, zo is het probleem echt opgelost. Niemand lijdt eronder en we worden niet lastiggevallen door de kinderbescherming, en dat is volgens mij met het oog op jouw functie bij de politie het beste voor jouw loopbaan.

[Mama geeft me een fluwelen doosje.]

Olivia: Isabel, je mag mijn oude verlovingsring dragen.

ISABEL: Is er misschien nog iemand geïnteresseerd in mijn mening?

ALBERT: Nee, lieverd.

HENRY: Moet je horen, Al en Olivia. Dit is misschien het moment om een eind te maken aan Raes bezoekjes.

OLIVIA: Dat kun je proberen, Henry. Maar als het niet gaat, doen we het op mijn manier.

De Stone en Spellman-show

Ongeveer een half jaar geleden, ergens tussen Mrs. Collins' kennismaking met mijn ouders en het bezoek van de maatschappelijk werker, begon mijn moeder willekeurige gesprekken van Henry en Rae, waar zij toevallig bij was, op te nemen. Aanvankelijk verdedigde ze deze inbreuk op de privacy met het argument dat ze bewijs verzamelde voor de aard van de relatie tussen Henry en Rae, voor het geval Mrs. Collins of een andere officiële 'bemoeial' besloot wat enthousiaster onderzoek te gaan doen. Mijn moeder kan als geen ander anticiperen op het gedrag van bureaucraten.

De Henry en Rae-tapes werden op den duur alleen nog maar uit amusementsoverwegingen gemaakt. Als je er met een sandwich naar luisterde, zei mam tegen pap, was het net zo goed als je avondeten nuttigen bij je favoriete tv-show. Mijn moeder beschouwde de opnames als een auditief fotoalbum en beschreef en labelde toegewijd elke opname. Als een vreemdeling op deze verzameling zou stuiten, zou hij denken dat het banden van een lang verloren gewaande radioshow waren.

De Stone en Spellman-show

'Geen onderhandelingen'

Achtergrond: toen mijn zusje acht jaar was, leerde mijn broer haar – toen hij zijn werk als jurist wilde uitleggen – hoe je moest onderhandelen. Dat was een les waar hij en de rest van ons persoonlijk allemaal snel spijt van zouden krijgen. Rae leidde uit deze les af dat over alles – van simpele verzorging en huishoudelijk werk tot huiswerk – in haar voordeel kon worden onderhandeld.

Decor: Nadat Stone Rae van school heeft thuisgebracht, is hij bereid Olivia naar de garage te brengen om haar auto op te halen. Rae rijdt mee.

Het afschrift luidt als volgt:

RAE: Ik wil voorin!
HENRY: Rae, laat je moeder daar zitten.
RAE: Riep mama 'voorin' toen ik tijdelijk doof was?
HENRY: Wat zei ik je nou over sarcasme?
RAE: Dat het de laagste vorm van humor is. Maar je vergist je. Het gezegde is 'de woordspeling is de laagste vorm van humor'.
HENRY: Voor een woordspeling moet je nog een paar hersencellen hebben. Voor sarcasme heb je alleen maar een irritante manier van praten nodig.
[Henry houdt de achterdeur open voor Rae.]
HENRY: Jij gaat achterin.
RAE: Ik ben bereid om te onderhandelen. Ik ga achterin zitten als jij me twee rijlessen geeft.
HENRY: Rae, je mag achterin zitten of je kunt thuis blijven. Meer opties zijn er niet.
[Rae gaat achterin zitten, Olivia voorin.]

OLIVIA: Dat was indrukwekkend. Ik laat me altijd verleiden tot onderhandelingen.

HENRY: Ik heb me strikt voorgenomen niet met Rae te onderhandelen.

OLIVIA: Heus? Daar heb ik ontzag voor.

RAE: Zet de radio eens aan, Henry.

HENRY: Pardon?

RAE: Alsjeblieft.

HENRY: Dank je.

RAE: Jij bent zo prehistorisch.

[Henry lacht.]

HENRY: Hoe noemde je mij?

RAE: Je verstond me wel.

Henry Stone lachte nooit. Voor dat moment was er tenminste geen bewijs voor het tegendeel. Mijn moeder zou later beweren dat *De Stone en Spellman-show* archivistisch bewijs was voor de wederzijds heilzame aard van de relatie tussen Rae en Henry. Voor mijn moeder bevestigde dit ogenblik dat het opnemen van Henry Stone in ons leven niet gedwongen of wreed was (wat mijn vader veronderstelde); het was niet alleen zo dat Henry een goede invloed op Rae had, dat gold misschien ook wel andersom. De aanvankelijke bedenkingen van mijn moeder over de manier waarop Rae zich in Henry's leven mengde, verdwenen. Ze zei dat inspecteur Stone een volwassen man was en als hij van Rae af wilde, kon hij dat zelf wel af.

Zo werd Henry Stone erelid van de familie Spellman. En dat brengt me weer op het begin van mijn verhaal, dat over 'John Brown'.

Subject verhuist naar Clay Street 1797...

Zondag 8 januari
11.00 uur

Een kwartier nadat we Henry in het ziekenhuis hadden achtergelaten, reden Rae en ik de oprit op van mijn ouderlijk huis, Clay Street 1799, net toen de verhuisauto van Subject voor de appartementen ernaast dubbel parkeerde.

Rae en ik registreerden het voertuig allebei vanuit onze ooghoek, maar we waren door iets anders in beslag genomen.

'Stap uit,' zei ik, nadat ik de deuren had ontgrendeld.

'Nee,' antwoordde Rae stoïcijns.

'Wou je de hele dag in de auto blijven zitten?'

'Nee, ik wou de bus terug naar het ziekenhuis nemen.'

Rae bleef roerloos zitten, maar ik realiseerde me dat ze op het punt stond ervandoor te gaan. Ik pakte mijn mobiel en belde naar huis.

Mijn vader nam op. 'Hallo?'

'Pap, we hebben een probleem.'

'Waar zit je?'

'Op de oprit. Ik denk dat ik assistentie nodig heb.'

Net toen ik mijn zin had uitgesproken, sprong Rae de auto uit en schoot de straat door. En het zou haar nog gelukt zijn ook. Ze zou naar het ziekenhuis hebben weten te komen voor we haar konden tegenhouden. Ze zou zijn teruggegaan naar Henry Stones kamer en ik zou mijn belofte hebben gebroken.

Maar onze nieuwe buurman gaf Henry zonder het te weten twaalf uur uitstel. Net toen Rae voor zijn nieuwe woning over de stoep schoot, kwam de nog onbekende man met twee archiefdozen uit zijn gehuurde vrachtwagentje en versperde haar de door-

39

gang. Het gebeurde in een ommezien. De menselijke botsing. Lichamen sloegen tegen de grond, dozen vielen om, dossiers verspreidden zich als een pak speelkaarten en er dwarrelden een paar losse velletjes door de lucht.

Toen mijn vader en moeder naar buiten kwamen konden ze alleen de nasleep zien.

'Wat is er gebeurd?' vroeg mijn moeder, terwijl ze mij aankeek.

'Ze rende hem omver,' antwoordde ik, 'letterlijk.'

'Niet weer.'

Er waren met het blote oog geen ernstige verwondingen te zien. Subject, die zich nog voor moest stellen, had de zwaarste klap gekregen. Rae stuiterde zo ongeveer als een stripfiguurtje tegen de zijkant van de archiefdozen op en landde met een klap op haar achterwerk. Ze sprong snel overeind en sloeg het vuil van zich af. Mijn eerste indruk van de onbekende man die daar, daas door wat schijnbaar het tweede hoofdletsel was dat Rae die dag had veroorzaakt, op de grond lag, was dat onze nieuwe buurman wel iets had, genoeg 'iets' om mij aan kansen op nieuwe exen te laten denken. Niet dat hij echt mijn buurman was; ik woonde niet meer thuis, maar het werd misschien tijd om wat vaker op bezoek te komen.

Ik schatte de leeftijd van Subject, die languit op de stoep lag, op ongeveer dertig jaar. Hij was omstreeks één meter tachtig, had zandblond haar, blauwe ogen en een lekker kleurtje, het soort dat ik zelf nooit heb weten te krijgen. Wat de nog altijd onbekende man toen deed, vond ik vreemd. Nee, ik vond het verdacht.

Hij keek niet of hij schrammen of blauwe plekken had. Hij keek zijn belager (Rae) niet vragend aan. Zijn blik schoot alle kanten op, louter naar de papieren om hem heen. Hij graaide ze bij elkaar alsof het waardepapieren of briefjes van honderd waren, deed alle losse spullen snel weer in de dozen en sloot die af. Pas nadat hij een paar keer de directe omgeving in de rondte had afgespeurd en zich ervan had vergewist dat hij alle rondslingerende vellen te pakken had, wendde hij zich tot mijn familie en gaf hij er blijk van ons te zien staan.

Hij keek als eerste naar Rae. De concentratie van zijn wilde jacht van zo-even ebde weg en er verscheen een glimlach op zijn gezicht.

'Waarom heb je zo'n haast?' zei hij tegen mijn zusje.

'Ik moet terug naar het ziekenhuis.'

'Waarom?' vroeg Subject. Helaas.

Rae, die op geen enkele vraag kon reageren zonder een nauwkeurig antwoord te geven, zei: 'Vandaag heb ik per ongeluk bijna mijn beste vriend vermoord.'

'Ik wist niet dat je iemand per ongeluk kon vermoorden. Ik dacht dat het onbedoeld veroorzaken van iemands dood doodslag heette.'

'Dank u wel,' zei mijn moeder verheugd. Zij is er een groot voorstander van dat anderen haar kinderen iets bijbrengen, zoals je inmiddels wel door zult hebben.

'Oké, dan heb ik vandaag bijna per ongeluk doodslag gepleegd op mijn beste vriend en ik wil terug naar het ziekenhuis om bij hem langs te gaan.'

'Dat is een pleonasme, Rae,' zei mijn vader.

'Maar hij wil haar niet zien,' zei ik tegen Subject, die steeds vragender begon te kijken.

'Dat weet je helemaal niet,' reageerde mijn zusje bits.

'Wel waar,' zei ik. 'Hij heeft me gevraagd jou uit zijn buurt te houden.'

'Dat zullen we nog wel eens zien,' zei Rae, en ik kon aan de manier waarop ze de hele tijd om zich heen keek zien dat ze op de volgende ontsnapping broedde.

Mijn vader merkte vanuit zijn ooghoek Raes lichaamstaal op en hij sloeg zijn arm om haar heen, zodat ze niet weg kon. Toen doorbrak papa de spanning tussen ons en de onbekende door ons eindelijk voor te stellen.

'Hallo, het lijkt erop dat wij uw nieuwe buren zijn. Ik ben Albert Spellman, dit is mijn vrouw, Olivia, mijn oudste dochter, Isabel, en deze hier, die ervandoor probeert te gaan, is Rae.'

'Aangenaam. Mijn naam is John Brown.'

Het obsessieve rondrennen achter die papieren was al voldoende, maar het horen van Subjects naam wekte definitief mijn achterdocht. John Brown. Dat was zo'n veelvoorkomende naam, te veelvoorkomend, aangenaam veelvoorkomend. Voor de privédetective is de veelvoorkomende naam de doodsteek. Als we geen sofi-nummer hebben of een geboortedatum en -plaats, is het vrijwel onmogelijk om betrouwbare achtergrondinformatie te achterhalen over iemand met zo'n naam.

John. Brown. Volgens de officiële volkstelling van 1990 is 'John' de op een na meest voorkomende jongensnaam in de Verenigde Staten en is 'Brown' de op vier na meest voorkomende achternaam. Alleen als hij James Smith heette, zou het erger zijn. Maar zoals ik al zei, vind ik iedereen verdacht. En ik loop opnieuw op de zaken vooruit. Op zondag 8 januari stond John Brown heel laag op de lijst van zaken die mijn aandacht vereisten. Mijn moeder, mijn zusje, mijn vader en het ongebruikelijke gedrag van mijn beste vriendin gingen hem allemaal voor.

Verdachtgedragverslagen

Ik houd lijstjes bij. Het zijn een soort to do lijstjes van dingen die ik al heb gedaan. Ze kunnen gewoonten, misdrijven of relaties bevatten (zie aanhangsel voor een volledige lijst van exen). Ik had de eenvoudige lijstvorm altijd handig gevonden. Die was duidelijk, beknopt en gemakkelijk op te vouwen tot een velletje steekwoorden van één bladzijde. Maar onlangs had ik ontdekt dat het noodzakelijk was verslag te leggen van verdacht gedrag. Het was mijn gewoonte vlak voor ik naar bed ging of als me midden in de nacht iets te binnen schoot aantekeningen te maken. Helaas was mijn nachtkastje 's ochtends vaak compleet bedekt met cryptische Postits.

Pap. VUTWA #3
Moeder. Moersleutel in auto.
Rae. Telefoontje. Waarom?
Subject. Zakken vol aarde.

Je begrijpt wat ik bedoel. Mijn aantekeningen over verdacht gedrag vroegen om rapporten. Daarom kocht ik een aantekenboekje en nam ik de tijd om uit te weiden over mijn subjecten, die merendeels toevallig familie waren. Ik schreef mijn eerste volledige verslag over verdacht gedrag de avond nadat ik had kennisgemaakt met Subject de buurman – John Brown – al had dat ene verslag niets te maken met Subject.

Nadat ik mijn zusje die middag had afgezet, ging ik 's avonds terug naar huize Spellman voor de jongste aflevering van de onlangs ingestelde zondagavondetentjes. Deze begonnen kort na Davids huwelijk met Petra, die al jarenlang mijn beste vriendin was. De bruiloft was een jaar geleden (vanaf de datum van arrestatie #2 of #4), na vier maanden achter mijn rug om stiekem doen en drie maanden van openlijke verkering. David dacht kennelijk dat ik het niet goed zou keuren. Dat deed ik toen ook niet. Ik dacht eerlijk gezegd dat Petra wel iets beters kon krijgen dan mijn bizar aantrekkelijke, intellectueel superieure en in alle opzichten charmante broer. Maar goed, ik heb het verwerkt en vind het inmiddels buitengewoon prettig dat mijn oude partner in het kattenkwaad bij onze familiebijeenkomsten is. Petra was namelijk net zo'n delinquent als ik. Nu is ze kapster, getrouwd met een fatsoenlijke advocaat en soms lijkt ze zelfs bijna fatsoenlijk.

Verdacht gedrag moet die avond in de lucht hebben gehangen, want ik merkte het bij elk familielid op.

Ik zal beginnen met Petra. Voor het geval het verdachte element voor jou niet zo duidelijk is, zet ik een asterisk bij het gedrag in kwestie met een korte verklaring.

Toen Petra met mijn broer het huis binnenkwam, monsterde ze me en zei: 'Wanneer ben je voor het laatst bij mij geweest?'

'Een week of twee geleden, volgens mij.'

'Ik kan me niet voorstellen dat ik het zo erg zou laten worden,' zei ze, doelend op mijn haar.

'Relax, het is maar haar.'

'Doe niet zo neerbuigend over mijn vak.'

'Sorry.'

Petra nam me mee om mij mijn driemaandelijkse knipbeurt te geven. Toen ze haar trui uitdeed, zag ik een nieuwe tatoeage van een roos (hoe origineel) waar ooit Puff de Magische Draak zat voor die vorig jaar met een laser werd geëlimineerd. Sterker nog, Petra verwijderde een áántal tatoeages toen zij en mijn broer verkering kregen. De verschijning van een nieuwe tatoeage is asteriskwaardig.

'Wat is dat?' vroeg ik.

'Dat noem je een tatoeage,' antwoordde Petra op de toon van een kleuterjuf.

'Maar je hebt er net een heel stel laten weghalen.'

'Wat wil je daarmee zeggen?'

44

'Als ik jouw huid was, zou ik in opstand komen,' zei ik.

'Die plek zag er gewoon leeg uit.'

'Wat vindt David ervan?' vroeg ik.

'Het maakt niet uit wat hij vindt,' zei Petra bits. 'Het is mijn huid.'* [Daar had ik niets tegenin te brengen, maar de reactie leek onnodig vijandig.]

'Nu we toch met zijn tweeën zijn,' zei Petra, van onderwerp veranderend, 'kan ik je wat vragen?'

'Natuurlijk.'

'Hebben David en je moeder ruzie?'

'Waarom vraag je dat?'

'Omdat ze niet meer zo vaak als vroeger belt en de laatste keer dat ze belde leek het alsof ze ruzie hadden en toen gooide David de hoorn op de haak, althans, zo klonk het.* [David en mijn moeder maken geen ruzie. David gooit de hoorn niet op de haak als hij met mijn moeder belt. Ik kan me niet herinneren wanneer ze voor het laatst ruzie hadden.]

'Dat was een vergissing.'

'Dus jij weet niets van een ruzie?'

'Nee, maar ik zal het voor je natrekken.'

Aan tafel zag ik het volgende subject van mijn verslag: pap. Hij verscheen laat met een yogamatje* onder zijn arm, ging zitten en vroeg David of hij de sla wilde doorgeven.* Alle ogen waren op papa gericht, want dit verdachte gedrag was het meest verdacht van allemaal.

'Schat, ben je net naar yoga geweest?' vroeg mijn moeder.

'Ja,' antwoordde papa.

Mijn moeder, die te verbijsterd en verheugd was dat mijn vader – al was het maar één dag – op zijn gezondheid lette, besloot uit angst dat ze hem zou ontmoedigen er verder geen woord aan vuil te maken.

Daarna hadden we het kort over Raes bijna-doodslag, maar ik kapte dat gesprek af want ik werd er eerlijk gezegd doodziek van.

'We hebben besloten dit jaar een paar verdwijningen te houden,' zei mijn moeder terloops bij een ongelooflijk flauw kalkoenbrood. 'We hebben wat geld geërfd van tante Grace, die er specifiek bij

45

aangaf dat het voor vrijetijdsbesteding bedoeld is.*

'Dat is voor het eerst dat ik dat hoor,' merkte David op.

'We vertellen jou niet alles, David. Net zomin als jij ons alles vertelt,' zei mama fel.* [Hier klonk duidelijk een vijandigheid in door waar ik het fijne niet van wist. Nader onderzoek was vereist.]

Dit is misschien een geschikt moment om uit te leggen hoe 'verdwijning' bij de Spellmans 'vakantie' is gaan betekenen.

Verdwijning (de): Een vakantie of anderszins ontspannende ontsnapping.

Ongeveer twee jaar voor de datum van dit etentje raakte mijn zusje vermist. Zoals ik al eerder heb uitgelegd was dat een dramatische zij het tamelijk effectieve zet van haar om het gezin weer bij elkaar te krijgen. Het was tegelijk een vreselijke beproeving waar alle Spellmans lichamelijk en emotioneel uitgeput uit tevoorschijnkwamen, enigszins verbitterd jegens mijn jongere zus. Rae, die de onuitgesproken vijandigheid aanvoelde en gewoon wilde dat die verdween, begon deze verwarrende gebeurtenis haar 'vakantie' te noemen. Ze verwisselde de twee begrippen achteloos op de volgende manier: 'Wanneer ben je voor het laatst bij de tandarts geweest, Rae?'

'Eh, volgens mij een paar weken na mijn vakantie.'

Mijn ouders probeerden haar deze verwisseling van woorden af te leren, maar Rae weigerde, in een krachteloze poging de geschiedenis te herschrijven. Mijn ouders sloegen terug door het woord 'vakantie' te vervangen door 'verdwijning', zodat Rae het nooit zou vergeten. Dus als Rae het woord 'vakantie' gebruikt, heeft ze het vaak over haar vijf dagen durende afwezigheid in de winter, bijna twee jaar geleden. Als mijn ouders het woord 'verdwijning' gebruiken, hebben ze het hoogstwaarschijnlijk over een vakantie** met zijn tweetjes.

---

*Tante Grace was van mijn vaders kant. De Spellmans zijn beruchte controlefreaks; zelfs legaten moeten overeenkomstig de wensen van de overledene worden gebruikt.

**In de traditionele zin van het woord.

Bij het toetje, bestaande uit vers fruit voor papa en ijs voor de anderen, was het belangrijkste gespreksonderwerp de vraag of Rae tijdens de verdwijningen van mijn ouders alleen op de Clay Street mocht blijven. Hierop volgde een korte bespreking van de mogelijkheid dat Rae met hen mee zou gaan op een zomercruise, maar toen Rae zei dat ze een vakantie* zou nemen om aan de verdwijning te ontkomen, krabbelden mijn ouders terug.

Het laatste verdachte gedrag van de avond deed zich voor toen Raes mobiel ging. Ze nam na één keer overgaan op en zei de ander gedag. Toen vroeg ze aan mama of ze mocht opstaan.

Nadat ze van tafel was opgestaan, zei mijn vader: 'We moeten haar misschien wat telefoonetiquette bijbrengen. Ze wordt een regelrechte belfanaat.'

'Met wie belt ze?' vroeg ik.

'Ze heeft tegenwoordig een paar vriendinnen*,' antwoordde mijn moeder. [Mijn zusje heeft tot nu toe alleen een paar kennissen gehad, met wie ze heel af en toe huiswerk maakte en nog minder naar verjaarsfeestjes of de film ging. Maar echte vriendinnen, met wie ze over de telefoon over ditjes en datjes zou kunnen praten, die waren echt zeldzaam.]

De avond eindigde met een bellende Rae, die de rest negeerde; een vader die aan zijn kruidenthee nipte; een moeder die David koeltjes 'welterusten' wenste en een Petra die opgelaten gedag zei nadat ze aan tafel eigenaardig stil was geweest.* [Ik knoopte in mijn oren dat ik haar hier later naar moest vragen.]

* Haar herziene definitie.

47

Een verbroken belofte

Maandag 9 januari
9.30 uur

Ik ben een uitslaper. Als de wekker niet gaat voor een vroege klus, kan ik gewoonlijk een gat in de dag slapen. Eigenlijk moet ik zeker tot halverwege de ochtend pitten wil ik uitgerust zijn. Maar de volgende ochtend werd ik om half tien gewekt door de telefoon.

'Hallo,' zei ik, wat meer klonk als 'nahlow'.

'Je had het beloofd,' zei de treurige stem aan de andere kant van de lijn.

Ik had geen idee wie het was maar ik moet me vaak verontschuldigen voor het een of ander, dus dat deed ik maar gewoon.

'Het spijt me,' zei ik. 'Het spijt me vreselijk.'

'Haal haar hier weg.'

'Wie?' zei ik, hoewel ik dat meteen zou hebben begrepen als ik wakkerder was geweest.

'*Rae!*' brulde Henry Stone in de hoorn, wat het opwekkende effect van minstens één kop koffie had.

Toen schoot het me allemaal weer te binnen. De belofte dat ik mijn zusje twee weken lang bij hem weg zou houden. Ik vroeg me af waarom ik die belofte überhaupt had gedaan – waarschijnlijk omdat hij in mijn pols kneep en het pijn deed. Ik had het niet moeten beloven. Ik kon me er onmogelijk aan houden. Maar ik was niet ongevoelig. Henry had meer moeten doorstaan dan een niet-familielid zou moeten hoeven doorstaan. Ik hoorde het aan zijn stem. En ik kende het gevoel.

'Ik ben zo bij je,' zei ik.

Ik wapperde met mijn kwartkaraats verlovingsring naar de zuster achter de balie en ging Henry's kamer binnen. Hij lag de *San Francisco Chronicle* te lezen. Rae was nergens te bekennen.

'Waar is ze?' vroeg ik.

'Geen idee,' antwoordde Henry. 'Maar ze komt wel terug, dus jij wacht hier op haar en dan neem je haar voorgoed mee.'

'Ik vind het allemaal heel vervelend, Henry. Maar jij weet ook wel dat we niet kunnen voorkomen dat ze naar jou gaat, tenzij we haar opsluiten in haar kamer, waar de kinderbescherming volgens mij bezwaar tegen zou hebben.'

'Waarom heeft ze geen huisarrest?' vroeg hij.

'Dat heeft ze wel. Ze heeft vijf jaar huisarrest, wat – ik weet het – inderdaad nergens op slaat aangezien ze bijna zestien is, maar ze trekt zich er niks van aan.'

Een nieuwe zuster deed de deur open en keek me aan.

'Wie bent u?' vroeg zij.

'Ik ben Henry's verloofde,' antwoordde ik, en ik liep om het bed heen en pakte zijn hand.

'Juist,' zei ze, terwijl ze me minachtend monsterde. 'Ik kom straks terug om uw vitale functies te controleren,' zei ze tegen Henry.

'Waarom heeft ze een hekel aan mij?' vroeg ik.

'Omdat je een waardeloze verloofde bent.'

'Wat heb ik dan gedaan?'

'Zij is hier al sinds gisteravond en dit is de eerste keer dat ze jou ziet. Én je hebt niets voor me meegebracht.'

'Het spijt me.'

'Wat is er met je haar gebeurd?' vroeg Henry, nadat hij me iets te lang had aangekeken.

'Ik ben geknipt.'

'O, ik vond het eerst leuker.'

'Je heb het liever slordig?'

'Ja.'

'Waarom?'

49

'Dat past beter bij jou.'

Ik realiseerde me dat ik Henry's hand nog steeds vasthad. Zijn warme vingers zaten losjes om de mijne. Ik liet hem los op het moment dat Rae binnenkwam met een bonte mengeling aan tassen. Ik stak mijn hand in mijn zak en zette mijn digitale recorder aan. Mam noemde de nu volgende episode naderhand klassiek.

De Stone en Spellman-show

'Snel beter worden, hoor'

Het afschrift luidt als volgt:

[Rae komt binnen en legt haar boodschappen op Henry's buik.]

RAE: [tegen mij] Wat doe jij hier?

ISABEL: Ik kom je ophalen.

[Rae negeert me en begint haar spullen uit te pakken.]

RAE: Ik heb een paar cadeautjes voor je zodat je het incident vergeet.

HENRY: Hou eens op het 'het incident' te noemen. Jij hebt me aangereden. Noem het bij zijn naam.

RAE: Goed. Ik heb een paar cadeautjes om te laten zien dat het me spijt dat ik je heb aangereden.

[Rae doorzoekt de tas.]

RAE: Ik heb wat snoep voor je. Ik weet dat je niet snoept, maar ik dacht dat je misschien een uitzondering zou maken als je in het ziekenhuis ligt. M&M's, Skittles en Raisinettes. Er zitten echte rozijnen in, dus je krijgt ook fruit. Hoe dan ook, het is vooral niet-kleverig snoep, want ik weet dat je niet van kleverig houdt.

HENRY: Dank je wel, maar ik wil geen snoep.

[Rae maakt het zakje Skittles voor zichzelf open.]

RAE: Ik lust er wel een paar.

ISABEL: Geef die M&M's eens. Ik heb niet ontbeten.

HENRY: Dames, beneden is een cafetaria.

RAE: Wacht, er is nog meer. Ik heb tijdschriften voor je. *The New Yorker* – die heb ik bij jou thuis gezien, dus ik weet dat je die leest – *The Atlantic Monthly*, die me saai lijkt en dus dacht ik dat jij het wel leuk zou vinden, en *Playboy*, want mannen houden van *Playboy*, toch? Bovendien wilde ik weten of de winkel op de hoek van

Twenty-first en Potrero porno aan mij zou verkopen. Ik heb het adres genoteerd voor het geval je ze wilt inrekenen. O ja, ik ben ook naar de kruidenier op Fifteenth en Market geweest en heb er geprobeerd bier te kopen, maar dat weigerden ze. Dus die kun je van je lijst halen.

HENRY: Wil je alsjeblieft niet meer proberen bier en porno te kopen? Ik zit niet bij de zedenpolitie. Het kan me niet schelen wie het verkoopt. Ik zal die andere bladen lezen. Neem de *Playboy* maar mee. Ik wil niet dat de verpleegsters denken dat ik een ouwe geilaard ben.

ISABEL: Ik geloof niet dat je een ouwe geilaard bent als je de *Playboy* leest. Er staan goede interviews in.

HENRY: Ik ben erg moe en kan wel wat rust gebruiken.

ISABEL: We moeten gaan, Rae.

RAE: Ik ben nog niet klaar. Ik heb ook kaarten gekocht. Ik dacht dat jij me misschien kon leren pokeren.

HENRY: Je kunt niet pokeren met zijn tweeën.

RAE: Isabel is er ook en ik zag een groepje verpleegsters die zich leken te vervelen.

HENRY: Isabel!

ISABEL: Rae, als het moet til ik je op en draag ik je naar buiten.

[Rae pakt het snoep en de *Playboy*.]

RAE: Ik ga al. Zo'n stille hint snap ik echt wel.

[Nee, niet dus.]

RAE: Tot morgen, Henry.

[Einde van de band.]

Subject geobserveerd terwijl deze
het vuilnis buiten zet...

Maandag 9 januari
11.20 uur

Toen Rae en ik terugkwamen van het ziekenhuis, zagen we hoe Subject – John Brown – vier plastic zakken zo groot als hoofdkussens in de vuilnisbak voor zijn huis propte. De inhoud van de zakken was licht en donzig. Zakken versnipperd papier zijn hoofdzakelijk zakken lucht, een verspilling van ruimte in de vuilnisbak; daarom hebben mijn ouders ook altijd twee extra groene containers. Wij hebben die ruimte nodig, want wij versnipperen alles. En dan bedoel ik ook álles. Ik merkte die zakken op dat moment wel op, maar ik zette dat detail pas een maand later in mijn verdachtgedragverslag over Subject.

Toen Rae en ik uit de auto stapten, zwaaide onze nieuwe buurman en hij kwam naar ons toe. Deze keer viel het me op dat hij een beetje leek op Joseph Cotten, mijn absolute lievelingsacteur in filmklassiekers. Ik heb *Shadow of a Doubt* naar eigen schatting minstens twaalf keer gezien en ik blijf erbij dat die beter is dan *Vertigo* en *Rear Window*.

Subject glimlachte naar Rae en zei: 'Hoe is het met je vriend?'

Rae, die weigerde een luchtig burenpraatje te houden, antwoordde: 'Hij heeft misschien blijvend hersenletsel opgelopen.'

Ik kneep Rae heel hard in haar arm, wat sinds kort de code is voor 'hou op met datgene waar je mee bezig bent'.

'Het gaat goed met hem,' antwoordde ik. 'Het is maar een hersenschudding.'

'Daar ben ik blij om,' zei Subject, die op zijn tenen en hielen op en neer stond te wippen. Ik kreeg het gevoel dat hij iets wilde zeggen. En toen verknalde Rae het.

'Als jij in het ziekenhuis lag, wat zou je dan het liefste willen?' vroeg mijn zus.

'Uit het ziekenhuis zijn,' antwoordde Subject vlug.

'Bedankt, daar heb ik wat aan,' reageerde Rae nogal bot. Ze wilde echte info – een lijstje van dingen die ze mee kon nemen voor Henry Stone. Hier had ze niks aan.

'Ik ga naar binnen,' zei Rae, die op de voordeur af stoof.

'Ik denk dat ik moet gaan,' zei ik langzaam, terwijl ik me omdraaide en achter Rae aan liep.

'Je haar zit leuk,' zei Subject.

'Dank je,' antwoordde ik, en op dat moment dacht ik echt *Is dit misschien Ex #11?*

Het 'advocatenkantoor' van Mort Schilling

Maandag 24 april
10.35 uur

'Tot zover lijkt het me een *mensch**,' zei Morty.

'Maar ik ben nog maar net begonnen,' antwoordde ik.

'Hij knoopt een gesprek aan met het meisje dat hem onderste-boven liep, hij maakt een compliment over je haar, hij is goed verzorgd. Ik haal tot nu toe niets "slechts" uit jouw beschrijving, Izzelle.'

'Gun me wat tijd. Dit is nog maar het begin van het verhaal.'

'Ik hoop dat je niks hebt gehad met deze vent.'

'Hoezo?'

'Als je iets met hem hebt gehad en hij daarna om een contactverbod heeft gevraagd... dan ziet dat er niet best uit.'

'Aha.'

'Je hebt iets met hem gehad of niet soms?'

'Eventjes,' zei ik.

'Wat is er gebeurd?'

'Alle stukjes vielen op hun plaats en ik realiseerde me dat hij slecht was.'

'Wat doet hij dan voor slechts?'

'Daar ben ik nog niet achter, maar dat komt nog wel.'

'Als je advocaat moet ik je adviseren geen onderzoek meer te doen.'

Morty's echtgenote, Ruth, kwam het kantoor binnen met een

---

* *mensch of* mensh (mĕnsh) (de; -es of -en (mĕn'shen)) *informeel* Iemand met bewonderenswaardige eigenschappen, zoals vastberadenheid en doelgerichtheid.

55

gebreide trui. Ik moet nog opmerken dat Morty's 'kantoor' in zijn garage zit. Gelieve daarbij op te merken dat ik het niet over een 'verbouwde garage' heb.

'Ik dacht dat je het misschien koud had,' zei Ruth.

'Als ik het koud heb, pak ik zelf wel een trui.'

'Het laatste wat we nu kunnen gebruiken is dat jij longontsteking krijgt.'

'Ruthy, ik ben aan het werk.'

'Dag, Izzy, hoe is het met je? Wil je iets eten?'

'Nee, dank u.'

'Iets drinken?'

'Nee, dank u.'

'Koffie? Thee?'

'Nee, echt niet,' zei ik.

Vervolgens ging Morty verder met de opsomming van de drankenlijst. 'Warme chocolademelk, sinaasappelsap, tomatensap, pruimensap.'

'Nee, dank je. Echt niet.'

'Ze wil graag chocolademelk,' zei Morty tegen Ruth; dit was kennelijk zijn eigen geheime bestelling.

'Geef maar een gil als je iets nodig hebt,' zei Ruth vriendelijk. 'Leuk je gezien te hebben, Isabel. Trek je trui aan, Morty.'

'Ik doe hem aan als ik het koud heb. Alsjeblieft, we moeten nog heel veel doen.'

Ruth liep terug naar het huis. Morty keek verlekkerd naar de trui, maar deed hem nog niet aan. Hij raadpleegde zijn aantekeningen en dacht na over zijn volgende vraag.

Morty en ik

Dit is misschien wel het moment om te vertellen hoe Morty en ik elkaar hebben leren kennen. Het was ongeveer anderhalf jaar voor deze bespreking. Ik had een observatieklus, waardoor ik in Hayes Valley belandde. Het subject (van toen, niet het huidige) ging een van de zeldzame joodse delicatessenwinkels in de stad binnen, Moishe's Pippic. Ik was er nog nooit geweest en zou kort erop ontdekken dat deze zaak niet alleen heel klein was maar bovendien een soort heiligdom voor de fraaie stad Chicago. Niet alleen was hij klein, maar ook nog eens leeg, waardoor mijn aanwezigheid daar des te meer opviel. Als ik direct na binnenkomst meteen weer was weggegaan, had ik mezelf verraden. Als ik aan een van de tafeltjes met namaakhouten blad was gaan zitten en een lunch had besteld, was ik ontdekt. Ik vermoedde dat Deli-subject me door had en ik moest stante pede een beslissing nemen.

Aan een tafeltje in de hoek zag ik een oudere man met een te grote bril en warrig, dun, grijszwart haar zitten. Ik liep nonchalant op hem af en nam tegenover hem plaats.

'Mag ik bij u komen zitten?' fluisterde ik.

'Wat?' zei hij.

Deli-subject draaide zich om. Hij keek me recht aan, wat betekende dat verder observeren uitgesloten was. Maar hij wist niet dat ik achter hem aan zat. Als ik een klant kon lijken, kon de observatie worden voortgezet door een andere onderzoeker.

Ik boog me voorover over de tafel en kuste de onbekende oude man op de wang.

'Dag, opa, hoe is het met u?' zei ik tamelijk hard, waarna ik vlug op een papiertje schreef: SPEEL HET SPEL MEE. BEN PRIVÉ-DETECTIVE EN VOLG MAN IN DELI. HELP ME ALSTU-BLIEFT!

Het kostte Morty zo'n dertig seconden om mijn verzoek tot zich door te laten dringen. Ik dacht eerst dat het mijn wanhopige blik was die hem overhaalde het spel mee te spelen, maar naderhand kwam ik erachter dat Morty uit verveling vanwege zijn pensione-ring voor alles te porren was. Mijn nieuwe vriend schoof de kaart naar mij toe en zei: 'Je bent laat.'

Tijdens de lunch vroeg ik om ondersteuning en mam stuurde een andere onderzoeker achter Deli-subject aan. Ik bestelde een kalkoensandwich en gaf Morty mijn kaartje.

'Ik sta bij u in het krijt,' zei ik, en twee weken later stelde Morty voor dat ik de schuld zou inlossen door nog eens met hem te lun-chen. Tijdens die tweede lunch hoorde ik dat Morty een lange en lucratieve loopbaan als een gerespecteerd advocaat in de stad achter de rug had. Hij was uiteindelijk tien jaar eerder met pensioen gegaan, toen zijn vrouw, met wie hij al vijftig jaar getrouwd was, hem een definitief ultimatum stelde. Morty mocht dan tweeëntachtig zijn, hij hield zijn vak bij en was een uitstekende bron van kennis als wij een onderzoek in de criminele sfeer bij de hand hadden.

Ten tijde van arrestatie #4, toen ik besefte dat mijn juridische problemen niet zouden verdwijnen, wendde ik me in de allereerste plaats tot Morty, vooral omdat hij zijn zaakjes kent, maar ook omdat hij pro bono voor me werkt. En hij betaalt altijd de lunch.

'Vertel eens over de tweede keer dat je contact had met Mr. Brown,' zei Morty. Toen pakte hij zijn trui en trok die aan. 'Wat is het hier koud, hè?'

Mijn verhaal is blijven steken halverwege januari, een paar korte dagen voor mijn eerste afspraakje met Subject. De volgende gebeurtenis, die op het eerste gezicht gewoon irritant leek, zou een reeks gebeurtenissen op gang brengen die me terugvoerde naar mijn ouderlijk huis, de ideale plek om allerlei vormen van merkwaardig gedrag gade te kunnen slaan. Ik moet erop wijzen dat Subjects verzameling inconsistenties niet mijn enige zorg was. Inconsistenties waren in overvloed aanwezig.

Maar ik loop op de zaken vooruit. Het wordt tijd om het over Bernie te hebben.

De dag dat Bernie Peterson bij mij introk

Bernie werkte en speelde vroeger met mijn oom Ray. Zij hielden beiden van drank, poker en lichtzinnige vrouwen. Toen Bernie besloot zich te verloven met zijn liefje, de voormalige Vegas-showgirl Daisy Doolittle*, bood Bernie mij zijn appartement in onderhuur aan, wat hij zoals hij zelf erkende deed omdat hij er niet zeker van was of de november-decemberrelatie zou standhouden. Hij pakte zijn spullen en vertrok naar Carson City. Ik betaalde Bernie achthonderd dollar per maand en Bernie betaalde zijn huisbaas zevenhonderd. Onze hele relatie bestond uit zo nu en dan een telefoongesprek waarin ik hem vertelde dat iets in het appartement niet werkte, waarna hij die informatie doorgaf aan de huisbaas en ik zorgde dat ik er niet was als de reparatie werd uitgevoerd.

Ik had de gepensioneerde inspecteur sinds twee jaar niet gezien. Dat was toen hij me een stel sleutels gaf en zei: 'Ik hoop dat je hier net zo gelukkig wordt als ik.' Het kwam geen moment in me op dat Bernie zelf ook een set sleutels had bewaard. Maar dat was wel het geval.

Het was elf uur 's avonds toen ik hoorde dat er iemand aan mijn deur morrelde en een sleutel in mijn slot werd gestoken. Ik tuurde door het kijkgaatje en zag de bovenkant van een kaal hoofd – geen kaal hoofd dat ik onmiddellijk herkende. Net toen het nachtslot openklikte, deed ik het er weer op. Even later werd het nachtslot opnieuw geopend en deed ik het er weer op, maar nu rende ik naar de telefoon voor ik naar de deur terugkeerde om deze opnieuw op

---

* Inderdaad, een toneelnaam.

slot te doen. Ik stond op het punt om het alarmnummer te bellen, toen Bernie eindelijk doorhad dat er zich iemand aan de andere kant van het slot bevond.

'Ben jij dat, Isabel?' vroeg hij met een ladderzatte lodderige stem.

'Bernie?' antwoordde ik.

'Doe open,' zei hij, terwijl hij zachtjes met zijn hand op de deur sloeg. Ik keek voor de zekerheid door het kijkgaatje. Het was inderdaad Bernie, maar een oud geworden, opgeblazen, roodhoofdige versie van zijn vroegere ik. Niet dat die vroegere ik om over naar huis te schrijven was – integendeel. Ik deed met tegenzin de deur open, overtuigd dat mijn leven (of ten minste mijn nabije toekomst) een slechte wending had genomen. Nog voor Bernie één stap in het appartement had gezet besefte ik dat hij bij me zou intrekken. Ik besefte dat het gedaan was met mijn appartement met één slaapkamer voor achthonderd dollar*.

Bernie strompelde naar binnen en liet twee koffers in de hal staan. Zie je wel? Dat zag er beroerd uit. Toen werd het nog erger. Hij sloeg zijn armen om me heen en gaf me een stevige knuffel.

'Isabel, wat ben ik blij je te zien.'

'Bernie? Wat doe jij hier?' zei ik, terwijl ik me probeerde los te wurmen uit de omhelzing. Ik zou het bij elke normale gelegenheid al onaangenaam hebben gevonden om Bernie te zien. Maar deze avond vond ik het bijzonder onaangenaam. Ik had namelijk de twee avonden ervoor op de uitkijk gezeten en in totaal misschien vijf uur geslapen. Dit soort overwerk druist in tegen het beleid van Spellman Investigations, maar we kwamen personeel te kort en omdat ik geld nodig had bood ik me aan als vrijwilliger. Wat ik bedoel, is dat ik heel erg veel behoefte aan slaap had. Ik had er geen behoefte aan om Bernie Peterson te troosten.

Mijn indringer pakte me bij mijn schouders en keek me recht aan.

'Ze heeft mijn hart gebroken,' zei hij op een aanstellerige, dramatische toon.

---

* In San Francisco is dit een waanzinnig koopje.

'Wat is er gebeurd?' vroeg ik, niet uit nieuwsgierigheid maar uit beleefdheid.

'Ik betrapte haar met de tuinman.'

'Je maakt een grapje.'

'Nou ja, hij was niet de tuinman. Hij was mijn beste vriend. We pokerden samen en gingen samen naar de paardenrennen.'

'Waarom zei je dan dat hij de tuinman was?' vroeg ik, inmiddels nieuwsgierig geworden.

'Hij had een elektrische maaimachine. Hij kwam wel eens langs om ons gras te maaien. Maar Donnie kwam niet om mij een plezier te doen. En hij maaide het gras ook niet. "Het gras groeit snel in de woestijn", mijn reet.'

Bernie bazelde maar door. Ik kon hem nauwelijks volgen. Ik vermoed dat Bernie in die laatste uitspraak de man die hem horens had opgezet citeerde, maar ik weet het niet zeker.

'Waar was jij als Donnie het deed met Daisy?'*

'Carson City ligt vlak bij de racebaan. Ik was in het casino, de paardenraces, wat maakt het uit? Heb je iets te drinken?'

'Er staat bier in de koelkast,' zei ik.

Bernie deed zijn jas uit, pakte een biertje, liep naar de bank en schikte de kussens.

'Ik weet het niet meer. Klap je dit ding open?' vroeg hij.

'Nee,' antwoordde ik, en toen pas drong het echt tot me door dat Bernie zou blijven slapen (en nog heel wat meer nachten daarna ook).

'Ik ga naar bed,' zei ik, niet alleen omdat ik uitgeput was maar omdat ik wist dat ik mijn territorium moest opeisen.

'Ga je gang. Doe alsof je thuis bent.** Ik red me wel,' antwoordde Bernie, die naar medelijden en mogelijk een luisterend oor hengelde.

Ik pakte wat dekens en handdoeken uit de kast, liet die liggen voor Bernie en sloot mezelf op in de slaapkamer.

Het slot voorkwam dat Bernie binnen zou komen voor een nachtelijk praatje. Maar in de acht uur erna sloot het niet de opeen-

---

* Het was eruit voor ik het wist.
** Huh?

volging van geluiden buiten die zelfs een hazenslaapje onmogelijk maakten. Het begon met de western op AMC met Jimmy Stewart en John Wayne,* op het hoogste volume, niet omdat Bernie hardhorend is maar om het geluid van zijn gehuil te overstemmen, denk ik. Het tweede nummer op Bernies playlist was gejank, een solo-act, gedempt alsof hij in een hoofdkussen huilde. (Als je me gevoelloos vindt, laat me dan een ding uitleggen: als ik Bernie zou laten uithuilen op mijn schouder, zou hij eerst op mijn schouder huilen en me vervolgens onzedelijk betasten. Ik ken de man niet goed, maar ik ken hem goed genoeg.) Het derde was drie kwartier neus snuiten en in zichzelf gemompelde bemoedigende teksten als: 'Je kunt dit wel aan. Je bent een sterke vent. Je hebt zo een andere meid.' Naar dit onderdeel luisterde ik goed, want het gaf me een exact script om Bernie in de toekomst te troosten bij daglicht. Wat iemand tegen zichzelf zegt bij wijze van troost is hoogstwaarschijnlijk precies wat iemand in tijden van nood wil horen. In het vierde nummer op het album had wel geknipt mogen worden. Dat was vier uur gesnurk. En het laatste nummer? Het gekletter van potten en pannen en het sissen van spekvet.

Toen het zeven uur was, had ik geen oog dichtgedaan, waarmee ik kwam op zo'n tachtig uur wakker tegenover vijf uur slaap in de afgelopen drie dagen. Ik trok mijn badjas aan en ging de woon-eetkamer in.

'Morgen, maatje,' zei Bernie, terwijl hij me aankeek met een theatrale 'ik ben ontroostbaar maar ik laat het niet merken'-blik. Het voelde als een wanhopige smeekbede om aandacht.

Ik moet er na mijn laatste slapeloze nacht nog slechter hebben uitgezien.

'Heb je ook slecht geslapen?' vroeg Bernie medelijdend, alsof het nog een overeenkomst tussen ons betrof. Ik liet me op de keukenstoel vallen en eiste koffie. Gelukkig was Bernie in een gedienstige stemming en dus vertelde ik hem niet over de gewelddadige fantasieën die ik de afgelopen doorwaakte nacht over hem had gehad.

---

* *The Man Who Shot Liberty Valance.*

Omdat ik de moed niet kon opbrengen om iets te doen, dronk ik Bernies koffie (slap), at zijn eieren (vloeibaar), spek (ongaar) en toost (verbrand) en luisterde naar wat ik hoopte het laatste nummer van het Bernie-album was. Het verhaal over de scheiding werd tot in de kleinste details uit de doeken gedaan. Ik moet de eerste mens nog tegenkomen die zonder zich in de bijzonderheden te verliezen, verslag kan doen van de gebeurtenissen die het einde van een relatie inleidden. Waarom kunnen mensen het niet eenvoudig houden? (Zie aanhangsel.)

Aangezien het idioot zou zijn de bijzonderheden te herhalen in een klaagzang over de bijzonderheden, geef ik je gewoon een korte samenvatting van Bernies relaas: 'Bij onze tweede afspraak nam ik haar mee naar de Red Lobster. Ik zei: "Kies maar iets van de kaart." En dat deed ze. Ze bestelde kreeft. Zo'n vrouw was het. En ze bestelde twee cocktails. Eerst een Manhattan en toen een gin-tonic en daarna dronken we samen een fles wijn. Ik zei: je kunt beter niet door elkaar drinken, weet je. Maar zij kon ertegen. Ja, zij kon mij onder de tafel drinken (...) Toen het nagerecht kwam, besloten we het te delen (...).'

Wat ik duidelijk probeer te maken, is dat ik me in de hel bevond, of althans het dichtst bij de hel waar mijn dagelijks leven me tot nu toe gebracht had (dat wil zeggen sinds Raes 'vakantie'). Ik slaagde erin me te bevrijden van Bernies behoeftige conversatie en reed naar het huis/kantoor van mijn ouders om te proberen wat te werken.

Toen ik aankwam, was mijn vader alleen op kantoor. 'Wat is er met jou gebeurd?' vroeg hij.

'Bernie,' antwoordde ik, want ik had de kracht niet om een hele zin uit te spreken.

'Kun je dat wat verduidelijken?' zei pap.

'Nee. Waar is mam?'

'Bij de tandarts.'*

'Huh,' zei ik, waarna ik aan mijn bureau ging zitten. Ik staarde naar de stapel papier voor mijn neus en vond dat die er zacht uitzag, als een kussen. Ik legde mijn hoofd te ruste en sloot mijn ogen.

*Ex #9 – Daniel Castillo, tandarts.

'De harde schijf is gisteravond gecrasht,' zei papa, een in potentie heel aangenaam dutje onderbrekend.

'Daar heb je nou back-ups voor.'

'We hebben van alles een back-up, behalve van het werk van gisteren. Je moet het observatierapport over Wilson opnieuw uittikken.'

Drie uur later had ik tussen onvrijwillige hazenslaapjes door twee bladzijden van het dertig pagina's tellende rapport overgetikt. Net toen mijn hoofd weer op het bureau dreigde te belanden, kwam mijn moeder het kantoor binnen.

'Isabel, heb je een kater?' vroeg mama. 'Je zou gisteravond naar huis en direct naar bed gaan.'

'Ik heb geen kater,' zei ik, me er plotseling van bewust dat mijn hoofd meer leek te wegen dan anders.

'Wat is er met je?' zei ze, toen ze eindelijk mijn gezicht kon zien.

'Bernie is terug. Hij kijkt westerns, hij huilt, hij snurkt, hij denkt dat wij huisgenoten zijn.'

'Ga maar even liggen in de logeerkamer.'

'Ik moet dit afmaken. Of wil jij het voor me typen?'

'Ik kan jouw handschrift niet lezen, Izzy. Het spijt me. En het verslag moet vandaag af. Ga dan maar even buiten in de zon zitten, terwijl ik wat sterke koffie voor je zet.'

Ik kan me niet herinneren dat ik naar buiten ben gewandeld, op de veranda ben gaan zitten en op een zonnig plekje op het beton in slaap ben gevallen, maar dat moet wel gebeurd zijn want toen ik wakker werd zag ik dat Subject, John Brown, naast me zat.

'Isabel? Isabel? Alles goed?' Subject schudde zachtjes aan mijn schouder. Ik kwam langzaam overeind en schudde de duizeligheid van me af.

'Prima. Alleen ernstig tekort aan slaap.'

Toen zette David zijn gloednieuwe Mercedes op de oprit, stapte uit de auto, en zag er zoals gewoonlijk uit als een filmster. David, die onze nieuwe buurman nog niet had gezien, keek ons vragend aan.

'Hallo,' zei David, die de gradatie van mijn slaperigheid peilde. 'Alles goed?'

Subject stond op en stak zijn hand uit. 'Hallo, ik ben John. Ik ben net hiernaast komen wonen.'

'Ik ben David, Izzy's broer.'

'Ik – eh – zag Isabel net in de kou op de veranda liggen. Ik wilde weten of alles in orde was.'

'Als ik een dubbeltje kreeg voor alle keren dat ik haar zo aantrof, kon ik je trakteren op een biefstuk.'

Subject staarde mijn broer niet-begrijpend aan, want hij snapte de steek onder water niet.

'Eerder een cappuccino,' zei ik met slaapdronken stem.

'Tuurlijk,' antwoordde David. 'Is mama thuis?'

'Ze zit in het kantoor.'

David zwaaide naar onze nieuwe buurman en tikte me op mijn hoofd toen hij het huis in ging.

'Aardige vent,' zei Subject vriendelijk.

'Absolute klootzak,' luidde mijn reactie.

Hierop volgde tien seconden pijnlijke stilte, tijdens welke ik weer in slaap begon te vallen en mijn hoofd op Subjects schouder liet rusten.

'Sorry,' zei ik, toen ik wakker werd.

'Geeft niks,' antwoordde hij glimlachend. Ja, Joseph Cotten in *Shadow of a Doubt*. Hoewel ik nu te uitgeput was om over welke twijfels dan ook na te denken. Ik was gewoon verblind door Subjects buitengewone aantrekkelijkheid.

'Jij lijkt aardig,' zei ik.

'Ik ben aardig,' antwoordde hij.

'Misschien moet je maar een keer voor me koken.'

De laatste uitspraak was vergelijkbaar met dronken wangedrag, waar slaaptekort vaak op lijkt. In nuchtere toestand had dat nooit kunnen gebeuren. Maar op dat moment was ik Bernie heel even dankbaar. John Brown reageerde zonder aarzelen.

'Goed,' zei hij, en om er zeker van te zijn dat ik het niet zou verpesten, stond ik op en ging meteen naar binnen.

Binnen een maand zou ik helemaal opgaan in mijn grootste obsessie, het onderzoek naar John Brown. Maar zoals ik al eerder zei, verdacht gedrag moet in de lucht hebben gezeten. Die middag maakte ik mijn tweede verslag.

Verdachtgedragverslag #2

'Olivia Spellman'

Ik ging huize Spellman een paar minuten na mijn broer binnen. Links van de hal is de woonkamer, type familie Doorsnee, met bruine bank, tv en een enigszins versleten leunstoel (een reliek van oom Ray). De woonkamer leidt naar de eetkamer, waar een grote mahonie tafel en stoelen en een dressoir staan. De eetkamer leidt naar een tamelijk krappe keuken met een nog krappere eethoek. Aan de rechterkant van de hal is de deur naar het kantoor, dat nog een deur heeft die naar het souterrain gaat, waar mijn vader me in mijn jeugd ondervroeg vanwege mijn misdrijven. Bij binnenkomst sta je recht tegenover de hoofdtrap, die je naar de slaapkamers leidt en de zolder (vroeger mijn kamertje), tegenwoordig de logeerkamer. Al kan ik me niet herinneren wanneer mijn ouders voor het laatst logees hadden.

Vanuit de hal kon ik zwakjes horen hoe mijn broer en mijn moeder met elkaar aan het praten waren. Zelfs van deze afstand kon ik de spanning in hun stemmen horen. Alle Spellmans zijn buitengewoon goed in afluisteren, maar vooral de tweede generatie. Ik kan je vanuit de hal van het huis precies vertellen waar elk geluid vandaan komt. Ik klom naar de eerste verdieping en luisterde naar hun onderonsje.

'Ik weet dat je me achtervolgt,' zei David tegen mijn moeder.

'Ik weet niet waar je het over hebt, David.'

'Mam, ik heb je gezien gisteravond.'

'Je bent gewoon paranoïde, schatje,' antwoordde mijn moeder, met een verre van aangename stem.

'Het is een inbreuk op de privacy, mam. Zou jij het leuk vinden als ik jou achtervolgde?'

'Ik kan me niet voorstellen dat jij daar tijd voor zou hebben, David. Maar het zou me niet kunnen schelen als je het deed. Al zou ik dan willen voorstellen wat vaker samen te lunchen, dat zou veel handiger zijn.'

'Ik ben niet bezig met wat jij denkt dat ik doe.'

'Is dat zo,' antwoordde mijn moeder. 'Waarom kijk je dan altijd om?'

'Direct ophouden, nú!,' zei David op een veel vijandiger toon dan ik in mijn opstandige jeugd voor elkaar wist te krijgen. Een moment vreesde ik voor zijn veiligheid.

'Waag het niet ooit nog eens zo'n toon tegen me aan te slaan,' zei mama ijzig.

Toen stormde David het huis uit. Ik wil graag nog even opmerken dat het in de meeste gezinnen niet zo ongewoon is als een vierendertigjarige zoon een akkefietje heeft met zijn moeder. Maar tot het eten van de avond ervoor had ik die twee nog nooit ruzie horen maken. Dus ik wilde natuurlijk alles weten. Ik sleepte mijn aan slaaptekort lijdende lichaam de trap af en ging naar de keuken.

'Dag, mam,' zei ik.

Mama gaf me een kop koffie alsof het om een medicijn ging en zei: 'Drink op.'

Ik dronk het uitzonderlijk sterke drankje en stelde de voor de hand liggende vraag: 'Weet je zeker dat er alleen koffie in zit, mam?'

'Zou ik mijn eigen kind drogeren?'

'Met ritalin, ja.'

Mam sprak me niet tegen en haalde haar schouders op.

'Wat is er met jou en David?' vroeg ik, nu ik nog wakker was en de kans had.

'Niks.'

'Ik hoorde jullie net ruziemaken, mam.'

'Het gaat je niks aan, Isabel.'

'Kom op. Gooi het eruit. David was altijd je lievelingetje.'

'Nee, Rae was altijd mijn lievelingetje. Maar goed nieuws, liefje, je staat nu op twee.'

Mam gaf me een klopje op mijn hoofd en schoot de keuken uit voor ik de kans kreeg om te reageren of het gesprek voort te zetten.

Ik zou de waarheid op een andere manier moeten achterhalen dan door praten.

Nadat ik me later die middag door het observatierapport heen had geworsteld belde Henry Stone met zijn gebruikelijke verzoek. Na twee dagen in het ziekenhuis was hij geheel en al gezond verklaard en ontslagen. Hij was nog een paar dagen thuisgebleven om te herstellen, waar hij weigerde open te doen als Rae verscheen. Maar nu hij weer op zijn werk was, kon hij haar niet ontlopen.

'Hallo?'

'Isabel, met Henry. Kom haar alsjeblieft ophalen.'

'Vraag je om een Rae-verwijdering?'

'Ja.'

'Ik ben over een kwartier bij je.'

'Bedankt,' antwoordde Henry, verrast door mijn bereidwillige reactie. Normaal gesproken pas ik een of andere uitsteltactiek toe.

Toen ik Henry's kantoor binnenkwam, zat Rae op haar gebruikelijke plaats – de bruine leren stoel tegenover zijn bureau. Zij hield haar leskaartjes Spaans met het plaatje naar voren omhoog.

Hoe intrigerend ik het ongewone gedrag om me heen ook vond, het was prettig om te zien dat sommige dingen gewoon hetzelfde bleven.

De Stone en Spellman-show

Plaats van handeling: Henry Stones kantoor. Rae zit zoals gewoonlijk in de bruine leren stoel tegenover zijn bureau. Zij houdt de leskaartjes Spaans met het plaatje naar voren voor Henry's neus. Ik ga het kantoor binnen, ga op de stoel naast Rae zitten en zet mijn digitale recorder aan.

Het afschrift luidt als volgt:

HENRY: Oké, Rae, je moet gaan.

RAE: We zijn nog niet klaar.

HENRY: Jawel, we zijn wel klaar.

ISABEL: Ik moet hier even uitrusten. Die trap was veel zwaarder vandaag.*

RAE: Wat is dit? [wijzend naar het kaartje]

HENRY: Ik speel niet meer mee, Rae.

RAE: Dit is geen spelletje, het gaat over je gezondheid.

HENRY: Hoe vaak moet ik het nog zeggen: ik heb geen lobotomie ondergaan; ik had een hersenschudding en het gaat nu prima, niet dankzij jou.

RAE: Geef nou gewoon antwoord op de vraag, dan kunnen we verder.

[Henry bekijkt het kaartje even.]

HENRY: Een boot.

RAE: Welke kleur?

HENRY: Geel.

[Rae pakt de volgende kaart.]

---

* Maar twee trappen, moet ik je er nog eens aan herinneren hoe uitgeput ik was?

RAE: Wat is dit?

HENRY: Een schaar. Isabel, wakker worden.

[Ik was kennelijk in slaap gevallen.]

ISABEL: O, sorry. Rae, we gaan.

RAE: We zijn nog niet klaar.

[Rae pakt het volgende kaartje.]

HENRY: Jawel, we zijn klaar.

ISABEL: Wat ben je aan het doen, Rae?

RAE: Ik kijk of Henry geen blijvend hersenletsel heeft opgelopen.

ISABEL: Huh?

HENRY: Ik speel niet meer mee.

RAE: Dan ga ik niet weg. Wat is dit? [verwijzend naar kaartje]

HENRY: [boos] Een hond.

RAE: En dit?

HENRY: Een boom. Zijn we nou klaar?

[Door de humor hiervan in combinatie met mijn uitputting begon ik hysterisch te lachen. Ik kon gewoon niet ophouden.]

HENRY: Na drie uur is het niet meer zo grappig.

[Hierdoor gierde ik het helemaal uit.]

RAE: Ben je soms dronken?

ISABEL: Nee.

RAE: Stil. Je stoort.

ISABEL: We moeten gaan. [lacht nog steeds.]

RAE: Wat is dit?

HENRY: Ik heb er genoeg van, Rae. Je gaat nu weg.

RAE: Beantwoord alleen deze laatste, dan ben ik weg.

HENRY: Daar trap ik niet nog eens in.

ISABEL: [nog steeds lachend] Het spijt me. Ik kan niet ophouden.

HENRY: Rae, kun je me een paar minuten alleen laten met je zus?

RAE: Waarom?

HENRY: Omdat ik haar onder vier ogen wil spreken.

RAE: Waarover?

[Henry loopt naar Rae toe, pakt haar voorzichtig bij de arm en begeleidt haar naar de deur van zijn kantoor.]

HENRY: [zachtjes] Ben je voor het gemak vergeten dat je mij een week geleden bijna hebt vermoord?

RAE: Per ongeluk.

HENRY: Ben je dat vergeten?

RAE: Dat zal ik nooit vergeten. Nooit.

HENRY: Ik vraag niet veel van je, Rae. Maar als ik zeg: 'Verlaat mijn kantoor', wil ik dat je mijn kantoor verlaat.

RAE: Maar dan zouden we nooit samen zijn.

HENRY: Nog eens, je hebt me bijna vermoord.

RAE: Ik ben vlakbij.

[Henry doet de deur dicht.]

HENRY: Isabel, hou op met lachen.

[Ik hou op. Min of meer.]

ISABEL: Sorry.

HENRY: Wat mankeert jou?

ISABEL: Ik heb achtenveertig uur niet geslapen. Nee, meer nog, want je moet de hele dag voor de eerste overgeslagen nacht mee-tellen. Dus eerder zesenvijftig uur, misschien wel zestig; daar kom ik nog op terug.

HENRY: Lijd je aan slapeloosheid?

ISABEL: Was het maar waar.

HENRY: Was je bezig met een klus?

ISABEL: De eerste twee nachten wel. Daarna werd ik beziggehou-den door John Wayne, Jimmy Stewart, gehuil, gesnurk en gesis.

HENRY: Moet ik Rae laten komen met haar kaartjes?

ISABEL: Nee. We gaan.

[Toen ik opstond, struikelde ik en Henry sloeg zijn arm om mijn middel om me steun te geven. Hij voelde het recordertje in mijn zak en haalde het eruit.]

HENRY: Neem je me weer op?

ISABEL: Het spijt me.

[Einde van de band.]

De band eindigde, maar het gesprek niet.

'Ik wou dat jullie daar eens mee ophielden.'

'We kunnen er niets aan doen. Bovendien wordt mama laaiend als ik het vergeet.'

'Kijk me eens aan, Isabel.'

Ik voelde me een beetje dizzy en kon me moeilijk concentreren.

Henry hield mijn kin in zijn hand en bewoog zijn vinger voor mijn neus van rechts naar links.

'Kijk naar mijn vinger,' zei hij.

'Ik mankeer niks,' zei ik, terwijl ik me probeerde te concentreren.

'Wel waar. Zo kun je niet rijden.'

'Henry, wees niet zo'n politieagent.'

'We gaan. Ik breng jou en Rae thuis. Je haalt je auto morgen maar op.'

Rae riep 'voorin' en dus viel ik op de achterbank in slaap. Toen we bij mijn ouders aankwamen, gaf Henry mijn moeder een korte reprimande dat ze mij had laten rijden. Ik realiseerde me dat ik nog nooit iemand op die manier mijn moeder terecht had horen wijzen en ermee weg had zien komen, inclusief mijn vader. Maar Henry had iets onweerstaanbaars voor mijn moeder. Henry probeerde voor hij wegging nog eens aan Rae duidelijk te maken dat hij meer bewegingsvrijheid nodig had, maar het had geen effect. Mijn moeder stuurde me naar boven naar mijn oude zolderkamer/haar huidige logeerkamer en zei dat ik moest gaan slapen. Ik werd 's ochtends wakker, dertien uur later.

Subject wordt geobserveerd bij het graven van een gat

Vrijdag 13 januari
8.30 uur

Als je op een andere plaats dan normaal wakker wordt, komt de voor de hand liggende vraag op: hoe ben ik hier beland? Dertien uur slaap voorzag me van de broodnodige rust, maar ik werd in paniek wakker, volstrekt niet in staat me te oriënteren. Ik had dan misschien wel bijna negen jaar op dit zolderkamertje gewoond, maar toen ik eenmaal was vertrokken werd het grondig getransformeerd tot een opgeruimde, hotelkamerachtige logeerkamer. Ik was er sindsdien zo zelden (of nooit) geweest dat ik werkelijk geen idee had waar ik was.

Ik stapte door alle consternatie met bonzend hart mijn bed uit. De gordijnen waren dicht en het was uitzonderlijk donker. Donkerder dan Bernies – nee, mijn! – kamer. Ik rende naar het raam, deed de gordijnen open en keek naar buiten. Terwijl mijn trage brein en herstelde zintuigen de puzzelstukjes op hun plaats legden, zag ik Subject een gat graven in de achtertuin van het buurhuis.

Ik klom half uit het raam en ging schrijlings op de vensterbank zitten om het beter te kunnen zien. Subject keek omhoog en merkte me op.

'Hallo. Ik wist niet dat je daar woonde.'

'Ik woon hier ook niet,' zei ik, nu ik wist waar ik was.

'O,' antwoordde hij, onzeker wat hij moest zeggen.

'Er zit iemand in mijn appartement,' zei ik, omdat ik dacht dat ik me nader moest verklaren.

'Uh-huh,' zei hij. Ik bracht hem duidelijk nog meer in verwarring.

'Iemand die snurkt,' vervolgde ik.

'Aha,' zei Subject met iets meer stembuiging. Ik had echter het gevoel dat hij nog steeds in het duister tastte.

'En huilt,' voegde ik eraan toe, omdat ik eerlijk gezegd nog geen cafeïne op had.

'Is die persoon wel in orde?' vroeg Subject.

'Hij heeft zijn vrouw betrapt met een ander.'

Toen keek Subject me alleen maar aan, alsof hij stond te bedenken wat hij nu zou zeggen.

'Wat ben je aan het doen?' vroeg ik.

'Ik ben aan het tuinieren,' antwoordde Subject.

'Dat verklaart het gegraaf,' zei ik.

Subject scheen te denken dat de laatste opmerking een grapje was en lachte. Het was geen grapje.

'Heb je zin om te komen ontbijten?' vroeg Subject.

'Nu?'

'Over een kwartiertje of zo,' zei Subject. 'Ik ben bijna klaar.'

'Eh, goed,' zei ik, terwijl ik zag dat ik mijn vaders XXL-pyjama aanhad.* 'Ik moet alleen even mijn kleren zoeken.'

Mijn kleren waren gewassen en gevouwen en in een wasmand voor mijn deur (of eigenlijk niet meer 'mijn') gelegd. Binnen vijf minuten had ik mijn tanden gepoetst, mijn gezicht gewassen en me aangekleed. Toen ik weer uit het raam keek, zag ik dat Subject in zijn keuken koffie aan het zetten was.

Ik ging niet via de trap en de voordeur, want dan moest ik misschien aan een familielid uitleggen waar ik heen ging, maar klauterde uit het raam en nam de brandtrap** naar beneden. Subject, die zag hoe ik op ongebruikelijke wijze naar buiten klauterde, riep: 'Wat doe je nu?'

'Sst,' antwoordde ik, waarna ik gebaarde dat ik achterom bij hem naar binnen zou komen.

Terwijl Subject eieren klutste en de koekenpan klaarmaakte voor omeletten,*** legde ik zeer beknopt uit dat ik dat gedoe met deu-

---

* Ik kan mama's kleren niet aan, want die draagt een maatje 36.

** Er bestaat geen enkel logisch argument om deze uitgang uitsluitend bij brand te gebruiken.

*** Raak! Op het Spellman-menu stond die ochtend alleen 'verlaag papa's cholesterol'-havermout.

ren niet begreep. Ik noemde terloops mijn gewoonte om via ramen binnen te komen en te vertrekken als een overblijfsel van mijn opstandige jeugd, maar ook als een afwijzing van de stelligheid dat deuren de enige sociaal aanvaardbare wijze van binnenkomst en vertrek zouden zijn.

Ik weet niet zeker of ik Subject ervan heb overtuigd het ook eens via de ramen te proberen. Hij keek me een tel te lang aan en zei: 'Zo kun je het ook bekijken.'

Tijdens het ontbijt probeerden Subject en ik elkaars essentialia te vergaren.

'En wat doe jij?' vroeg ik.

'Ik heb een tuinarchitectbedrijf.'

'O, dat verklaart het tuinieren.'

'Vereist tuinieren een verklaring?'

'Volgens mij wel.'

'En jij?'

'Ik heb in geen jaren getuinierd. Dertig, om precies te zijn.'

'Je zou het eens moeten proberen. Sommige mensen vinden het ontspannend.'

'Wat voor soort mensen?'

'Ik ga over op een ander onderwerp,' zei Subject.

'Lekkere omelet.'

'En wat doe jij?' vroeg hij.

'En lekkere koffie.'

'Voor de kost.'

Op dit probleem ben ik al eerder gestuit. Ik speel liever niet te snel open kaart, want sommige mensen voelen zich ongemakkelijk bij mijn werk. Maar als ik lieg en bijvoorbeeld zeg dat ik lerares ben, moet ik een paar maanden in kokerrokjes en twinsets rondlopen en doen alsof ik lerares ben. Wat er vervolgens meestal gebeurt*, is dat degene tegen wie ik heb gelogen heel boos wordt en me niet meer wil kennen. Deze keer koos ik een nieuwe aanpak.

'Ik ben informatietechnoloog.'

'Werk je met computers?'

---

* Gebaseerd op een anekdotisch bewijsstuk. Zie voorgaande document – *Familiedossier* (nu verkrijgbaar als paperback!) – voor een volledige uitleg.

'Ja. En met mensen, en af en toe met een hond of een kat.'

'Je doet vaag.'

'Ik praat elke dag al over mijn werk. Ik wil het ook wel eens over wat anders hebben.'

'Dat snap ik.'

Subject opperde vervolgens dat tuinieren misschien wel precies was wat ik nodig had om de informatietechnologie los te laten. Na het ontbijt trokken we ons terug in de achtertuin en plantten we hortensia's uit de pot en in de grond. Subject legde uit dat de planten 's winters* beter in de grond konden staan, dus we verrijkten de aarde met compost en zetten de winterharde planten in de aarde. Gek genoeg genoot ik ervan, tot mijn vader me uit zijn slaapkamerraam in het oog kreeg.

'Izzy, ik zocht je.'

'Gefeliciteerd. Je hebt me gevonden.'

'Wat doe je?'

'Wat denk je?'

'Tuinieren.'

'Bingo.'

'Blijf daar. Ik moet je spreken,' zei mijn vader, waarna hij bij het raam verdween.

Ik stond op en veegde de natte aarde van mijn handen.

'Hou mijn vader aan het lijntje,' zei ik tegen Subject. 'Ik ga ervandoor.'

Deze keer maakte ik een grapje. Mijn vader verscheen een minuut later. Papa gaf Subject een hand en debiteerde een of andere welgemeende beleefdheidsfrase. Subject legde papa onze ochtendactiviteit uit en mijn vader antwoordde: 'Ik ben al blij te zien dat Izzy in haar vrije tijd iets anders doet dan drinken.'

Subject lachte. Ik keek dreigend. Papa veranderde snel van onderwerp.

'Ben je bij Mrs. Chandler geweest?'

'Ik heb geen idee waar je het over hebt,' zei ik. Dat was een

---

*De temperatuur in San Francisco zakt in de winter zelden onder het vriespunt. Nu ik het toch over het weer in San Francisco heb, wie de neiging heeft Mark Twain aan te halen kan zich maar beter bedenken (zie aanhangsel).

voorspelbare reactie op zelfs maar het noemen van de naam Mrs. Chandler. Ik zal het straks uitleggen, maar het volstaat te zeggen dat ik echt geen idee had waar hij het over had.

'Heb je haar hond gezien?'

'Nee,' zei ik, achterdochtig.

'Ik wil dat je bij haar langs gaat voor ze de kans krijgt haar hond te wassen.'

Subject keek verbijsterd, maar ik besloot hem geen opheldering te verschaffen. Ik stak mijn vieze hand uit en zei: 'Bedankt, het was leuk. Tot ziens.'

Wandaden tegen Mrs. Chandler

Ik reed naar het huis van Mrs. Chandler en zette de auto voor de deur. Toen ik uit de auto stapte zag ik haar minipoedel, die stond te blaffen bij het hek naar de achtertuin. Hij viel nauwelijks te missen want zijn vacht was felroze geverfd. Zodra ik de hond zag, schoot ik mijn auto weer in en reed weg om te vermijden dat ik werd opgemerkt. Tien jaar geleden was mijn eerste wandaad tegen de vrouw die al twintig jaar weduwe was namelijk dat ik haar minipoedel kobaltblauw had geverfd. Maar dat was pas de eerste van mijn vele wandaden tegen haar.

Constance 'Connie'* Chandler woont al zolang als ik me kan herinneren drie straten verderop op Pacific Avenue. Zij was van haar vak lerares kunst op een middelbare school, qua uiterlijk door en door hippie en qua bankrekening miljonair. Op haar veertigste werd zij weduwe van haar kapitalistische echtgenoot. Hun huwelijk was het frappantste voorbeeld van elkaar aantrekkende tegenpolen dat ik ooit heb gezien. Bezuinigingen in het schooldistrict San Francisco (en vermoedelijk kennis van haar florissante financiële situatie) leidden een paar jaar na de dood van haar man tot haar vervroegde uittreding. Kort daarna nam Mrs. Chandlers hartstocht voor feestdagen een wending ten slechte (of goede, afhankelijk van wie je het vraagt).

De reactie van de buurt op Mrs Chandlers feestversiering konden worden onderverdeeld onder de kopjes 'kunst' of 'een belediging voor het oog'. Kort na haar pensionering begon de weduwe al haar 'artistieke' energie te kanaliseren in versieringen ter gelegenheid van feestdagen. Haar inspanningen om elk evenement, be-

*Voor haar vrienden; ik was geen vriendin van haar, dus ik noemde haar altijd Mrs. Chandler.

langrijk of niet, recht te doen, van kerststalletjes tot cupidoland-schapjes voor Valentijnsdag, brulden gewoon 'Verniel mij!' Petra en ik hoorden die brul in ieder geval luid en duidelijk.

1992 was het jaar waarin Petra en ik Mrs. Chandlers uitgebreide versieringen begonnen te bewerken. Omdat we de woning van de weduwe twee jaar lang hadden bespied, konden we haar decoratiestijl voorspellen en onze streken erop plannen. Hier volgt een volledige opsomming van de wandaden die Petra en ik in het seizoen 1992-1993 begingen tegen Mrs. Chandler. We begonnen met Thanksgiving.

Aanpassingen aan Mrs. Chandlers feestdagentableaus

Thanksgiving
Mrs. Chandler presenteerde een vreedzaam tafereel van een feestmaal van indianen en de net gelande Britten.* Mrs. Chandler, een onverbeterlijke optimist, stelde zich een wereld voor waarvan zij wenste dat die bestond. In haar wereld reikten de blanke duivels en de indianen elkaar eensgezind de hand en smulden ze van elkaars heerlijkheden. Het 'authentieke' menu op Mrs. Chandlers dis bestond uit wilde kalkoen, vis, maïs, noten, pompoen, bonen en gedroogde vruchten (want die waren geen van alle op dat moment vers in de handel). Petra en ik deden de indianen om het beeld iets realistischer te maken dekens van het Amerikaanse leger om, schilderden syfilisvlekken op hun gezicht en zetten er lege whisky-flessen naast.**

---

* De wetenschappelijke belangstelling van Petra en mij kon je onmogelijk meer dan beperkt noemen, maar bij geschiedenis waren we altijd een en al aandacht als Mr. Jackson een uitstapje maakte naar de vele misdaden van onze Founding Fathers.

** Petra en ik deden ironisch genoeg onderzoek in de bibliotheek voor onze aanpassingen aan Mrs. Chandlers gazon. Sterker nog, we leerden waarschijnlijk meer geschiedenis van onze sabotagepogingen dan op school.

Kerstmis

Kerstmis was natuurlijk Mrs. Chandlers raison d'être. Haar kerststalletje was het fraaiste staaltje seculiere amateurkunst dat je ooit hebt gezien. Chandlers persoonlijke toets in de vertoning bestond uit de voorstelling van Jezus als een hippie uit de jaren zestig (met Birkenstocks en hennep kleren en een schreeuwend vredesteken om zijn nek). En ze brandde geen mirre maar patchoeliwierook. Petra en ik wilden haar inspanningen respecteren maar er een universelere* aantrekkingskracht aan geven. We verfden alle poppen met toneelmake-up chocoladebruin. Toen rookten we wat wiet en kwamen nog met een aanvulling op dat idee. Een paar uur later kwamen we terug met afropruiken en NBA-hoofdbanden en tooiden de drie koningen ermee.

Nieuwjaarsdag

Ik vermoed dat Mrs. Chandler in het nieuwe jaar geen politieke boodschap kon ontdekken, dus ze deed niets. Petra en ik lieten haar op onze beurt met rust – vooral ook omdat we zo'n kater hadden dat we ons er niet druk om konden maken.

Groundhog Day

Toen deze halve feestdag aanbrak en het gazon van Mrs. Chandler onaangeroerd bleef, besloten Petra en ik (deels op grond van ons enthousiasme voor de net uitgekomen Bill Murray-film) dat we deze dag op eigen houtje moesten gedenken. Aan gras van het legale soort bestaat een ernstig tekort in San Francisco. Soms zie je een lapje wild gras achter een victoriaans rijtjeshuis, maar aan de voorkant is het uiterst zeldzaam. Mrs. Chandlers woning is een van die uitzonderingen. Jaren geleden liet zij de cementen oprit voor haar huis verwijderen, verving die door een gazonnetje van zo'n een meter tachtig bij twee meter veertig en zette er een staketsel omheen. Het ziet er volkomen bespottelijk uit maar is voor haar het voornaamste podium voor haar extravagante decoraties.

Onze ode aan Groundhog Day was een makkie. We groeven gewoon 'knaagdierenholen' in haar gazon.

* En, zou je kunnen zeggen, historisch correcte.

Valentijnsdag

De liefde van een oude hippie voor een Hallmark-feestdag viel moeilijk te verklaren, maar we kwamen er later achter dat Mr. Chandler een ouderwetse romanticus was geweest die op 14 februari alles uit de kast haalde – bloemen, snoep, etentje bij kaarslicht, violen en ga zo maar door. Mrs. Chandler nam haar toevlucht tot de mythologie en voorzag haar tuin van gevleugelde en geluierde cherubijntjes, in de lucht hangende hartjes en pijltjes. Volgens het onderzoek van Petra en mij gooide zij lukraak allerlei genres door elkaar en daarom voegden wij er nog een genre aan toe: de griezelfilm.

We gooiden de cherubijnen van Mrs. Chandler omver. Van sommigen haalden we de ledematen af en van anderen sneden we de buik van stof open. We spoten kwistig met rode voedselverf als was het een plaats delict en lieten de moordwapens – plastic messen uit de kostuumwinkel – ronslingeren. We veegden alle vingerafdrukken van gladde voorwerpen af en gooiden onze vuile kleren op het stort. We noemden het de 'Valentine's Day Massacre'.

St. Patrick's Day

Mrs. Chandlers man was Iers en dus mocht de weduwe deze 'feestdag' niet negeren. We transformeerden een levendig groen tafereel met dwergen, potten goud en een regenboog tot de slordige nasleep van een drinkgelag. We schopten de dwergen om en verspreidden minstens vijftig lege Guinnessblikjes* over het gazon. We noemden het 'De kater'.

Pasen

Mrs. Chandlers motief was het traditionele pastelpaarse landschap van het eieren zoeken met Pasen, met manden vol secuur met de hand beschilderde eieren. De enige chandlereske toets was dat op alle eieren een vredesteken stond. Petra en ik zaten uren te peinzen hoe we deze installatie zouden aanpassen en toen wist ik het: we vervingen de pastelkleurige eieren in de reusachtige wit geschilderde rieten mand door biljartballen. Als je denkt dat paaseie-

---

* En we dronken ze allemaal op.

ren verven veel tijd kost, probeer dan maar eens twee dozijn biljart-ballen* op de kop te tikken zonder ervoor te betalen.**

Onafhankelijkheidsdag
Tegen de tijd dat de vierde juli voor de deur stond, ging het gerucht dat Petra en ik de saboteurs van al haar versieringen waren. En toch leek Mrs. Chandler geen maatregelen te nemen om ons tegen te houden. Toen we op een dag haar tuin bespiedden voor onze volgende aanval, en bedachten hoe we een groepje vredelievende poppen in een sit-indemonstratie konden ontheiligen, kwam Mrs. Chandler naar buiten en liep op ons toe.

'Hallo, dames,' zei ze. 'Volgens mij wordt het tijd dat we eens officieel kennismaken. Ik ben Constance Chandler; mijn vrienden noemen me Connie. En hoe heten jullie?'

Petra en ik mompelden onze naam terwijl we op een snelle maar onschuldig ogende ontsnapping zonnen.

'Wij zijn niet zo verschillend, jullie en ik,' zei ze, ons recht aankijkend.

Petra en ik keken elkaar schuins aan en wachtten op haar vervolg.

'Ik ben hartstikke voor persoonlijke expressie. Daarom doe ik mijn kunst,' vervolgde ze, zwaaiend naar haar laatste installatie. 'En ik begrijp de behoefte aan sabotage. Maar ik vraag jullie eens na te denken over welk statement jullie maken. Jullie Thanksgiving-en kerstcreaties kenden een zekere politieke ondertoon, al vind ik wel dat jullie de NBA-hoofdbanden en afrokapsels weg hadden kunnen laten. Overbodig en het ging ten koste van het punt dat jullie wilden maken. Maar volgens mij glijden jullie de laatste tijd een beetje af,' zei ze.

Petra en ik liepen langzaam achteruit, maar Mrs. Chandler, die in ons een geboeid publiek zag, hield niet op.

'Groundhog Day? Een moordtafereel op Valentijnsdag? St. Pa-

---

* Je had bovendien de drugs gerelateerde subtekst. (Eight ball is namelijk 8 gr cocaïne, vert.)
** Mijn vader vertelde jaren later dat hij dit vanwege de 'zuivere eenvoud' de beste vond.

trick's Day? Dames, dat is niet meer dan jeugdvandalisme. Ik vraag jullie om na te denken over wat je doet als je dan toch zo nodig mijn kunst moet aanvallen. Ik vraag jullie stelling te nemen.'

'Ik heb geen idee waar u het over heeft,' zei ik. 'Maar ik wens u een prettige avond.'

Petra en ik draaiden ons om en gingen er vlug vandoor. Terwijl we met ferme pas de heuvel op liepen, riep Mrs. Chandler ons na: 'Ik hoop dat het natuurlijke kleurstof was die je op mijn hond hebt gesmeerd!'

Er gingen een paar minuten stilte voorbij waarin Petra en ik nadachten over onze recente ontmoeting.

'Dat was het dan,' zei Petra, die een punt zette achter onze 'aanpassingen'.

'Je hoorde toch wat ze zei. Ze gaat ons niet aangeven. Ze wil alleen maar dat we er een politieker tintje aan geven,' zei ik.

'In de eerste plaats, Izzy, is het niet leuk als wij onze aanpassingen aanpassen om ons slachtoffer te plezieren; in de tweede plaats wil het buurtcomité volgens mij actie ondernemen. Misschien kan het Mrs. Chandler niks schelen, maar hun wel. En tot slot wil ik graag in een goed blaadje blijven staan bij die vrouw.'

'Waarom?'

'Zag je dat niet? Ze was apestoned. We hebben misschien een nieuwe leverancier nodig voor het geval Justins* connectie opdroogt.'

In werkelijkheid hebben we Mrs. Chandler nooit gebruikt als drugsleverancier, maar we hielden wel op met onze aanvallen op haar versieringen. Die avond sloten Petra en ik een verbond dat we onze wandaden nooit zouden toegeven, om er zeker van te zijn dat we nooit gestraft of tegen elkaar opgezet zouden worden. Als er werd verwezen naar onze vroegere misdrijven, lieten we allebei precies dezelfde frase horen: 'Ik heb geen idee waar je het over hebt.'

---

* Toentertijd Petra's vriendje.

Het 'advocatenkantoor' van Mort Schilling

Maandag 24 april
10.50 uur

Morts weelderige wenkbrauwen gingen ongeveer twee centimeter omhoog terwijl hij aantekeningen maakte over mijn verleden als kleine crimineel.

'Heb je een strafblad,' vroeg Morty, 'afgezien van je laatste misdrijf?'

'Dat is verzegeld,' antwoordde ik.

'Jeugddetentie?'

'Ja, Morty. Dat was een hele tijd geleden. Mensen maken fouten als ze jong zijn.'

'Izz, je bent dertig jaar en je bent de afgelopen twee maanden vier keer gearresteerd.'

'Twee daarvan tellen niet mee!'

'Maar hoe zit het met die andere twee?'

'Zodra ik wat echte belastende informatie over Subject heb, word ik van alle blaam gezuiverd.'

'Wat ik bedoel, Izzy, is dat je een reputatie begint te krijgen, en bij jouw werk draait alles om de reputatie.'

'Niet waar. Bij mijn werk draait het om waarheidsvinding.'

Isabel Spellman, bevoegd privédetective

De waarheid is niet mijn eerste doel. Het is mijn taak antwoorden te vinden op specifieke vragen die aan mij worden gesteld. Als ik bijvoorbeeld voor een groot bedrijf een antecedentenonderzoek doe naar een potentiële werknemer, is de vraag waarop zij een antwoord willen hebben of de persoon in kwestie daadwerkelijk is wie hij voorgeeft te zijn en ook of die persoon een gevaar kan vormen voor de bestaande werknemers.

Om te beginnen ga ik na of de potentiële werknemer een strafblad heeft om er zeker van te zijn dat hij geen misdrijven op zijn naam heeft staan, daarna controleer ik of hij degene is die hij beweert te zijn. Als Potentiële Werknemer zegt woonachtig te zijn op Lombard Street 12, vergelijk ik de gegevens van de kredietregistratie met het adres. Het grootste deel van mijn werk is standaard. Als een vrouw wil weten of haar man haar bedriegt, ga ik een paar weken zijn gangen na tot hij het wel of niet doet. Wat we over iemand willen weten, is meestal vrij gemakkelijk te achterhalen, maar de moeilijkheid van mijn werk is dat ik eraan gewend ben geraakt dat de antwoorden binnen handbereik liggen. Ik reken erop dat een korte vlaag van nieuwsgierigheid na vijf minuten achter de computer of vijf uur achter het stuur van mijn auto wordt bevredigd.

Voor mijn werk moet ik nieuwsgierig en zonder meer achterdochtig zijn van nature. Maar het komt vaak voor dat ik gewoon geen verklaring kan geven voor de verzamelde gegevens. In die gevallen overschrijd ik soms ethische grenzen om mijn doel te bereiken, gewoon om antwoorden te vinden op vragen die blijven knagen. Ik mag dan gebreken hebben, maar de enige fout die mijn leven echt schaadt, is volgens mij dat ik geloof dat er op elke vraag een antwoord is en dat ik recht denk te hebben op die antwoorden.

Ik zeg dit allemaal omdat het naar ik hoop alle gebeurtenissen die zich hebben voorgedaan zal verklaren. Als je voldoende onbeantwoorde vragen hebt, heb je een officieel mysterie dat uitgezocht kan worden, en zoiets is onweerstaanbaar.

MILWA'S en VUTWA'S

MILWA (mil-wa) 1. Acroniem van mid-life-waanzin; 2. Iets dat lijkt op een midlifecrisis, maar dat vaker voorkomt.
VUTWA (vut-wa) 1. Acroniem van vervroegde-uittreding-waanzin; 2. Iets dat lijkt op een midlifecrisis, maar dat vaker voorkomt en later dan zou moeten.

Na het ontbijt met Subject ging ik terug naar het kantoor van de Spellmans om een reeks antecedentenonderzoeken af te maken voor onze grootste klant, Xylor Corp. We hebben geen financiële problemen meer sinds pap en mam voor dit reusachtige concern zijn gaan werken, maar het werk is wel aanmerkelijk saaier geworden. Antecedentenonderzoek is bijna uitsluitend bureauwerk – speurwerk in databases en af en toe een telefoontje. Elke keer dat ik op kantoor vastzit, betekent meer quality-time met de familie.

Aangezien het zaterdag was, zat Rae zich thuis te vervelen. Zij kwam het kantoor binnen om mijn toch al haperende werkethos te verstoren, plofte neer in een oude bureaustoel, reed naar me toe en legde haar voeten op mijn bureau.

'Pap heeft beslist een VUTWA,' zei Rae.

'Eén yogales maakt nog geen VUTWA,' antwoordde ik.

'Ik heb hem in de gaten gehouden,' zei Rae. 'Hij doucht buitenshuis, wat maar één ding kan betekenen.'

'O, god,' antwoordde ik, waarbij mijn reactie mede bepaald werd door andere factoren. 'Hij gaat zeker naar de sportschool? Ik dacht al dat hij was afgevallen.'

'Hij gaat minstens drie keer per week, plús die yogales. Maar wat ik niet begrijp,' zei Rae, 'is dat hij het verborgen probeert te houden voor mama.'

'Dat is onlogisch,' zei ik. 'Zij is de enige die hem al jaren aan zijn kop zeurt dat hij dat moet doen.'

'Hij glipt naar buiten als zij er niet is. Het is echt maf.'

'Misschien is het gewoon toeval.'

'Ik betwijfel het,' antwoordde Rae. 'Maar ik heb veel liever deze VUTWA dan MILWA nummer drie,' zei Rae, die haar stoel liet ronddraaien.

'Daar heb je helemaal gelijk in.'

'Dus dit is VUTWA nummer twee, toch?' vroeg zij.

'Volgens mijn telling wel.'

MILWA #1 – 'Spiegelman'

Papa's eerste MILWA begon in zijn achtenveertigste* levensjaar. Wij noemden het op het moment zelf een midlifecrisis, omdat het daar zo sterk op leek. In papa's geval nam het de gedaante van ijdelheid aan. Hij kocht vlottere kleren, verfde zijn haar en keek in de spiegel met de regelmaat van een koekoeksklok. Hij informeerde zelfs naar de mode en vroeg willekeurige gezinsleden om met hem te gaan winkelen. Hij begon armbanden te dragen en dure crèmes te gebruiken. De aanzet tot deze eerste MILWA werd nooit wetenschappelijk bewezen, maar Rae en ik vermoedden dat het het directe gevolg was van de twintigste reünie van mama's middelbare school. Mijn vader is groot – ruim een meter negentig, zo'n 125 kilo zwaar, met een tikkeltje sullige gelaatstrekken. Die reünie herinnerde papa eraan dat hij was getrouwd met een vrouw die niet alleen veel knapper maar ook tien jaar jonger was dan hij, wat volgens ons bijdroeg aan zijn onzekerheid. Die MILWA duurde ongeveer een maand. Maar mijn vader is van nature niet ijdel en verloor al snel de belangstelling voor zijn uiterlijk toen hij doorkreeg dat mijn moeder dat níet deed.

De volgende keer dat mijn vader flipte, werd het acroniem MILWA gemunt. Rae en ik dachten dat een midlifecrisis één keer hoorde op te treden in het leven van een man. Wij besloten dat als pa-

---

*Dat is een beetje laat voor het begin van de midlifecrisis, maar zoals je zult zien compenseert hij dat.

pa er meer dan een wilde, er een nieuwe naam voor moest worden bedacht. MILWA #2 trad bij benadering vier jaar later op. We ontdekten later dat MILWA's en VUTWA's met de regelmaat van een schrikkeljaar terugkeerden. Hang me er niet aan op, maar het klopt wel zo ongeveer.

MILWA #2 – 'ruimtedetective'

Spellman Investigations kende indertijd wat financiële problemen. Papa nam op een ochtend de culturele agenda van de *San Francisco Chronicle* ter hand en las een stuk over een scriptschrijver die het laatste Bruce Willis-vehikel had geschreven en daar twee miljoen dollar voor had gekregen. Papa besloot ter plekke dat hij een filmscript in zich had. In de twee weken erna kocht hij Syd Fields boek over het schrijven van scripts, werkte aan zijn techniek en bedacht uiteindelijk een verhaal over een detective die per ongeluk* in de spaceshuttle belandt en het lichaam van een vermoorde astronaut ontdekt. Binnen de nauwe grenzen van de zwaartekrachtvrije shuttle moest detective Jack Spaceman** het misdrijf oplossen voordat alle 'echte astronauten' werden vermoord en er niemand meer was om de shuttle terug naar de aarde te brengen.

Een van de grootste problemen van papa's script, afgezien van de personages en de plot, was dat hij het eigenlijk helemaal niet wilde schrijven; hij wilde gewoon zijn kunstje uitproberen op familieleden. Ik was indertijd een tiener en ging er maar één keer in mee. David had iets meer geduld en gaf misschien twee of drie keer feedback voor hij met zijn 'te veel huiswerk'-smoes kwam. Mama weigerde toen zij de titel had gehoord ook maar naar een woord ervan te luisteren. Oom Ray had het beste excuus van allemaal: 'Ik hou niet van films', zei hij dan en hij haastte zich naar de bar.

Er bleef helaas maar één gezinslid over: Rae, die toen acht jaar was. Avond na avond stopte papa haar in en werkte hij aan zijn

---

*Hoe vaak ik het hem ook vroeg, pap kwam nooit met een plausibele verklaring hoe dit had kunnen gebeuren.

**Merk op dat dit geen komedie was.

script als verhaaltje voor het slapen. Op de zevende avond rende Rae gillend de slaapkamer van mijn ouders in en huilde hysterisch tegen mama, smekend om een ander verhaaltje voor het slapen gaan. Mama zei tegen papa dat het gelijk stond aan kindermishandeling als hij Rae dwong te luisteren naar zijn script. Zij stelde voor dat papa zijn script zou schrijven zonder erover te praten, waarmee er een einde kwam aan MILWA #2.

MILWA #3 – 'Ouderenonderwijs'

Drie jaar later besloot papa dat zijn wereldvisie beperkt was en begon MILWA #3. Papa volgde eerst de cursus 'Tweeduizend jaar wereldgeschiedenis in twee dagen' van het Ouderenonderwijs. Daarna ging hij over op 'De kunst van het converseren', 'Latijn als omgangstaal' en daarna het bizar ongepaste 'Breien 101'. Deze cursussen zouden niet zo erg zijn geweest als papa zijn mond erover had gehouden, maar hij had de behoefte om erover te praten, en Rae kreeg als de jongste en zwakste meestal de volle laag van paps informatieoprispingen.

Rae, een nieuwsgierig en intelligent kind, had geen moeite met de ingedikte geschiedenisles van papa, al kwamen we er later achter dat zijn kennis van de Amerikaanse Burgeroorlog en de Amerikaanse Revolutie op zijn zachtst gezegd oppervlakkig was, en hij allerlei feiten door elkaar haalde. De korte les in Latijnse begroetingen mocht echter op een koele ontvangst rekenen, want mijn elfjarige zusje had al moeite met Spaans voor beginners.

Waar Rae echt kriegel van werd was de breiles. Zij protesteerde de hele avond luidruchtig tot mijn vader vijf bollen op haar kamer legde en zei dat ze er maar eens over na moest denken. Rae, die besefte dat je niet met garen kunt breien als het is verknipt tot een hoop piepkleine stukjes, stond de volgende ochtend vroeg op en begon met de schaar uit haar handwerkdoosje het garen te verknippen tot draadjes van vijf à tien centimeter. Mijn moeder ontdekte de plaats delict de volgende ochtend, toen zij op de kamer van mijn zusje kwam die bezaaid lag met een bonte verzameling draadjes. Ze waren een uur bezig de rommel op te ruimen. Toen mijn vader eindelijk opstond, vertelde mama hem dat het gedaan was met MILWA #3.

Tegen de tijd dat MILWA #4 zich aandiende, wees Rae erop dat papa geen man van middelbare leeftijd meer was. We waren het erover eens dat de MILWA's omgedoopt moesten worden en bedachten het veel betere acroniem VUTWA. En dat brengt me op VUTWA #1.

VUTWA #1 – 'Timmercursus'

Nadat papa op de cursus een plantenbak had gemaakt, besloot hij dat hij klaar was voor een uitdagender project. Kort nadat de drieweekse cursus was afgelopen, begon hij aan de constructie van een hoogslaper in Raes kamer, met een bureau eronder. David studeerde toen al, dus sliep Rae in zijn kamer in de twee maanden dat papa met dit project bezig was. Wat ik me van die tijd vooral herinner, was heel veel gevloek en pijnkreten vanboven. Ik herinner me nog de noodverbanden om papa's vingers en het bloed dat uit allerlei wonden sijpelde. Maar de toewijding van mijn vader was onvermoeibaar. Toen zijn werk klaar was, deed hij een groot laken over de constructie en riep hij het gezin bij elkaar in de kamer voor de officiële onthulling.

Mijn moeder bekeek het primitief ogende bouwsel uiterst sceptisch. Rae holde op de ladder af, want ze wilde het nieuwe, spannende meubelstuk maar al te graag uitproberen. Maar mijn moeder trok haar van de onderrste trede af en keek mij aan.

'Isabel, vind je het erg om hem als eerste te testen?'

'Ah, juist. Offer mij maar op,' zei ik, en keek mijn moeder aan alsof ze me had verraden. 'Het is net Sophie's Choice.'

Ik liep op het bouwwerk af. De ladder kraakte onder mijn gewicht toen ik de bovenkant van het bed bereikte. Ik wierp me op het matras, in de verwachting (en ook een beetje hopend) dat de constructie onder me in elkaar zou zakken.* Helaas schommelde

---

* Zijn schuldgevoel zou in de toekomst goed van pas kunnen komen, dacht ik bij mezelf.

de hoogslaper alleen maar heen en weer, krakend als de trap van een verlaten huis na jaren van verval. Er zou nooit een spectaculaire instorting plaatsvinden. Mijn moeder beval mijn vader het bed onmiddellijk te demonteren. Rae huilde de hele middag en VUTWA #1 was voorbij.

VUTWA #2 of Verdachtgedragverslag #3?

'Albert Spellman'

Na ons gesprekje over de MILWA en VUTWA vertrok Rae om te gaan bellen. Terwijl ik naging of Martha Baumgartner, aspirant directiesecretaresse, een strafblad had, stiekem hopend dat ze in haar vijfenveertigjarige leven ten minste één keer gearresteerd was, kwam papa het kantoor binnen, met nog steeds een beetje vochtig haar – ik neem aan van de douche op de sportschool. Papa zei me gedag, gaf me een tikje op mijn hoofd en ging achter zijn bureau zitten. Een kwartier lang was het stil, tot ik opmerkte dat mijn vader vaker een langere blik op mij wierp dan in alle redelijkheid gerechtvaardigd leek.

'Neem een foto. Die blijft langer goed,' zei ik.

'Met zoveel charme is het een misdrijf dat je nog niet getrouwd bent,' mompelde papa sarcastisch en hij boog zich weer over zijn werk.

Vijf minuten later zag ik dat hij weer naar me keek. Ik kneep mijn ogen tot spleetjes en keek hém aan.

'Mag ik je wat vragen?' vroeg papa.

'Liever niet,' antwoordde ik.

Een lange stilte.

'Ben je gelukkig?' vroeg hij rechtstreeks.

'Ik zou gelukkiger zijn als je me opslag gaf.'

'Ik heb het niet over geld.'

'Nee, maar ik wel.'

'An-der. On-der-werp,' zei mijn vader op bevelende toon.

'Oké,' antwoordde ik.

'Is dit wat je wilt met je leven?' vroeg mijn vader. 'Is dit genoeg voor je?'

'Waar heb je het over?'

'Ik heb de laatste tijd eens zitten denken,' antwoordde hij.

'Ongetwijfeld een bijeffect van de nieuwe VUTWA.'

'Ik ben een gecompliceerd mens, Isabel.'

'Jij zegt het.'

'Het is nog niet te laat voor je,' zei papa, iets te ernstig.

'O, mooi.'

'Ik bedoel, het is niet te laat om iets anders te gaan doen.'

'Zoals?'

'Wat dan ook. Je bent nog jong. Je kunt medicijnen gaan studeren...'

'Pap, als je graag een arts in de familie wil, kun je beter Rae bewerken. Of David. Hij kan best een van die enge hoogvliegers zijn die als arts én als jurist afstudeert. Volgens mij heb ik meer overeenkomsten met een professionele bankovervaller dan met een dokter schuine streep advocaat.'

Mijn vader pakte een stapel papieren van zijn bureau en keek me teleurgesteld aan.

'Ik weet dat je erg trots bent op je spectaculaire verdedigingsmechanismen, maar soms is het echt onmogelijk om een gewoon gesprek met je te voeren.'

Pap liep tamelijk boos de kamer uit. VUTWA's (en MILWA's) namen gewoonlijk nooit de vorm van vijandigheid aan. Misschien was dit dus wel iets heel anders.

Ex #9

Tandarts Daniel Castillo belde het kantoor van de Spellmans net op het moment dat ik een stapel papier van zestig centimeter aanviel die nog moest worden gearchiveerd.

'Mijn afspraak van drie uur heeft afgebeld en jij had al een gebitsreiniging gehad moeten hebben. Ik zie je zo,' zei hij, waarna hij snel ophing. Daniel was erachter gekomen dat het alleen maar tot meer gepraat en onderhandelingen leidt als hij mijn reactie afwachtte. Hij ontdekte de 'niet op een antwoord wachten'-tactiek nadat we uit elkaar waren gegaan en heeft die sindsdien altijd gebruikt. De sleutel tot zijn succes is dat hij zijn mobiel niet beantwoordt en geen telefoontjes meer van mij aanneemt als hij eenmaal heeft opgehangen, waarmee hij elke communicatie uitsluit.

Innovaties beloon ik graag en daarom arriveerde ik om drie uur precies* voor mijn afspraak.

'Je bent te laat,' zei Daniel.

'Je hebt me ook niet gevraagd of het uitkwam.'

'Ga zitten.'

Ik ging in de stoel zitten. Daniel deed me het papieren slabbetje voor en zei: 'Mond open.'

'Is dat alles? Geen babbeltje? Wil je me niet eerst "Nog nieuws?" vragen?'

'Goed,' zei Daniel met tegenzin, 'nog nieuws?'

'Nou, Rae heeft bijna per ongeluk haar beste vriend doodgere-

---

* Bij wijze van spreken. Ik komt nooit ergens precies op tijd. Het was ongeveer 15.15 uur.

den, en ik had eventjes een kamergenoot van vijfenzestig, maar ben nu tijdelijk weer bij mijn ouders ingetrokken. Volgens mij heeft mijn vader zijn tweede VUTWA, voorlopig "Sport-VUTWA" genaamd. En er is iets met mijn moeder, maar ik kan nog niet precies aangeven wat.'

'Over je moeder gesproken,' zei Daniel, die niet onder de indruk was van mijn hoogtepunten uit het nieuws, 'zeg haar dat ze hier al had moeten zijn voor haar gebitsreiniging.'

'Ze is hier een paar dagen geleden nog geweest.'

'Nee, niet waar. Ik kan je verzekeren dat ik het nog zou weten als je moeder was geweest.'*

'Interessant. Dat zal ik in mijn verslag zetten.'

'Mond open.'

'Nee. Nu zeg ik: "Nog nieuws, Daniel?" '

'Ik ben verloofd,' antwoordde Daniel. 'Wijdopen.'

Daniel zag mijn open mond van verbazing ten onrechte aan voor instemming en stak meteen de tandsteenverwijderaar en spiegel in mijn mond.

'Et? Annee?'

'Ik heb drie weken geleden om haar hand gevraagd,' antwoordde Daniel. Hij verstaat moeiteloos medeklinkervrije reinigingstaal.

'E-elici-eer.'

'Dank je wel.'

'Ah oet e?'

'Ze is neurochirurg. Spoelen.'

Ik spoelde en zei: 'Je maakt zeker een grapje?'

'Wat is daar grappig aan?' antwoordde Daniel, en hij stak zijn vingers weer in mijn mond.

'Flos je wel regelmatig?'

'Uh uh.'

'Was dat ja of nee?'

'Aaa!'

'Leugenaar!' riep Daniel, om vervolgens zijn toon wat te matigen. 'Spoel maar.'

---

*Drieëndertig bladzijden geleden zei papa dat mama naar de tandarts was, weet je nog?

Ik spoelde en zei: 'Wat kun je me nog meer over haar vertellen?'

'Zij is een latina, dus mijn moeder is verrukt. Ze kan heel goed tennissen, koken. Wat wil je van haar weten?'

'Heeft ze als model geposeerd om haar studie te financieren?' zei ik sarcastisch, wat Daniel niet doorhad.

'Niet dat ik weet. Mond open.'

'Od ij ank.'

'Maar ze heeft wel meegedaan aan de Olympische Spelen,' zei Daniel, me nog een trap na gevend.

The Philosopher's Club

Ik had behoefte aan een stevige borrel na mijn gebitsreiniging en de herinnering aan mijn algehele middelmatigheid. Ik wist dat mijn barman (inderdaad, míjn barman) een begripvol oor zou hebben en dus ging ik naar The Philosopher's Club.

'Zou jij neurochirurg willen zijn?' vroeg Milo, weinig begripvol.

'Néé.'

'Wat is het probleem dan?'

'Laat maar.'

'Wil je soms naar de Olympische Spelen?'

'Ik zei laat maar.'

'Oké,' antwoordde Milo verheugd. 'O ja, je zus kwam hier laatst weer.'

'Wanneer?'

'Een paar weken geleden. Ik was vergeten het je te vertellen.'

'Waarom heb je me niet gebeld?'

'Ze kwam binnen, bestelde iets te drinken, ik zei dat ze moest gaan en zij belde een agent om haar op te halen.'

'Henry?'

'Zo heet-ie volgens mij inderdaad. Ziet er stijf uit. Lacht niet.'

'Dat is hem.'

'En gisteren kwam hij in zijn eentje hier. Hij vroeg naar jou. Wanneer jij kwam en zo.'

'Wat heb je tegen hem gezegd?'

'Ik zei dat je geen vaste tijden had. Ik dacht dat ik maar beter mijn mond kon houden, als zo'n agent hier vragen komt stellen.'

'Bedankt voor je betrokkenheid, maar maak je geen zorgen. De politie zit niet achter mij aan.'*

---

*Nog niet.

Het probleem Peterson

Gedurende de eerste vijf dagen na Bernies terugkeer in mijn leven bleef ik in huize Spellman, maar ik gaf de hoop niet op dat het appartement snel weer van mij zou zijn. Een hereniging van Bernie en Daisy was de meest directe aanpak die ik op het oog had. Op de derde dag na mijn verdrijving door Bernie belde ik Daisy op en stelde een verzoening voor, waarbij ik Bernies ellende beschreef. Daisy vertelde vervolgens haar kant van het verhaal, onder andere dat haar man na anderhalf jaar huwelijk bijna dertig uur per week in de plaatselijke striptent doorbracht. Ze hing op toen ik met een relatietherapeut op de proppen kwam.

Kort na mijn borrel bij Milo reed ik terug naar mijn appartement, want ik dacht dat ik voor de afwisseling wel eens op het adres dat op mijn telefoonrekening stond kon proberen te slapen. Ik haalde de das van de deurknop af en opende het nachtslot. Ik deed de deur open en zag een tafereel dat ik nog steeds niet van mijn netvlies af kan krijgen hoeveel bourbons ik ook drink: een halfnaakte Bernie, die Letty, een vrouw van in de vijftig met wijd uitstaande haren en wasberenogen met blauwe oogschaduw, eveneens halfnaakt, achternazit door het appartement, dat in de daaraan voorafgaande week was omgetoverd in een rampgebied.

Ik bekeek het duo vol ongeloof.

'Wat heeft dit te betekenen, Bernie?'

'Ik heb een vriendin op bezoek,' zei Bernie, die niet eens probeerde zijn naaktheid te bedekken. 'Heb je de das aan de deur niet gezien?'

'Jawel,' antwoordde ik, terwijl ik mijn blik afwendde van... álles.

'Wat dacht jij dat dat betekende?'

'Ik dacht dat het betekende dat jij een sloddervos bent.'

'Voortaan, kamergenoot, betekent de das aan de deur...'

'Er is geen voortaan voor ons,' antwoordde ik. Ik griste een koffer uit de kast en liep naar de slaapkamer. 'Ik kom pas terug als jij weg bent.'

Ik pakte nog een koffer in en vulde een rugzak met kleren en zei tegen Bernie dat hij me moest bellen als hij van plan was om te vertrekken. Het lukte hem zelfs treurig te kijken toen ik de deur achter me dichtsloeg. In San Francisco is een appartement met een bescheiden huur goud waard en ik had net mijn schat verloren. Ik legde me tijdelijk neer bij mijn nederlaag, maar bedacht een reeks veel drastischer maatregelen om mijn huis te heroveren.

Verdachtgedragverslag #4 en #5

'Olivia Spellman'

Toen ik koers zette naar het huis op de Clay Street, gaf het klokje op het dashboard 23.15 uur aan, en ik zag mijn moeder in haar auto de oprit afrijden. Ik besloot haar te volgen, want ik wist dat ze niet met een zaak bezig was en kon geen rationele verklaring bedenken voor deze onderneming zo laat op de avond.

Ik liet de hele tijd minstens één auto tussen ons. Mam reed in haar onopvallende Honda kalmpjes net boven de toegestane snelheid. Ze was duidelijk niet iemand aan het achtervolgen, en ze was zich er ook niet van bewust dat ze werd gevolgd. Ze ging via Gough naar Market Street en Dolores Street de heuvel over naar de Noe Valley. Ze parkeerde op een niet toegestaan plaatsje op een hoek en stapte uit de auto. Ik parkeerde mijn auto dubbel, want ik dacht dat mama vast geen langdurig bezoek in gedachten had en sloop haar langs het struikgewas schurend achterna.

Vanaf een afstand van zo'n zes meter zag ik hoe mijn moeder bij een motor knielde, de dopjes van de banden schroefde, een pin erin stak en alle lucht liet ontsnappen. Terwijl ze deze simpele daad van vandalisme verrichtte, keek ze zenuwachtig om zich heen waarna ze snel overeind kroop en kordaat, maar vol zelfvertrouwen, naar haar auto wandelde. Ik keek vanuit de bosjes hoe ze wegreed.

'Henry Stone'

Als je hebt gezien dat je moeder een motor zonder aanwijsbare reden heeft gemolesteerd, zijn er niet veel mensen met wie je dat kunt bespreken. Ik noteerde het adres waar de motor stond geparkeerd en liep terug naar mijn auto. Het was te laat om Petra te bellen en daarom ging ik naar Milo, al had hij zich de laatste keer dat ik er was niet zo begripvol als gewoonlijk getoond.

Toen ik binnenkwam zat Henry aan de bar over een whisky puur gebogen naar de toog te staren. Ik knikte tegen Milo, die een Guinness voor me tapte. Ik bestelde sinds kort altijd Guinness omdat het heel lang duurt voor je die getapt hebt en dat irriteert Milo. Ik hou ook van de volle, soeperige smaak, maar dat is bijzaak. Ik ging naast de onverwachte klant zitten en stelde de voor de hand liggende vraag.

'Wat doe jij in mijn bar, Henry?'

'Dit is een vrij land,' antwoordde hij, met een halfdronken klinkende stem.

Het was onmogelijk iets van Henry Stones uitgestreken gezicht af te lezen. Communicatie met hem ging uitsluitend via woorden en die koos hij zeer zorgvuldig. Maar er moest een reden zijn dat hij tegen middernacht in mijn bar zat, mogelijk bezopen.

'Ben je dronken?' vroeg ik, in de hoop dat hij dat zou beamen, in de hoop dat ik hem eindelijk eens niet op zijn hoede aantrof.

Toen deed hij iets heel geks. Hij stak zijn handen naar mij uit, stopte ze in mijn jaszakken en gleed ermee over mijn heupen en bovenbenen.

Ik sloeg zijn hand weg. 'Nou moet jij trakteren.'

'Neem me niet kwalijk. Ik wilde kijken of je dit opneemt,' zei hij ter verklaring.

'Dat doe ik alleen maar als Rae erbij is,' antwoordde ik.

Daarna verlegde Henry zijn aandacht weer naar de bodem van zijn glas. Milo schoof de Guinness voor mijn neus. Ik wees naar Henry.

'Hij betaalt.'

Henry pakte zijn portefeuille en betaalde mijn drankje. Henry's blik maakte je normaal gesproken nerveus, gaf je het gevoel dat hij precies wist wat je dacht en daar teleurgesteld over was. Maar Henry keek niemand recht aan. Niet eerder zag ik hem zo... zwak.

'Ik ga je vragen of je ergens mee zit, Henry, want je zit duidelijk ergens mee. Ontken het alsjeblieft niet. Dan beledig je me alleen maar. Dus als je me wilt vertellen wat het is, beloof ik dat ik mijn mond houd en luister.'

Henry dronk zijn glas leeg en gebaarde tegen Milo dat hij er nog een wilde.

Terwijl Milo een nieuwe whisky voor Henry inschonk, wendde Milo zich tot mij en zei: 'Zit je er nog steeds mee dat je de Spelen niet hebt gehaald?'

'Jij bent veranderd,' beet ik terug.

Milo gniffelde wat in zichzelf en zei toen tegen Henry: 'Alles goed, vriend?'

'Met mij gaat het uitstekend,' antwoordde Henry beleefd.

'Hoeveel heeft hij er al op?' vroeg ik aan Milo, en toen maakte Henry eindelijk oogcontact. Zijn beschonken blik naar míjn barman was een duidelijke waarschuwing zijn privacy te respecteren. Milo knikte begrijpend naar hem terug en wendde zich tot mij.

'Bemoei je met je eigen zaken. Dat is iets tussen mij, mijn klant en de taxichauffeur.'

Ik liet Milo mijn ring zien en zei: 'Mag ik even onder vier ogen met mijn verloofde praten?'

Milo sloeg zijn ogen ten hemel en liep weg.

'Er zijn meer dan driehonderd cafés in San Francisco, zo ongeveer. Er moet een reden zijn waarom je naar míjn bar bent gekomen,' zei ik.

Henry dronk zijn glas leeg en bleef me negeren.

'Laat me je thuisbrengen,' zei ik.

'Nee, ik neem een taxi.'

'Waarom? Ik rij wel. Kom, we gaan.'

Henry pakte mijn linkerhand met de zijne en schoof mijn moeders ring eraf. Vervolgens deed hij die in mijn zak en stond hij op.

'Je moet die niet de hele tijd dragen. Dan gaan ze denken dat je bezet bent. Daardoor trek je het verkeerde slag aan,' zei Henry.

'Ik trek toch wel het verkeerde slag aan,' zei ik. 'Maar ik heb gemerkt dat ik veel betere service krijg als ik die steen* draag. Geef me je sleutels, Henry.'

Henry keek alsof hij erover nadacht. Ik wilde geen ruzie. Ik wil-

---

* Zij het een kwartkaraats diamant met een foutje.

de alleen de sleutels, dus ik stak mijn hand in zijn zak en pakte ze.

'Laten we gaan,' zei ik, terwijl ik het café uit liep en naar Milo zwaaide.

Henry liep heel langzaam achter me aan naar de auto, alsof hij daarmee iets wilde zeggen, al ging het aan mij voorbij wat precies.

Henry deed zijn riem om en zei: 'Jullie hebben mijn leven overgenomen.' Er zat een vleug oprechte vijandigheid in zijn mededeling die me sprakeloos maakte.

Van al mijn ritjes met agenten in patrouilleauto's was er niet een zo gespannen als deze. Het was die griezelige krekelstilte, alsof je de natuur ontwricht als je hem zou verbreken. Ik had tien minuten om na te denken over wat we deze man hadden aangedaan, en het was waar. Op een of andere manier hadden we inderdaad zijn leven overgenomen. Maar ik denk dat we er ten onrechte van overtuigd waren dat hij dat niet echt erg vond.

Toen ik voor Henry's appartement stilhield, zat hij klaar om uit de auto te springen. Ik sloot de portieren met de centrale vergrendelaar af en pakte hem bij zijn arm.

'Is mijn familie de bron van jouw problemen?' vroeg ik hem op de man af.

'Nee,' antwoordde hij. 'Maar ik heb wat ruimte nodig om te kunnen nadenken.'

'Waarover?'

'Dat noem ik geen ruimte geven.'

'Ik begrijp het,' zei ik en ik ontgrendelde het portier.

Verdwijning #1: De niet zo *great* Grand Canyon

Vier dagen later reed ik weer naar het huis van mijn ouders om daar te gaan slapen, want ik wilde nog steeds niet met Bernie samenwonen. Mijn vader en moeder waren aan het inpakken voor hun verdwijning. Ze zouden de volgende ochtend om klokslag acht naar de Grand Canyon vertrekken. Mama pakte in met een aandacht voor detail die gewoonlijk is voorbehouden aan neurochirurgen. De laatste keer dat mijn ouders op verdwijning waren gegaan, was vijftien jaar geleden, en sindsdien waren ze alleen weggeweest voor detectivecongressen in het weekend – over onderwerpen variërend van 'De beste vriend van de privé-detective: de allernieuwste gadgets' tot 'Privédetective na Pellicano' – waarbij je nooit het hotel uit komt.

's Ochtends ontbeten papa, mama, Rae en ik gezamenlijk. De nervositeit van mijn ouders voor een activiteit waar de meeste mensen naar uitkijken, was reden tot zorg. Terwijl mijn vader en Rae de koffers in de auto laadden, nam mama met een omhelzing afscheid van mij.

'Ik ben blij dat we Rae nog niet voor het eerst alleen hoeven laten,' fluisterde ze tegen mij, en ze glimlachte toen Rae net voorbijkwam met een stuk bagage.

'Ik ben bijna zestien,' zei Rae. 'Ik kan best alleen thuisblijven zonder dat een verantwoordelijke volwassene me steeds in de gaten houdt.'

'Isabel is niet zo verantwoordelijk, liefje,' luidde mijn moeders antwoord.

'Hoe dan ook,' zei Rae, en ze liep verder naar de auto.

Ik negeerde het voorgaande gesprek en richtte mijn aandacht op de ernstigere kwestie waar we mee te maken hadden: 'Verdwijningen worden geacht leuk te zijn, mam. Waarom ben je zo nerveus?'

'Je vader en ik hebben sinds onze huwelijksreis nog nooit zo veel qualitytime samen gehad.'

'Nou en?' antwoordde ik.

'Stel dat we elkaar niet kunnen uitstaan?'

Alleen thuis

HOOFDSTUK 1

Zaterdag 21 januari

Mijn ouders vertrokken zonder problemen. Ik vroeg Rae terwijl we de ontbijtbordjes opruimden wat ze van plan was te gaan doen.

'Ik ga proberen Henry zo ver te krijgen dat hij me nog een rijles geeft,' antwoordde zij, en dat was het moment waarop ik haar het Ruimtepraatje gaf.

Ik hield het simpel, want Rae heeft liever de hoofdpunten dan een heel essay, vooral als de les de vorm van een college heeft.

- Als je iemand niet voldoende ruimte geeft, krijgen ze genoeg van je.
- Als ze genoeg van je krijgen, raak je ze misschien voorgoed kwijt.
- Dus als je iemand een tijdje volkomen negeert kun je een relatie soms langer in stand houden.

Ik deed alsof ik een expert was op dit gebied, hoewel iedereen in mijn familie wist dat ik geen expert ben. Rae vroeg om een specifiek tijdschema voor de duur dat ze Henry Stone met rust moest laten. Ik opperde een half jaar. We onderhandelden het uit tot een maand. We zouden wel zien als het eenmaal zo ver was. In de tussentijd gaf ik Rae rijles om haar gedachten af te leiden van haar afwezige beste vriend. Mijn ouders hadden een tijdje geleden duidelijk gemaakt dat ze niet wilden dat ik Rae de verkeersregels zou bijbrengen, maar zij waren vertrokken en ik moest haar op de een of andere manier afleiden.

Een uur later, toen Rae oefende met achteruitrijden op de oprit, kwam Subject uit zijn appartement met twee zakken losse aarde.

Nadat hij ze in de laadbak van de truck had gelegd, liep hij naar onze auto toe.

'Niet slecht,' zei hij tegen Rae, onder de indruk van haar achteruitrijtechniek.

Rae stapte de auto uit en zei: 'Dat heeft mijn beste vriend me geleerd.'

'Die in het ziekenhuis lag?'

'Ja,' antwoordde Rae. Achter haar rug probeerde ik Subject te gebaren het onderwerp te laten rusten, maar hij keek me alleen maar vragend aan en praatte verder.

'Hoe is het met hem?' vroeg Subject.

'Goed, denk ik. Ik probeer hem ruimte te geven.'

Ik sneed met mijn vinger langs mijn keel en zei geluidloos tegen onze buurman van onderwerp te veranderen. Wat Subject vlug deed.

'Ik kwam je ouders vanmorgen tegen. Ze vertelden dat ze op reis gingen, al hadden ze er een rare benaming voor.'

'Een verdwijning,' zei Rae.

'Ja, dat was het.'

'Ik moet naar de wc. Dag,' zei Rae, die onze buurman kennelijk wat ruimte gaf.

Ik stond verlegen in de voortuin, en hoopte dat hij me misschien nog een keer uitnodigde, maar zoals je binnenkort zult ontdekken, ben ik buitengewoon ongeduldig.

'Nou, eh, bedankt voor het ontbijt laatst.'

'Niks te danken.'

'Misschien wil je nog eens een ander soort maaltijd voor me klaarmaken, zodat ik kan ontdekken waar je het beste in bent.'

'Misschien wel.'

'Wanneer zou je dat willen doen, denk je?'

'Misschien om zes uur vanavond. Neem gerust je zusje mee.'

'Liever niet.'

Terwijl ik een paar boterhammen voor Rae klaarmaakte voor het avondeten (niet omdat ze zelf geen boterhammen kan smeren, maar omdat ik dacht dat ze, als ik ze klaarmaakte, eerder dit zou eten dan een kom Froot Loops) vroeg ze mij naar mijn afspraakje.

'Vind je die jongen leuk?'

'Ik ken hem niet, maar ik vind hem knap.'

'Volgens mij is hij te jong voor je,' zei Rae.

'Hij is ongeveer van mijn leeftijd.'

'Maar volgens mama moet jij uitgaan met iemand die rijper is, zodat je volwassen wordt.'

'Ik ben volwassen genoeg,' reageerde ik.

'Daar denkt mama anders over.'

Verdachtgedragverslag #6

'Subject'

Toen ik bij Subject aankwam, deed hij zijn jas aan en vertelde hij dat we een ritje gingen maken om nog wat ingrediënten voor het eten te halen. Subject reed niet naar een winkel, maar naar een volkstuintje in het Mission District. Er zat een hangslot aan het hek, waar Subject de sleutel van had. We gingen de tuin in en Subject vond een lapje grond van een bij twee waar allerlei wintergroenten groeiden. Subject nam wat wortelen, kool en pompoen en deed die in een papieren zak.

Op de terugweg naar Clay Street legde Subject uit dat dat stukje grond in de volkstuin van een vriend was. Subject zorgde ervoor terwijl deze de stad uit was en had daarom recht op de gewassen.

Ik vond de tuinkant van Subject boeiend, maar ik had nog een paar praktische vragen in petto. Ik begon aan de ondervraging terwijl Subject kookte. Ik heb ontdekt dat mensen vaak openhartiger zijn als ze met twee dingen tegelijk bezig zijn.

'Waar kom je vandaan?' vroeg ik.

'St. Louis,' antwoordde hij.

'Ben je daar geboren?'*

Aarzeling. 'Ja.'

'Waarom ben je hierheen verhuisd?'

'Voor de afwisseling. En, bevalt je werk je?' vroeg Subject, in een poging het niet meer over zichzelf te hebben.

'Eh,' antwoordde ik, in een poging vervolgvragen te verkomen.

'Wil je nog steeds niet over je werk praten?' vroeg Subject.

---

* Geboorteplaats vereenvoudigt het verzamelen van achtergrondinfo aanzienlijk.

'Inderdaad,' antwoordde ik.

'Ik ga het eten opdienen.'

'Goed idee.'

Subject wist zonder meer wat eten en drinken was, twee dingen die ik waardeer in een man. Tijdens de anderhalf uur durende maaltijd hadden we het over allerlei onderwerpen, maar geen ervan leverde echt persoonlijke informatie op, wat mij vooralsnog niks kon schelen. Maar Subject zat nog steeds te hengelen, zelfs toen we het eten al op hadden.

'Heb je hobby's?' vroeg hij.

'Niet dat ik weet,' antwoordde ik.

'En speciale vaardigheden?'

Nou ben ik om eerlijk te zijn wel een beetje een expert op het gebied van de klassieke komische tv-serie Get Smart, die tussen 1965 en 1970 werd uitgezonden, plus een paar niet bijzondere tv-films jaren later. Ik besloot mijn encyclopedische kennis van de 138 afleveringen van de serie te vermelden. Subject beweerde nooit een aflevering van Get Smart gezien te hebben. Ik vroeg hem vanzelfsprekend of hij soms door wolven was opgevoed. Subject legde daarop uit dat hij in zijn jeugd gewoon nooit veel televisiekeek. Ik betoonde Subject de gepaste hoeveelheid medelijden en excuseerde me vervolgens om mijn dvd-verzameling uit het huis van mijn ouders te gaan halen (een illegale* verzameling, 'geleend' van Ex #9). Ik dwong Subject de volgende twee uur te kijken naar wat in mijn vaste overtuiging de beste drie afleveringen van deze klassieke tv-serie zijn.

'De niet zo geweldige ontsnapping'

Agenten van CONTROL** raken vermist bij het vliegveld. Max*** en de baas gaan naar het vliegveld om onderzoek te doen en de baas verdwijnt eveneens. Max ontdekt dat alle agenten van CONTROL

---

* De complete serie is nu verkrijgbaar in een box van Time Life!

** Een internationale spionagedienst – de goeden.

*** Maxwell Smart, Agent 86.

vastzitten in een krijgsgevangenkamp van KAOS*, ergens in New Jersey. Max keert terug naar het vliegveld om zich te laten ontvoeren en belandt ook in het kamp. Na enkele mislukte ontsnappingspogingen besluiten de CONTROL-gevangenen zich een weg naar buiten te graven. Max verliest ondergronds zijn richtinggevoel en komt uiteindelijk weer terecht in het kamp. Gelukkig snijdt hij daarbij een elektriciteitskabel door, waardoor de brandweer en politie in het kamp opduiken. KAOS-agenten vluchten uit angst te worden opgepakt, zodat de CONTROL-agenten worden bevrijd. Ik ben van mening dat elke aflevering van *Get Smart* met Ludwig Von Siegfried (schattige overacting van Bernie Kopell**) een klassieker is.

'Spionnenschip'

Max en Agent 99*** gaan aan boord van een schip met maar vier andere passagiers (vijf als je de labiele Agent 44**** meetelt; zes als je Agent 44 en de vermoorde passagier die ze ontdekken meetelt). Ze zijn op zoek naar de tekeningen voor het Nucleaire Amfibische Slagschip. Hun enige aanwijzing is dat de 'tekeningen geen tekeningen zijn' en ze zoeken iemand die een klikklakgeluid maakt bij het lopen. Helaas maken alle medepassagiers klikklakgeluiden.

'Het zwarte boekje'

Max' oude legermaatje Sid (gespeeld door de borderline-psychotische Don Rickles) komt langs. Sid leent wat volgens hem Max' zwarte boekje is, maar wat in werkelijkheid een lijst met KAOS-agenten is, die Max heeft gekregen van een agent die probeer-

---

*De internationale organisatie van het kwaad.
**Het bekendst van zijn rol in *The Love Boat*.
***Max' vriendin. Haar naam wordt nooit onthuld.
****Hij is eigenlijk een uitmuntend agent, maar hij heeft een huilprobleem.

de over te lopen.* Sid bezorgt het boekje onopzettelijk terug bij KAOS. Als Max aan Sid probeert uit te leggen dat hij een spion is, denkt Sid dat hij gek is en saboteert hij Max' pogingen om het boekje terug te krijgen. Max weet Sid er ten slotte van te overtuigen dat hij een geheim agent is en samen gaan ze op zoek naar het boekje, om vervolgens te worden gearresteerd omdat ze handjeklap speelden. Ik ben bloedserieus. Max en Sid hebben net drie kerels neergeschoten, maar ze worden gearresteerd vanwege 'de oude handjeklaptruc'** (die volgens mij ontstond tijdens het maken van de Road-film van Bob Hope en Bing Crosby). Deze tweedelige aflevering van Get Smart is meer dan gewoonlijk bij dit programma in strijd met de logica, maar de chemie tussen Adams en Rickles is onbetaalbaar.

Na twee uur Get Smart en anderhalve fles wijn later had Subject me nog steeds geen rondleiding door zijn appartement gegeven. Ik besloot mezelf rond te leiden.

'Waar is het toilet?' vroeg ik toen Subject de afwas deed.***
'Aan het eind van de gang rechts.'

De precieze bewoordingen waarmee iemand je de weg wijst, vergeet je zo. Bovendien had ik minstens driekwart fles wijn op, dus ik probeerde alle vier de deuren die ik zag.

Deur #1
De slaapkamer: krap en opgeruimd. Niet de strakke lijnen en lege hoekjes van een opruimfreak, maar de opgeruimdheid die domweg het gevolg is van een gebrek aan spullen.

---

* Het verhaal over de overlopende agent kent een amusant gebrek aan vervolg. Zij wordt neergeschoten, maar leeft nog wel en toch lijkt het erop dat Max geen ambulance voor haar laat komen.
** Voor het geval je de oude handjeklaptruc niet kent: twee mannen (meestal) doen alsof ze handjeklap spelen en verrassen hun aanranders door ze een mep te verkopen.
*** Já, ik heb mijn hulp aangeboden, maar die sloeg hij af.

Deur #2
Gangkast: bevatte jassen en schoenen. Niets verdachts van betekenis, tenzij je het dragen van Hush Puppy's verdacht vindt.

Deur #3
De badkamer: schoon genoeg. Goed genoeg voor mij althans. Al zal het waarschijnlijk niet voor iedereen goed genoeg zijn.

Deur #4
Gesloten. Zeer verdacht.

Zo verdacht zelfs dat ik niet had gemerkt dat het water niet meer stroomde en Subject aan het eind van de gang stond te kijken hoe ik Deur #4 probeerde open te maken.

'Die andere deur,' zei Subject, die zelf nu ook wat achterdochtig werd. De badkamerdeur stond namelijk open en was duidelijk zichtbaar.

'O, juist,' zei ik, terwijl ik deed of ik aangeschoten was, al zou er nog minstens een hele fles wijn voor nodig zijn geweest om mij zover te krijgen dat ik een duidelijk zichtbare badkamer niet meer zou herkennen.

Toen ik terugliep naar de keuken twijfelde ik of ik Subject naar de deur zou vragen. Je mag zelf raden welk van de mogelijkheden won.

'Nog wat wijn, of koffie?' vroeg Subject.

'Wijn, alsjeblieft.'

'Goed.'

'Wat is er nou met die deur?' vroeg ik.

'Welke deur?'

'De gesloten deur.'

'Dat is mijn kantoor.'

'Waarom doe je de deur op slot?'

'Het is er een puinhoop.'

'Mensen doen normaal gesproken de deur van een rommelige kamer dicht, maar niet op slot.'

'Er liggen belangrijke papieren.'

'Dacht je dat ik die zou jatten?' vroeg ik, en zodra ik de zin had uitgesproken, wist ik dat ik te ver was gegaan.

'Waarom zet je die deur niet uit je hoofd?' zei Subject, op een manier die geen tegenspraak duldde.

Ik liet het onderwerp voorlopig rusten. Maar zette het zeker niet uit mijn hoofd.*

* Dit was gewoon nog een aandachtspunt in mijn verdachtgedragverslag over Subject.

Verdachtgedragverslag #7

'Rae Spellman'

Toen ik thuiskwam was Rae aan het telefoneren* en koekdeeg met chocoladesnippers aan het eten – zo'n rol uit de winkel, niet uit de kom.

'Heb ik je al verteld van Mr. Peabody? Nou, we hebben dus wiskunde en hij snuit zijn neus. Niet een beetje, maar heel vaak, alsof hij snipverkouden is of zwaar allergisch. Hij vouwt de papieren zakdoek op en doet die niet in de prullenbak maar in de rechter bovenla van zijn bureau. Niet dat die zakdoek half gebruikt was en hij niet van verspilling houdt of zo. Zo te horen ging het om een heleboel snot. *Jij vindt het smerig om te horen?* Moet je je voorstellen dat je er getuige van bent. Waar was ik gebleven?... Oké, dus bij het uitgaan van de klas staat hij bij de deur de huiswerkopdracht uit te delen. Ik besluit een kijkje te nemen wat er nog meer in die la zit en wat denk je dat ik vond? Nee, geen seksblaadje. Nee, geen lippenstift. Wil je het weten of niet? Ik doe die la open en het enige wat er in zit is zeg maar tientallen gebruikte tissues. Er moet minstens een ons snot in die la hebben gezeten.'

Rae begint hysterisch te lachen. 'Ik zweer het. Ik heb nog nooit zoiets smerigs gezien... Trouwens, dat weet ik niet eens zeker.'

Rae ziet mij de keuken in komen en draait zich om, zodat ze met haar rug naar me toe zit.

'Ik moet ophangen,' zei Rae. 'Isabel komt net binnen. Even horen hoe haar afspraak ging.'

Rae hangt op en draait zich weer om.

---

* Hoewel al was vastgesteld dat Rae inmiddels vrienden had, was het nog steeds iets uitzonderlijks om getuige van te zijn en vermeldenswaardig bovendien.

'Wie was dat?' vroeg ik.

'Een vriendin,' antwoordde Rae.

'Waar ken je die van?'

'Van school.'

'Hoe oud is ze?'

'Mijn leeftijd.'

'Hoe heet ze?'

'Ashley Pierce. Als je haar sofi-nummer wilt, moet je even wachten tot ik de kans heb gehad om haar huis te doorzoeken.'

Ik pakte de rol koekdeeg van tafel, deed het papier er weer omheen en legde hem terug in de koelkast. Rae deed de diepvries open en haalde er een pak ijs uit.

'Het mag een wonder heten dat je niet dik bent,' zei ik.

'Volgens David is dat slechts een kwestie van tijd,' antwoordde Rae (met haar drieënveertig kilo).

'Wil je ook wat?' vroeg ze.

Toen Rae en ik het ijs op hadden, dachten we na over de Geheimzinnige Deur.

'Als je op jezelf woont, waarom zou je dan een deur op slot doen in je eigen huis?' vroeg ik.

'Hij deed hem natuurlijk op slot om te zorgen dat jij er niet zou rondneuzen,' antwoordde Rae.

'Vóór vanavond wist hij niet dat rondneuzen een van mijn fraaie gewoonten is.'

'Hij weet nog steeds niet dat je privédetective bent?'

'Nee.'

'Je hebt hem toch niet verteld dat je lerares was, hè?' vroeg Rae, verwijzend naar het verhaaltje dat ik tandarts Daniel Castillo op de mouw speldde toen we net iets hadden.

'Nee. Ik heb gezegd dat ik iets in de informatietechnologie doe.'

'Dat kan van alles betekenen,' antwoordde Rae.

'Precies.'

'Wat doet hij?' vroeg Rae.

'Tuinarchitect.'

'Chique tuinman?'

'Inderdaad.'

Het 'advocatenkantoor' van Mort Schilling

Maandag 24 april
11.15 uur

'Ik wijt het allemaal aan de deur. Mijn twee arrestaties...'

'Vier,' merkte mijn advocaat op.

'Die andere tellen niet mee.'

'Dus het kan je niet schelen dat je een strafblad hebt?'

'Natuurlijk wel. Ik zou mijn vergunning kunnen kwijtraken.'

'Inderdaad.'

'Maar als ik eenmaal heb ontdekt wat ik moet ontdekken en kan bewijzen waar John Brown mee bezig is geweest...'

'Tot nu toe heb je hem er alleen nog maar van beschuldigd dat hij een deur op slot heeft gedaan, Isabel.'

'En dat verdachte gedoe met die papieren toen Rae hem omverliep, en die totaal verkeerde naam, en hij heeft dat tuinarchitectuurbedrijf, wat zeer verdacht is, maar dat komt veel later pas. Ik vertel je de feiten zoals ze zich aandienen, Morty. Als je wilt dat ik voortmaak en je alleen de hoofdpunten geef, prima. Maar ik kan je verzekeren, hij heeft nog meer gedaan. Net was die deur... die deur die alles in gang zette. Die deur markeerde het punt waarop ik niet meer terug kon.'

Deel twee

Verdwijningen en nog meer verdachtgedragverslagen

Verdwijningsbericht #1

Zondag 22 januari

Rae en ik noemen onze ouders vaak de Eenheid, maar hoe eensgezind ze ook zijn als zich conflicten voordoen in hun dagelijks bestaan, ze blijven twee unieke en op zichzelf staande individuen. We ontvingen al vóór de tweede dag van de zevendaagse rondreis van mijn ouders het eerste stel verdwijningsberichten. Ik kwam het kantoor binnen toen Rae haar e-mail bekeek.

'Een bericht van pap en mam,' zei Rae.

Ik pakte een stoel en las over haar schouder de e-mails.

Van: Albert Spellman
Datum: 22 januari
Aan: Isabel Spellman, Rae Spellman
Onderwerp: Verdwijning, tot dusver

Het mag een wonder heten dat we met jullie moeder aan het stuur nog leven. Ik overweeg gelovig te worden, als we ooit weer thuiskomen tenminste. De Grand Canyon is inderdaad groot, maar op een gegeven moment ben je wel uitgekeken op een gigantische afgrond.
Dit zou voorlopig wel eens onze laatste verdwijning kunnen zijn.
Liefs,
Papa

Van: Olivia Spellman
Datum: 22 januari
Aan: Isabel Spellman, Rae Spellman

Onderwerp: Groetjes vanuit een gigantische krater

Ik hoop oprecht dat jullie tweetjes je gedeisd houden en
Henry de ruimte geven. Rae, dat ik weg ben betekent niet dat
je de hele dag junkfood mag eten. Geef alsjeblieft het goede
voorbeeld, Isabel.
Jullie vader rijdt als een oude man. De hele tijd nooit harder
dan vijftien kilometer boven de toegestane snelheid. Waar slaat
dat op? Ik vraag me af of twintig uur samen in een auto voor
onze relatie wel zo'n goed idee was.
Vandaag stonden we om half vijf op om de zonsopkomst te
bekijken. Ik had liever uitgeslapen. Al dat gerij en gestaar in de
ruimte is niks voor mij.
Liefs,
Mama

Rae keek naar het beeldscherm en bestudeerde de e-mail.
'Dit voorspelt niet veel goeds,' zei ze hoofdschuddend. 'Ik moet
actie ondernemen,' vervolgde ze, en ze klikte op Beantwoorden.

Van: Rae Spellman
Datum: 22 januari
Aan: Olivia Spellman
Onderwerp: Re: Groetjes vanuit een gigantische krater

Mam, het lijkt erop dat papa het echt naar zijn zin heeft.
Misschien moet je het over je heen laten komen en ervan
proberen te genieten in het belang van je huwelijk.
Hier gaat alles top. Izzy en ik hebben gisteren wat broccoli
gegeten.
Liefs,
Rae

Van: Rae Spellman
Datum: 22 januari
Aan: Albert Spellman
Onderwerp: Re: Verdwijning tot dusver

Pap, mama lijkt echt te genieten van haar vakantie. Volgens mij moest ze nodig eens de stad uit. Misschien moeten jullie wat langer uitslapen. Mama zag er heel moe uit toen jullie weggingen. Zeg niet tegen haar dat je het niet naar je zin hebt. Ze heeft dit nodig, pap.
Liefs, Rae

'Hoe kun je,' becommentarieerde ik de duivelse antwoorden van mijn zusje.

'Ik moest wel,' zei ze in alle ernst. 'Anders gaan ze nooit meer de stad uit. En ik wil ook wel eens met rust gelaten worden.'

Dat Rae met rust gelaten wilde worden door haar ouders was een nieuwe ontwikkeling in haar puberteit. Ik zag in dat ze eindelijk volwassen begon te worden.

In de middag van dag twee van mijn ouders' verdwijning had Rae de stapel papieren van ruim een meter in het kantoor van de Spellmans al versnipperd (de enige klus die van mama per se geklaard moest zijn als ze terugkwam), haar kamer opgeruimd (dat wil zeggen alle rondslingerende spullen in de kast en onder haar bed gestopt), al haar huiswerk gedaan (zij het niet met de overtuiging die ze onder toezicht van Stone aan de dag legde, vermoed ik) en twee porties Rice Krispies Treats klaargemaakt.

Toen ze haar derde marshmallow met gepofte rijst op had, begon ze doelloos door het huis te dolen.

'Ik verveel me,' zei Rae, die mijn aandacht van de krant opeiste.

Als dit een gewoon weekend was geweest, dan had ik wel een observatieklusje gehad waarmee ik Rae had kunnen afleiden. Maar de laatste paar weken was het ongebruikelijk stil en we zaten met een overweldigende hoeveelheid vrije tijd. Zoals de e-mails van mijn ouders misschien al aangeven, is vrije tijd niet iets waar de Spellmans erg vertrouwd of gelukkig mee zijn.

'Heb je zin om naar de film te gaan?' vroeg ik.

'Nee,' antwoordde Rae.

'Waarom bel je je nieuwe vriendin niet en vraag je of zij iets wil doen?'

'Dat heb ik gedaan. Ze moet naar een of andere zieke tante in Pleasanton.'

'Zijn er nog andere vriendinnen die je kunt bellen?'*

'Ja, maar die zijn bezet.'

'Heb je tegenwoordig meerdere vriendinnen?' vroeg ik.

'Ja, maar die hebben vandaag allemaal iets te doen en ik verveel me.'

'Je kunt bij David langsgaan en kijken hoeveel geld je hem af kunt troggelen.'**

'Nee, die doet raar de laatste tijd.'

'Hoezo raar?'

'Zenuwachtig en zo. Snel aangebrand.'

'Weet jij hoe dat komt?' vroeg ik, want mijn nieuwsgierigheid was geprikkeld. Rae is vaak op de hoogte van familiekwesties die mij op de een of andere manier ontgaan. Ik schrijf dat toe aan haar geringe lengte en vermogen ietsje beter dan ik in de achtergrond op te gaan.

'Nee. Denk je dat ik Henry al kan bellen?'

'Het is nog maar tien dagen geleden, Rae.'

'Tien hele dagen van ruimte,' zei Rae, die vol ongeloof haar hoofd schudde.

'Dat is niet genoeg. Je moet me vertrouwen.'

Of mijn oordeel nu verstandig was of niet, ik besloot mijn zusje af te leiden met een simpel maar noodzakelijk klusje. Sinds mijn afspraakje van twee avonden ervoor peinsde ik over die gesloten deur. Ik wilde het antwoord weten op een simpele vraag. Zat die deur voor mij op slot of zat hij altijd op slot?

---

* Ik verwachtte op deze vraag het antwoord 'nee'. Ik stelde hem slechts voor de zekerheid.

** Tot anderhalf jaar ervoor hadden Raes wekelijkse bezoekjes – ook wel afpersingen genoemd – aan David geresulteerd in een inkomen van bijna honderd dollar per maand. Mijn ouders maakten daar een eind aan toen ze een uitgehold wiskundeboek met bijna tweeduizend dollar erin vonden.

Operatie gesloten deur

Rae verborg zich op de achterbank van de auto onder een deken. Ik reed mijn Buick uit 1996 de garage uit en stopte drie straten verderop.

'Klaar?' vroeg ik aan Rae.

'Ja.'

'Zet je mobieltje aan en bel me zodra het erop zit. Naar binnen en naar buiten. Geen grappen. Begrepen?'

'Begrepen,' zei Rae, terwijl ze haar ogen liet rollen en op weg ging naar Clay Street 1799.

Twee minuten later klopte Rae op de deur van huize Spellman. Ze riep mijn naam (voor de show natuurlijk). Ze tuurde door de ramen en probeerde er zelfs eentje open te wrikken. Ze liep zenuwachtig heen en weer en keek om zich heen. Ze sprong op en neer. Ze belde me op met haar mobiel.

'Fase twee begint,' zei ze en hing op.

Rae belde aan bij Clay Street 1797, appartement twee. Ze drukte als een dolle op de zoemer tot ze binnen werd gezoemd. Ze holde de trap op en trof Subject toen hij de deur naar de hal opendeed.

'Rae, wat doe jij hier?' zei Subject vriendelijk.

'Isabel is weg. Ik heb mijn sleutels verloren en ik moet naar de wc,' zei Rae, op en neer springend. 'Heel, heel erg. Mag ik bij jou naar de plee?'

'Natuurlijk,' zei Subject, en hij liet Rae binnen. Rae rende naar het eind van de gang en het toilet in. Ze wachtte dertig seconden, trok door, zette het kraantje aan en tuurde door een kier van de deur naar buiten. Subject was nergens te bekennen. Rae liep de gang door en probeerde de mysterieuze deur te openen – ik had een glashelder plattegrondje gemaakt – en hij zat op slot. Ze probeerde het nog eens voor de zekerheid en liep toen de gang door naar de keuken.

'Ontzettend bedankt,' zei Rae, toen ze Subject in de keuken trof. 'Ik plas liever niet in de achtertuin.'

'Geen probleem,' antwoordde Subject.

'Wil je bij ons komen eten?' vroeg Rae zonder aarzelen.

'Wanneer?'

'Vanavond.'

'Weet je wel zeker of je zus het daarmee eens is?'

'Ja. Wat dacht je van zeven uur?'

'Goed,' zei Subject. 'Kan ik iets meenemen?'

'Je zou het eten kunnen meenemen,' zei Rae niet helemaal voor de grap. 'Nee, wij zorgen voor het eten,' zei ze na een lange stilte. 'En een toetje. Het eten wordt niet het lekkerste dat je ooit hebt gehad, maar het toetje wordt heel goed.'

'Oké. Ik verheug me erop.'

Tijdens Raes debriefing in huis tien minuten later stelde ik de voor de hand liggende vraag.

'Waarom heb je hem te eten gevraagd?'

'Omdat we een geb.dat. van hem moeten hebben om een achtergrondonderzoek te kunnen doen en ik niks kon verzinnen om van "Mag ik bij jou naar de wc?" over te gaan op "Wanneer ben je jarig?" zonder als een idioot over te komen. Als we hem te eten vragen kunnen we er tijdens het gesprek terloops over beginnen. Én we kunnen zijn jas aannemen en het kan zijn dat hij zijn portefeuille in zijn jaszak bewaart.'

'Wie zei dat ik iemand wilde onderzoeken, Rae?'

'De deur zat op slot,' antwoordde Rae. 'Voor wie doet hij die op slot, voor zichzelf? Bovendien,' vervolgde ze, en ik wou dat ze dat niet had gedaan, 'doe je altijd onderzoek naar je dates.'

Behalve dat we moesten 'koken' had de eetuitnodiging aan Subject nog een onaangenaam gevolg: opruimen. Tijdens de afwezigheid van onze ouders waren Rae en ik weer vervallen in onze natuurlijke laksheid. Als we de hal inkwamen schopten we onze schoenen uit en gooiden we onze jas over de bank, elke dag een ander paar en een andere jas – dat gaat na een paar dagen aantikken. Het was onze gewoonte de gootsteen vol te zetten met borden tot er geen schone meer waren, en dan deden we ze in de afwasmachine. We maakten elkaar wijs dat dit een efficiëntere werkwijze was. Met de post hadden we hetzelfde systeem. We verdeelden de post op tafel in stapeltjes en openden alleen de aantrekkelijke stukken (bladen, cheques, dozen).

De woonkamer, eetkamer en keuken (alle op de begane grond) hadden het zwaarst te lijden onder onze slordigheid. Stel je een woud van vuile glazen, schoeisel, jassen, vuile borden en schoolboeken voor dat welig tiert in de woonkamer. De eetkamertafel verweerde zich nog tegen een invasie van papier en de keuken had de slag met vuile borden en een uitpuilende vuilnisbak al verloren. Ik ben niet trots op deze ongelukkige neiging van me; ik geef je gewoon even de feiten.

Desalniettemin houd ik mijn vreselijke slordigheid liever geheim, vandaar dat Rae en ik de rest van die middag de bewijzen aan het wegpoetsen of verbergen waren.

Er was nog één ding dat voor de komst van Subject moest worden verborgen. Bij de ingang van huize Spellman hangen vier afzonderlijke brievenbussen: een voor de familie en drie voor het familiebedrijf. Daar staat op: Spellman Investigations, Marcus Godfrey* en Grayson Enterprises.** In plaats van drie van de brievenbussen weg te halen, etiketteerden Rae en ik ze met de afzonderlijke namen van de gezinsleden. Zo werd het bestaan van het familiebedrijf niet onthuld, al zou het wel ongewoon overkomen dat elke Spellman zijn eigen brievenbus had.

* Papa's oude undercovernaam.
** De naam van een schijnbedrijf door ons gebruikt voor zaken die geen extra privacyelement vereisen.

Operatie geb.dat.

Subject kwam op de afgesproken tijd. Hij bracht een fles rode wijn mee, waarin ik zei dat die lekker bij de pasta zou zijn.* Subject vroeg inderdaad naar de brievenbussen, zoals ik al vermoedde, maar Rae legde uit (zonder veel aansporing) dat de Spellmans heel erg op hun privacy gesteld zijn. Zelfs onderling.

Rae vroeg Subject beleefd om zijn jas, verdween naar de vestibule (wij hebben geen vestibule) en doorzocht zijn jaszakken. Er werd vastgesteld dat ófwel Subject zonder zijn portefeuille was gekomen ófwel Subject zijn portefeuille in zijn kontzak bewaart. Aangezien ik nog maar anderhalve afspraak met Subject had gehad, kon ik geen manier bedenken om in zijn zakken te komen. Een geb.dat. zou op een andere manier moeten worden vastgesteld: we zouden ernaar vragen.

Het zou gemakkelijk zijn geweest om het gesprek op het onderwerp astrologie te brengen, vandaar naar geboortemaanden en vandaar naar geboortedata, maar Subject had zijn eigen onderzoek. Hij wilde de herkomst achterhalen van de afgrijselijke drek die hij geacht werd te eten.

'Wie heeft dit gemaakt?' vroeg Subject.

'Ik,' zei Rae.

'Hoe ben je aan het recept gekomen?' vroeg Subject, nadat hij het eerste hapje had genomen.

Rae keek hem aan, en wist niet goed wat ze moest zeggen. 'Dat is een geheim,' antwoordde ze.

En toen nam ik mijn eerste hapje... en mijn laatste. Ik ruimde de

---

* pasta. 1. Ongedesemd deeg, gemaakt van tarwemeel, water en soms eieren, in diverse vormen gegoten en gekookt. 2. Een gerecht waarvan pasta het belangrijkste onderdeel is. 3. Ravioli of een ander gerecht in blik bestaande uit een griesmeelproduct met rode saus.

tafel af vóór iemand nog beleefd een hapje van de derrie kon nemen.

'Rae, heb je de noodvoorraad geplunderd voor het eten?'

'Wat is er nou aan de hand?'

'Heb je de uiterste verkoopdatum gecontroleerd?'

'Blikjes hebben geen uiterste houdbaarheidsdatum.'

'Welwaar,' zei ik, waarna ik me vlug tot onze gast wendde. 'Het spijt me, John. Eh, zullen we een pizza bestellen?'

Rae riep: 'Hoera!' en ik realiseerde me dat ik erin was gestonken.*

We lieten Subject het eten bestellen met zijn mobieltje en het aannemen bij zijn voordeur, want hij stond niet op de 'Verboden te bedienen'-lijst. Het eten kwam kort erna.

Even na mijn tweede punt pizza en derde glas wijn, maar nog voor Rae het nagerecht bestaande uit de Rice Krispies Treats opdiende, maakte ik oogcontact met mijn zusje en wees ik op mijn horloge, een simpele code voor 'het is zover'.

'Welk teken ben jij?' vroeg Rae aan Subject.**

'Pardon?' reageerde Subject, die zich in zijn wijn verslikte. Ik denk dat het er een beetje raar uitkwam.

'Je lijkt me Vissen,' zei Rae.

'Hij is helemáál geen Vissen,' kwam ik tussenbeide. 'Eerder Tweelingen.'

'Ben je aan de coke?' vroeg Rae aan mij.***

'Nee. Maar jij volgens mij wel. Vissen?'

'Hij is een en al Vissen. Of misschien... eh... die met die schalen

---

*Mijn moeder had bij haar vertrek één eetgebod afgekondigd: geen pizza's. Rae had kennelijk haar belangstelling voor alle andere hoofdgerechten verloren en mijn moeder wilde haar daar resoluut van laten afkicken. Ze ging zelfs zover de meeste pizzeria's in de buurt te bellen om ze op het hart te drukken tijdens haar afwezigheid geen pizza's aan ons te verkopen.

**Ik heb gemerkt dat een praatje over astrologie de gemakkelijkste methode is om iemand zijn geb.dat. te ontfutselen. Helaas heb ik er erg weinig verstand van. Ik weet er echter veel meer van dan mijn zusje.

***Tien dagen geen Henry en ze vervalt in haar oude zonden.

of die... eh... eruitziet als een koe?'*

'Je bedoelt Stier?' zei ik.

'Ja,' antwoordde Rae. 'Was me even ontschoten. Ik had een alzheimermoment.'

'Rae, dat mogen alleen oude mensen zeggen. Het klinkt stom als jij dat zegt.'

'Ik maak zelf wel uit wat ik zeg,' antwoordde Rae. 'Wat ik maar wil zeggen is: hij is zeker geen Vissen. Zeker niet.'

'Bedankt voor je bijdrage, Rain Man. Deze discussie kan heel eenvoudig worden afgesloten,' zei ik, eindelijk op weg naar het doel. 'Wanneer ben je jarig?'

'26 December,' antwoordde Subject.

'Dus wat ben je dan?' vroeg Rae.**

'Steenbok,' antwoordde Subject achterdochtig.

'Steenbok,' zei ik. 'Dat had ik nou nooit gedacht. Huh?'

'26 December?' herhaalde Rae, om het in haar oren te knopen. 'Dat moet balen zijn, je verjaardag met Kerstmis. Ik denk dat ik mezelf van kant zou maken.'

Subject vroeg zich af of hij moest lachen of zich zorgen moest maken om Raes overdreven reactie.

'Hé, Izzy, waar is dat boek over het Chinese Nieuwjaar?'

Subject zette zijn geboortejaar af tegen de Chinese twaalfjarige dierenriem en deelde ons mee dat hij een Rat was.

Missie volbracht: John Brown, geb.dat. 26-12-1972.

---

* Rae zat te stuntelen. Ik zei nog tegen haar dat ze de dierenriem moest bestuderen, maar zij dacht niet dat dat nodig was.

** Rae was echt heel erg teleurstellend in deze schertsvertoning. Als het om haar eigen onderzoek was gegaan, weet ik zeker dat ze zich beter had voorbereid.

Het 'advocatenkantoor' van Mort Schilling

'Rae en ik hebben die avond nadat John was vertrokken twee uur lang op kantoor geprobeerd zijn achtergrond na te gaan,' legde ik uit aan Morty.

'Doe je dat altijd, Izz?'

'Wat?'

'Een onderzoek naar je dates.'

'Ik heb geprobeerd te minderen.'

'Zonder succes, begrijp ik.'

'Vel geen oordeel over mij, Morty.'

'Je weet dat ik een zoon heb. Nou ja, twee zonen. Maar een van de twee gaat binnenkort scheiden.'

'Waar doel je op?'

'Hij is arts. Chirurg.'

'Ik hoef niet geopereerd te worden.'

'Ik sta voor hem in. Geen strafblad. Niets. Je kunt het onderzoek en de hele bliksemse boel laten zitten.'

'Hij is je zoon?'

'Ja.'

'Hoe oud is hij?'

'Tweeënvijftig.'

'Ik ben dertig, Morty. Hij is te oud voor mij.'

'Ik heb een kleinzoon voor je. Pas vijfentwintig.'

'Te jong, Morty.'

'Ach, je hebt vast gelijk. Als je zo oud bent als ik, is iedereen nog een kind.'

'Laten we teruggaan naar mijn zaak, goed?'

'Jij mag het zeggen. Maar laat me weten als je weer beschikbaar bent. Ik ken heel veel mensen.'

'Waar was ik gebleven?' vroeg ik, in de hoop Morty eindelijk van het onderwerp af te brengen.

'Jij en je zus hadden net de geb.dat. van John Brown achterhaald.'

'We begonnen bij het geboorteregister. Zoals je weet gaat dat per staat. Subject had me verteld dat hij uit Missouri kwam. Ik ging er dus van uit dat hij daar geboren was. Nou, op die datum werden in Missouri twee John Browns geboren. Een ervan is dood en de ander woont daar nog steeds en is een Audi-dealer.'

'Dus hij groeide op in Missouri, maar hij was in een andere staat geboren?'

'Ik heb het aan hem gevraagd en hij zei dat hij in Missouri geboren en getogen was.'

'Weet je wel zeker dat hij niet achterdochtig werd van al die vragen van je?'

'Op het moment zelf was dat niet zo.'

'Hij wist nog altijd niet wat je deed?'

'Ik loog niet over wat ik deed. Ik heb 't hem gewoon niet verteld.'

'Wat gebeurde er toen?'

'Ik zag Subject de rest van die week niet, toen kwamen mijn ouders terug van hun verdwijning en verraadden ze me.'

Subject helpt pa met de bagage...

Rae en ik zagen onze ouders maar liefst twee uur eerder dan ze hadden gezegd de oprit op komen. Er waren nog wat bewijsstukken waar we vanaf moesten – pizzadozen, een zak drop en de afwas van de avond ervoor – voor ze binnenkwamen. Terwijl Rae en ik ons haastten om het huis weer op orde te krijgen (volgens mams definitie), kwam Subject naar buiten en bood mijn vader aan de koffers te helpen sjouwen. Papa had ooit een onderzoek gelezen waarin stond dat iemand die je toestaat je een dienst te bewijzen, zich naderhand meer verplicht aan je voelt. Pap sloeg dus bijna nooit een aanbod voor hulp af.

Rae en ik waren niet voorbereid op de komst van onze ouders omdat mama met opzet had gelogen over hun geschatte tijd van aankomst. Zij is dol op het verrassingselement. Ze belde op toen het nog een uur rijden was en zei dat ze er rond het etensuur zouden zijn (ongeveer vijf uur vanaf het tijdstip van bellen). Ze had het zo goed gepland dat ze op de kaart de stad had uitgezocht waar ze ongeveer zouden zijn geweest als ze echt nog vijf uur te rijden hadden gehad. Mama kwam binnen bij het geluid van rammelende afwas, het geritsel van vuilnis en het controleren van kasten.* Ik pakte de vuilniszak en kwam mijn moeder tegen die op weg was naar de keuken.

'Mam! Je bent vier uur te vroeg. Kan jullie auto opeens vliegen?' Ik gaf haar een kus op haar wang en liep naar de deur. 'Ik ging net het vuilnis buiten zetten. Je moet me alles over de reis vertellen.'

---

* Die door onze gewoonte alles erin te stoppen nogal vol waren.

Terwijl ik naar buiten liep, waren papa en Subject op weg naar binnen. Ik ving een flard op van hun babbeltje.

'Het is goed om weer thuis te zijn,' zei mijn vader, 'ook al betekent het wel dat ik weer aan het werk moet.'

'Dat wilde ik u nog vragen...' zei Subject.

Dat was het moment waarop ik probeerde oogcontact met mijn vader te krijgen om aan te geven dat hij geen informatie mocht prijsgeven. Maar papa gaf me alleen een klopje op mijn hoofd toen we langs elkaar liepen. Subject groette me en maakte zijn zin af.

'... wat voor werk u doet?'

'Wij zijn privédetectives. Ik dacht dat Izzy je dat wel had verteld.'

Verdomme!

'Isabel, wat is er met de brievenbussen gebeurd?'

Na een diplomatiek verslag van mijn ouders over hun autoreis, waar ze in elkaars aanwezigheid over dweepten, viel me op dat mijn vader was veranderd.

'Papa, het lijkt wel alsof je nog meer afgevallen bent.'

'Misschien een paar pondjes,' zei papa ontwijkend.

'Eerder vijf kilo,' zei ik. 'Al is dat moeilijk in te schatten bij iemand met zo'n groot lichaam als jij.'

'Wanneer krijg jij eindelijk eens manieren?' antwoordde papa.

Mijn moeder keek achterdochtig naar mijn vader. 'Nu je het zegt, hij lijkt inderdaad dunner. Dat zie je niet als je iemand elke dag om je heen hebt. Wat vreemd,' vervolgde ze, 'aangezien je steeds zei dat je weer naar het buffet ging.'

Maar toen leidde papa mama af door te vertellen hoe hij had genoten van de wandelingen.

Later die avond kreeg ik de gelegenheid om verdachtgedragverslag #7: Rae Spellman op te maken.

Toen ik binnenkwam zat mijn moeder op kantoor haar e-mail te lezen.

'Mam, wist je dat Rae tegenwoordig vriendinnen lijkt te hebben?'

'Ja, schat,' antwoordde mijn moeder zonder op te kijken.

'Vriendinnen van haar eigen leeftijd,' zei ik ter verduidelijking.

'Ik weet het,' zei mama zonder een spoor van oprechte verbijstering.

'Ik heb zelfs de naam van eentje. Voor- en achternaam.'

'Ik ben helemaal op de hoogte van Raes vriendinnen, schatje.'

'Hoe lang is dit al aan de gang?' vroeg ik.

'Minstens een half jaar.'

'Hoe komt het dat ik het niet wist?'

'Je weet zoveel niet, Izzy. Jij wordt altijd geobsedeerd door één aspect en ziet vaak het grote plaatje niet.'

'Dat zal wel, mam. Dan heb ik nog een vraag: Waarom heeft ze tegenwoordig vriendinnen?'

'Henry heeft haar verteld dat ze niet meer bij hem kon komen als ze geen vriendschap sloot met mensen van haar eigen leeftijd.'

'En dat hielp?' vroeg ik.

'Ja.'

'Jeetje. Hij voedt je kind voor jou op, zeg maar,' zei ik.

'It takes a village,' zei mijn moeder.

'Ik vraag me af of Hillary bedoelde dat jouw plaatselijke inspecteur co-ouder werd.'

'Ik zal je eens wat vertellen over pubers,' zei mama. 'Zelfs de braafste verzetten zich tegen hun ouders, en wenden ze zich tot iemand anders. Nou, als degene bij wie Rae steun zoekt, Henry Stone is, hoef ik me nergens zorgen over te maken. Om eerlijk te zijn ging ik destijds kapot aan de zorgen om jou. Dat wil ik niet nog eens meemaken.'

Verdachtgedragverslag #8

'Olivia Spellman'

In de nacht nadat mijn ouders waren thuisgekomen van hun verdwijning hoorde ik om half drie een geluid beneden. Ik werd wakker en ging de zolderkamer uit. Ik sloop de trap af en zag mijn moeder, in haar pyjama en een jas, het huis uit gaan.

Ik holde terug naar mijn kamer, trok een paar schoenen aan en pakte mijn jas en sleutels. Ik ging langs de brandtrap naar beneden en liep om het huis heen naar mijn auto. Mama was net van de oprit weggereden en reed de straat uit. Ik stapte in mijn auto en volgde haar.

Ze had ongeveer een voorsprong van vier straten. Maar op dat uur van de nacht was zij vrijwel de enige auto op straat. Ik zag haar linkerrichtingaanwijzer toen ze Gough Street naderde en ik was er vrijwel zeker van dat ze weer naar dezelfde plaats in Noe Valley ging waar ik haar eerder had opgemerkt. Vertrouwend op mijn intuïtie*, koos ik een andere route naar de betreffende woning om niet ontdekt te worden. Ik parkeerde de auto een straat verderop en sloop onopvallend langs de struiken tot ik mijn moeder in het vizier kreeg. Ze knielde bij dezelfde motor, maar dit keer had ze een slangetje en een pomp en hevelde ze benzine over uit de tank. Huh? Ik had op dat moment naar mijn moeder toe kunnen gaan en haar kunnen vragen wat ze in godsnaam aan het doen was, maar dat deed ik niet. Het was duidelijk dat ze een reden had om zo stiekem te doen en ik wilde haar nog even laten denken dat niemand van haar geheim op de hoogte was.

Ik reed meteen naar huis, want ik wilde mijn auto op dezelf-

---

* Die een nauwkeurigheid van 75 procent heeft.

de plaats terugzetten, voor het geval mijn moeder hem had opgemerkt toen ze wegging. Ik bedacht dat ik waarschijnlijk overdag
een dutje moest doen, zodat ik 's nachts mijn moeder kon bijhou-
den.

Mijn moeder was echter niet de enige onbetaalde zaak waar ik
mee bezig was. Subject was er ook nog en die had nog steeds geen
identiteit.

Groundhog Day

Donderdag 2 februari

Op de morgen van 2 februari reed ik toevallig langs het huis van Mrs. Chandler en ik zag dat er in haar gazon een stuk of zes gaten zaten als de tunnels die bosmarmotten graven – een bijna exacte kopie van mijn streek van weleer. Uit angst dat Mrs. Chandler zou denken dat ik weer op het slechte pad was nam ik een proactieve maatregel, deels uit schuldgevoel, maar ook om beschuldigingen te voorkomen.

Ik reed terug naar de woning van Subject en vroeg hem of hij haar gazon wilde herstellen. Ik besloot de reden voor mijn bemoeienis met het misdrijf niet bekend te maken. Ik deed alsof het om een burendienst ging, wat Subject zonder meer slikte.

Later die middag reed ik langs huize Chandler en zag dat haar gazon er weer redelijk fatsoenlijk bij lag. Ik ging terug naar huize Spellman en besloot even langs Subject te gaan om hem te bedanken.

Ik stond op het punt op de zoemer te drukken, toen Subject naar buiten kwam met twee grote zakken versnipperd papier. *Hij versnippert een boel papier voor een tuinarchitect*, dacht ik bij mezelf.

'Dank je wel,' zei ik. 'Ik ben net langs Mrs. Chandler geweest.'

'Het was een Groundhog Day-grap,' zei Subject, alsof dat niet overduidelijk was.

'Dat weet ik,' antwoordde ik, terwijl ik achter Subject aan ging, die de kussens van papier in de groene bak stopte.

'Zij vertelde dat het al eens eerder is gebeurd,' zei Subject vervolgens, terwijl hij me strak aankeek.

'Ik heb geen idee waar je het over hebt,' antwoordde ik, volgens mijn vaste scenario. 'Nou, kan ik je strakjes iets te drinken aanbieden?'

Subject arriveert in The Philosopher's Club...

'Denk erom,' zei ik tegen Milo, vlak voor Subject op de barkruk naast mij ging zitten, 'je kent mij niet.'

'Mij best,' zei Milo chagrijnig.

'Wat wil je drinken?' vroeg ik aan Subject.

'Wat voor tapbier heb je?' vroeg Subject.

Milo wees op een bord met een lijst binnenlandse bieren.

'Anchor Steam,' zei Subject.

'Mag ik je identiteitsbewijs zien?' vroeg Milo.

'O, eh, natuurlijk,' antwoordde Subject en hij pakte zijn portefeuille. Ik kon bij de zwakke verlichting in de bar alleen zien dat zijn rijbewijs niet was uitgegeven in Californië.

Milo controleerde het rijbewijs zoals ik hem had opgedragen. Hij deed alsof hij het niet kon lezen en liep naar de lamp.*

'Dankjewel,' zei Milo, terwijl hij het identiteitsbewijs teruggaf. Daarna wendde hij zich tot mij. 'Identiteitsbewijs alsjeblieft.'

'Maar je hebt mij al iets geserveerd.'

'Ik was het vergeten. Laat zien, schatje.'

Ik ergerde me aan Milo's gebruik van het woord 'schatje' (voor het eerst, voor zover ik me herinner) en overhandigde hem mijn identiteitsbewijs.

Mijn barkeeper bestudeerde eventjes mijn rijbewijs en grinnikte in zichzelf.

'Wat is er zo grappig?' vroeg ik.

'Vierenvijftig kilo?' zei hij, terwijl hij me mijn rijbewijs teruggaf.

Ik wierp hem nog één vuile blik toe en toen schonk hij Subject een biertje in. Milo trok zich terug naar het uiteinde van de bar en

---

* Dat was mijn voorstel, zodat hij meer tijd had om de details in zijn hoofd te stampen.

Subject stelde de vraag die hij al een week had willen stellen.

'Dus jij bent privédetective.'

'Uh-huh.'

'Heb je speurwerk naar mij gedaan?'

'Nee.'

'Weet je het wel zeker?'

'Absoluut.'

'Want die kleine show van jou en je zus met die quiz over de westerse en de oosterse dierenriem, het leek er eerlijk gezegd op dat je mijn geboortedatum te weten probeerde te komen.'

'Wij zijn gewoon heel erg geïnteresseerd in astrologie.'

'Je meent het,' zei Subject, en hij keek me recht aan. Toen leunde hij naar me toe en fluisterde in mijn oor.

'Ik zal je een geheimpje verklappen,' zei Subject. 'Ik ben geen rat.'

'Wat dan wel?' vroeg ik.

'Een slang,' antwoordde Subject, waardoor de rillingen me over de rug liepen.

Mijn moeder zei altijd dat je niet met een man mee moet gaan wiens bestaan je niet kunt verifiëren.* Op grond van wat ik mama onlangs had zien doen, was zij bepaald niet de autoriteit op het gebied van verstandige oordelen. Twee uur later zat ik aan mijn tweede whisky in John Browns appartement.

Om Subject van zijn stuk te brengen hield ik me verre van het onderwerp verjaardagen en arbeidsverleden. In plaats daarvan liet ik het gespreksonderwerp eventjes overgaan op mijzelf, want hij wilde het duidelijk niet over zichzelf hebben. Ik vertelde Subject over Exen #4 en #9 (want dat doen mensen bij een date nu eenmaal, oude relaties doornemen) en toen praatten we een uur over Bernie en mijn appartement met huurbescherming. Subject scheen te vinden dat ik er alles aan moest doen om die ruimte te behouden. Ik zag dat Subjects belangstelling zuiver gespeeld was terwijl hij hierover sprak. Het was de behendigheid van een goochelaar. Hij dacht dat hij mijn belangstelling voor zijn niet-bestaan en zijn gesloten

---

* Zie het aanhangsel voor een gedeeltelijke lijst van mama's criteria voor mannen.

deuren had afgeleid naar mijn eigen bestaan als welgestelde dakloze.

Maar ik laat me niet zo gemakkelijk manipuleren. Ik excuseerde me om naar het toilet te gaan, want 1) ik moest plassen, en 2) ik wilde die deur nog een keer proberen. Nadat 1 was volbracht, ging ik het toilet uit en probeerde ik de geheimzinnige deur. Nog steeds op slot, maar ik kwam voorbereid. Ik haalde een loper uit mijn zak en knielde voor het sleutelgat. Ik wist dat ik weinig tijd had. Al kreeg ik de deur open, dan had ik nog maar een seconde om rond te kijken voor ik hem weer dicht moest doen.

Maar Subject was op zijn hoede. Hij wist maar al te goed dat hij me in zijn huis niet ergens alleen kon laten. Ik was nog bezig met het slot toen ik zijn voetstappen de hoek om hoorde komen. Ik kon het op twee manieren spelen: een alibi of de directe benadering.

'Kan ik je ergens bij helpen,' vroeg Subject, terwijl ik nog steeds aan het slot zat te prutsen.

'Als je het niet erg vindt, wil ik graag even alleen zijn met je deur,' antwoordde ik.

'Isabel.' Het werd uitgesproken als een waarschuwing.

'Eventjes nog,' zei ik, geen krimp gevend, 'ik kom zo bij je.'

Subject kwam met een grimmige blik op me af en zette me klem voor de deur.

'Wat is er toch met jou en die deur? Ik begin een beetje jaloers te worden.'

'Je móét me die kamer in laten.'

'Ik móét helemaal niks.'

'Laat ik het anders zeggen,' zei ik. 'Het is in je eigen belang dat je me laat zien wat er in die kamer staat.'

Subject sloeg zijn arm om mijn middel en trok me dicht tegen zich aan. Hij fluisterde in mijn oor, wat zowel sexy als griezelig was.

'Het is in je eigen belang dat je die klotedeur vergeet. Lukt dat?'

Ik keek Subject aan en negeerde de helft van mijn brein die me aanspoorde ervandoor te gaan.

'Voorlopig wel,' zei ik, want de andere helft wilde echt graag blijven.

Subject kuste me, of ik hem (de details zijn nu wazig). Wat ik me herinner van die kus was het ontbreken van de inwendige mono-loog die vaak gepaard gaat met de eerste kus. Ik word meestal volledig in beslag genomen door wat zijn handen doen, bevreesd dat de kus alles zal bederven. Want soms weet je niet echt wat je voor iemand voelt tot hij je werkelijk kust. Het rare bij Subject was dat ik door zijn kus alles vergat. Mijn verstand sprong op nul. Mijn achterdocht verdween.

Maar die kwam midden in de nacht weer terug. Om drie uur deed ik nog één dappere poging om de mysterieuze kamer te kraken, maar ik werd betrapt en vermaand met 'als je je niet kunt gedragen, kun je misschien beter naar huis gaan', wat ik dan ook deed. Maar vooral omdat ik liever niet had dat mijn ouders wisten dat ik de nacht had doorgebracht bij onze nieuwe buurman, ook al vonden zij hem onschuldig en vriendelijk.

De volgende ochtend belde ik Milo op voor het laatste nieuws over de informatieverwerving van de avond ervoor.

'Ogenblikje,' zei Milo. 'Ik heb hier ergens een briefje liggen.'

'Uit welke staat kwam het rijbewijs?' vroeg ik.

'Rustig aan. Ik heb het opgeschreven.'

'Kun je je dat niet eens meer herinneren?' vroeg ik.

'Praat je zo tegen iemand die iets voor je doet?'

'Ik bedoel alleen maar dat je misschien eens naar de dokter moet.'

'Ik hoef niet naar een stomme dokter. Oké, ik heb het. Het was een rijbewijs uit Washington.'

'Welke naam stond erop?'

'John Brown.'

'En de geboortedatum?'

'7 Maart 1971.'

'Echt?'

'Jawel.'

'Weet je het zeker?'

'Ja.'

'Absoluut?'

'Ik ga nu ophangen,' zei Milo.

'Nee, niet doen. Het spijt me. Heb je nog meer?'

'Nee.'

'Heb je zijn adres niet opgeschreven?'

'Volgens mij was het een beetje verdacht geweest als ik pen en papier had gepakt en alle gegevens van zijn rijbewijs had overgeschreven, nietwaar?'

'Weet je nog welke stad?'

'Ik ben vrij zeker dat het Olympia was.'

'Hoe zeker?'

'Vrij zeker.'

'Is dat negentig procent of zestig procent?'

'Tot ziens, Izzy,' zei Milo, en hij hing op.

Volgens het door de staat Washington uitgegeven rijbewijs was Subject noch een rat noch een slang. Hij was een Vissen-varken, waarmee hij ouder was dan hij eruitzag. Bovendien beweerde Subject in St. Louis te zijn geboren en getogen. Geen enkele keer had hij verteld dat hij in Washington had gewoond. Het leek me dat het achtergrondverhaal over St. Louis uitsluitend werd gebruikt om mij op een dwaalspoor te brengen. Ik doorzocht het geboorteregister van Washington en vond twee John Browns die waren geboren op 7 maart 1971. De een was tegenwoordig accountant in Seattle en de ander was vijf jaar geleden overleden. Wie probeerde ik te belazeren? Ik had niet Subjects rijbewijs nodig, ik moest zijn hele portefeuille hebben. Ik gokte erop dat hij misschien zijn social security card erin had zitten. Met een veelvoorkomende naam en geen verifieerbare geboortedatum, had ik een sofi-nummer nodig. Ik leunde achterover in mijn kantoorstoel en probeerde een ander plan te bedenken.

St. Valentine's Day Massacre

Dinsdag 14 februari

Gedurende de daaropvolgende twee weken verbleef ik bij mijn ouders; af en toe belde ik Bernie op in de hoop dat er een verzoening met Daisy op handen was. Bernie nodigde me herhaaldelijk uit bij hem terug te keren en legde uit dat hij weer een vrije jongen was. Verzoening was uitgesloten.

Ik bleef met Subject tuinieren, en hoopte steeds dat hij een keer minder op zijn qui-vive zou zijn en dat hij ten minste één brokje informatie zou loslaten waarmee ik hem kon identificeren. Hoe ik ook mijn best deed, ik kreeg zijn portefeuille niet in handen. Ik werd met elk bloembed en elke tomatenplant die ik besproeide achterdochtiger.

Op 14 februari kwamen Subject en ik 's ochtends vroeg* terug van een van zijn volkstuintjes toen zijn mobiel ging. Hij nam op nadat hij één keer was overgegaan.

'Hallo? O, hoi. Ja, ik heb het gehoord. Weet je het zeker? Oké. Ik kan nu niet praten; ik zit in de auto. We zien elkaar donderdag om tien uur in de Ashby Community Garden in Berkeley. Tot dan.'

'Wie was dat?' vroeg ik aan Subject, en ik hoopte dat de vraag achtelozer klonk dan hij bedoeld was.

'Ik heb een afspraak met een mogelijke klant,' antwoordde Subject, waarna hij op een ander onderwerp overstapte. 'Ik wou even langs Mrs. Chandler rijden om te kijken hoe haar gazon erbij ligt.'

Vijf minuten later stonden Subject en ik op de plaats delict. Als dit echte engeltjes en echte messen waren geweest, dan was Mrs.

---

* In de hoop op meer informatie speelde ik de vroege vogel. Dit kostte me bijna mijn leven.

Chandler de hoofdverdachte geweest, aangezien zij met 'bebloede' handen over de lichamen gebogen stond, al zag ik meteen dat zij gewoon de rommel aan het opruimen was. Toen Subject en ik dichterbij kwamen, staarde Chandler me met een oprecht verbijsterde blik aan. Zij wíst dat ik het toentertijd was geweest en ze had besloten mij niet te straffen. Het feit dat deze misdaad een getrouwe kopie was van het origineel leek mij opnieuw tot schuldige te bestempelen, maar ik weet zeker dat zij geen logische verklaring kon vinden waarom een dertigjarige vrouw de misdrijven uit haar jeugd zou herhalen. Deze keer was het vooral medeleven dat ik voelde. Ik was indirect verantwoordelijk; ik wist alleen niet hoe. Ik vond haar tableaus smakeloze monstruositeiten; dat vind ik nog. Maar het waren haar monstruositeiten, en zij was er trots op. Subject en ik hielpen haar de rommel opruimen en gingen daarna snel naar huis.

Ashby Community Garden

Donderdag 16 februari
9.00 uur

Ik verliet huize Spellman op donderdagochtend om negen uur en stak de brug over. Ik parkeerde de auto op ongeveer vijf straten van de volkstuintjes, vond een plaatsje onder een eik vanwaar ik uitstekend uitzicht op het terrein had, dronk koffie en wachtte met mijn verrekijker in de hand tot Subject zou verschijnen op de afgesproken plaats.

Kort voor tienen zette Subject zijn pick-uptruck naast het omheinde terrein en ging naar binnen. Vijf minuten later kwam een vrouw van omstreeks dertig jaar, met lange bruine haren, in een spijkerbroek en sweatshirt aarzelend op Subject af. Subject en de vrouw spraken ongeveer vijf minuten met elkaar. Toen overhandigde de vrouw Subject een envelop en Subject overhandigde de vrouw een bruine papieren zak. Ze spraken nog een paar minuten. Afgaande op de lichaamstaal was er niets luchtigs en vriendschappelijks aan het gesprek. Ze gaven elkaar een hand en verlieten het terrein afzonderlijk. Er was geen sprake van enig tuinieren.*

* Nog een detail dat in mijn verslag over Subject belandde.

148

De Chandler-klus

HOOFDSTUK 1

Zaterdag 18 februari

Toen ik een paar dagen later aan mijn bureau zat na te denken over andere methoden om de ware identiteit van Subject te achterhalen, onderbrak mijn moeder me met een nieuwe opdracht.

'We hebben een nieuwe klus waar ik jou op ga zetten. Vooral observatie. Dan kom je nog eens buiten.'

'Wat voor klus?' vroeg ik.

'Mrs. Chandler. Haar tuin wordt weer gemolesteerd. Ze zegt dat ze er genoeg van heeft om het maar te laten gebeuren. Ze heeft er geld voor over om er een eind aan te maken.'

'Mrs. Chandler?' herhaalde ik.

'Inderdaad,' antwoordde mijn moeder. 'Ik vond het wel een mooi soort rechtvaardigheid dat haar eerste vandaal onderzoek ging doen naar de nieuwe generatie.'

'Ik heb geen idee waar je het over hebt,' antwoordde ik, overeenkomstig mijn gebruikelijke scenario.

'Uiteraard niet,' zei mijn moeder nonchalant.

'Ik doe die opdracht liever niet, mam.'

'Pech gehad,' antwoordde mama. 'Ze vroeg speciaal naar jou, Isabel. En ze betaalt heel goed. Ik heb tegen haar gezegd dat je vanochtend om elf uur bij haar bent. Precies. Zorg dat je niet te laat bent. Het is een erg stipte vrouw.'

'Het is liefdewerk,' zei Mrs. Chandler over haar tableaus ter gelegenheid van feestdagen. 'Ik weet wel dat niet iedereen het mooi vindt, maar ik word er blij van en het verlevendigt volgens mij de buurt. Vind je ook niet?'

Ja, een doorn in het oog fleurt de boel vaak op, dacht ik bij mezelf. Toen zei ik: 'Ik bewonder uw toewijding.'

'Elke installatie kost me wel tien tot dertig uur werk. Ik doe het allemaal zelf. Ik hang elk lint op, verf elk eitje en naai alle stoffen voorwerpen in elkaar. Ik doe dit al vijftien jaar, zoals je weet.'

'Ik kan me vaag herinneren dat u ermee begon.'

Mrs. Chandlers rustige gelaatsuitdrukking veranderde een beetje. 'Laten we elkaar geen mietje noemen, Isabel. Ik heb die geintjes van je jaren geleden door de vingers gezien omdat jij duidelijk iets te verwerken had. Jij moest jezelf uiten, net als ik. Maar nu is het iets anders. Een werkstuk na-apen is geen expressie. Wat er nu gebeurt is een lage streek en ik wil dat er een eind aan komt. Weet je, Groundhog Day irriteerde me altijd het ergst. Daar is niets creatiefs aan; het is gewoon een excuus voor vandalisme.'

Hoe gênant de situatie ook was, ik was blij met deze klus. Iemand kopieerde de streken van Petra en mij tot in de puntjes. Dit was een zaak die ik moest oplossen.

'Mrs. Chandler, ik vind al dat ongemak heel vervelend voor u. Ik garandeer u dat ik deze opdracht de hoogste prioriteit zal geven en precies zal achterhalen wie erachter zit.'

Mrs. Chandler liep met me mee naar de deur.

'Ik vergeef het je, Isabel,' zei zij, toen ik me omdraaide om haar een hand te geven.

'Het spijt me. Ik heb geen idee waar u het over heeft,' antwoordde ik.

Mrs. Chandler en ik gaven elkaar een hand en ik reed meteen naar het huis van Petra en David om te overleggen met mijn voormalige medeplichtige.

Verdachtgedragverslag #9

'David Spellman'

Het was zaterdag en Davids auto stond op de oprit, dus ik nam aan dat hij thuis was. Maar toen ik vijf keer had aangebeld werd er nog steeds niet opengedaan. David houdt niet van onaangekondigde bezoekjes*, en daarom dacht ik dat hij me gewoon negeerde in de hoop dat ik weg zou gaan. Maar zo werkt het niet. Ik begon met mijn vuist op de deur te slaan en zijn naam te brullen zoals Marlon Brando 'Stella' schreeuwde in *Streetcar*.

Even later vloog de deur open. David droeg een pyjamabroek, een vuil wit T-shirt (uniek), twee verschillende sokken en een bad-jas.

'Hallo, is David thuis?' vroeg ik.

'Heel grappig.'

David liet de deur open en ging het huis weer in. Ik liep hem ach-terna en hoopte op een of andere verklaring.

'Zware avond gehad?' informeerde ik.

'Unggh' of iets dat zo klonk was zijn enige reactie.

'Iets duidelijker, alsjeblieft.'

'Wat moet je, Isabel?' snauwde David ineens.

'Ik moet Petra ergens over spreken.'

'Ze is weg.'

'Waar is ze heen?'

'Ze is op bezoek bij haar moeder in Arizona.'

'Ze heeft een hekel aan Arizona... en aan haar moeder.'

'Dan heeft ze het vast niet fijn.'

'Waarom is ze bij haar moeder?'

---

*Van mij. Heb nog niet ontdekt of dit voor iedereen geldt.

'Jij houdt verdomme ook nooit eens op met vragen stellen.'

'Vertel me gewoon wat er aan de hand is en ik ben weg.'

David stommelde naar zijn drankkast, pakte een fles whisky en schonk zichzelf in.

'David, het is pas twaalf uur.'

'Wil je er ook een?' vroeg hij aan mij

'Is het een single malt?'

'Uh-huh.'

'Goed.'

Toen ik drie uur en vier glazen later alle gegevens over mijn recente afspraken met Subject had opgesomd, de Henry Stone-sage uit de doeken had gedaan en mama's onverklaarbare neiging tot vandalisme en papa's slinkende taille had vermeld, besefte ik dat het tijd werd om David aan het woord te laten.

'David, is Petra bij je weg?'

David tuurde naar zijn glas. 'Niet helemaal.'

'Kan je iets preciezer zijn?'

'Laat mama het niet horen.'

'Dan moet je me eerst iets vertellen wat zij niet mag horen.'

'Ik smeek je, Isabel, bemoei je er niet mee.'

'Je bent vreemdgegaan, is dat het?'

David weigerde me aan te kijken.

'Ik wil er niet meer over praten.'

'Dat is het, nietwaar?'

'*Nee*. Dit gaat je niks aan. En zeg niks tegen mama. Als je dat doet, vertel ik alles wat ik over jou heb verzameld.'

'Waarom heeft Petra mij niet gebeld? Vroeger belde ze me altijd.'

'Het is niet wat jij denkt, Isabel. Je kunt je er maar beter niet mee bemoeien.'

'Je bent een hufter. Overigens, bij een scheiding krijgt zij voogdij over mij,' zei ik terwijl ik opstond om te vertrekken. Toen ik Davids huis uit ging, hoorde ik hoe hij zichzelf nog een keer inschonk.

Ik had te veel gedronken om te rijden, dus ik nam de bus naar huis. Mama zag me het pad op waggelen en vroeg waar ik was geweest.

Daarop dwong ze me mijn bezoek aan David minstens tien keer na te vertellen. Haar derdegraads verhoor leverde geen andere relevante informatie op dan zijn baard van drie dagen, zijn vieze T-shirt en Petra's geheimzinnige vakantie.* Toen ik voor de zesde keer vertelde dat David me een single malt had ingeschonken, blafte mijn moeder: 'Ja, Izzy, dat weet ik nou wel.' Pas toen ik om een pakje sigaretten en een advocaat begon te vragen, maakte mijn moeder een eind aan de ondervraging.

'Aan jou hebben we niks,' zei ze, en ik ging naar mijn oude kamer om de middagborrel weg te dutten.

17.00 uur

Toen ik wakker werd belde ik Petra op haar mobiel en liet een boodschap achter.

'Ik weet het,' zei ik. 'Hij heeft het me verteld. Ik vind het vreselijk. Bel me terug, alsjeblieft.'

* In Spellman-taal: verdwijning.

153

Stone en Spellman... herenigd

Dinsdag 21 februari
16.10 uur

Ik hoorde mijn moeder tegen een onherkenbare stem in de woonkamer praten, dus ik liep de trap af om te kijken wat er aan de hand was.

Mrs. Schroeder van de kinderbescherming zat beleefd thee te drinken terwijl mijn moeder haar een paar nummers van de Stone en Spellman-greatest hits liet horen. Raes voortdurend aanhalen van haar bijna-moord op Henry Stone bleek nóg een docent te hebben aangespoord om een anonieme melding te doen bij de kinderbescherming. Toen Mrs. Schroeder arriveerde, vroeg mijn moeder telefonisch aan Henry om te komen. Daarna ging zij naar de keuken, belde mijn mobieltje (ook al was ik beneden) en zei tegen mij dat ik mijn ring moest omdoen en bij hen in de woonkamer moest komen. Ik droeg die ring intussen niet meer regelmatig, maar ik liep weer naar boven en vond hem in mams juwelenkistje op haar slaapkamer. Toen ik weer beneden kwam, ging mam door haar bandenverzameling om ze aan haar ondervraagster te laten horen.

'Dit is een van mijn lievelingsopnames,' zei ze.

De Stone en Spellman-show

Decor: Henry Stones appartement. Rae was erheen gefietst en had een lekke band. Mama is net gearriveerd om haar op te halen en ze blijft een kopje koffie drinken.

Het afschrift luidt als volgt:

HENRY: Pak je boek, Rae.

RAE: Ik heb geen zin.

HENRY: Wat hadden we afgesproken? Ik heb flensjes voor je gebakken; nu doen we examenstof.

RAE: Hij heeft flensjes van boekweitmeel gemaakt. Mam, heb je wel eens flensjes van boekweitmeel gegeten?

OLIVIA: Niet dat ik me kan herinneren.

RAE: Nou, het is niet hetzelfde.

HENRY: Haal je boek.

[Rae gaat naar de andere kamer om haar examenoefenboek te pakken.]

OLIVIA: Waarom ligt het oefenboek hier?

HENRY: Dit is een extra exemplaar. Dat zag ik bij een antiquariaat en ik dacht dat ik dat wel kon gebruiken voor dit soort onaangekondigde bezoekjes.

OLIVIA: Jij bent te goed voor ons, Henry.

HENRY: Trouwens, hoe weet Rae mijn adres?

OLIVIA: Dat weet ik niet. Telkens als ik ernaar vraag, is ze erg onmededeelzaam.

[Rae geeft Henry het examenoefenboek en doet een van de keukenkastjes open.]

RAE: Waar is mijn snoep gebleven?

HENRY: Dat heb ik weggedaan.

RAE: Waarom?

HENRY: Ik vind dat je je een tijdje moet *onthouden* van junkfood.

RAE: Maar het is weekend.*

HENRY: 'Absolutie.' Eerst de definitie, daarna een voorbeeld in een zin.

RAE: Absolutie. Vergiffenis. Ik... eh... schenk je vergiffenis voor het feit dat je mijn snoep hebt weggedaan.

HENRY: Goed. 'Hinderen.'

RAE: Overlast.

HENRY: Ik wil het werkwoord horen.

RAE: Ik weet het niet.

HENRY: Storen of belemmeren. Pas toe in een zin.

RAE: Jij belemmert mijn plezier.

HENRY: Jij stoort mijn weekend.

RAE: Wat was je eigenlijk van plan te gaan doen?

HENRY: Werken.

RAE: Jij bent zo abstinent.

OLIVIA: Mooi woord. Niet dat ik je abstinent vind, Henry.

RAE: Ik ook niet. Isabel noemde je zo.

HENRY: Ik had niet gedacht dat Isabel zulke deftige woorden kende.

RAE: Die kent ze ook niet. Ze heeft ze uit dat boek van toen ze me overhoorde.

HENRY: Dus je hebt geleerd?

RAE: Dat zei ik toch.

HENRY: Olivia, je neemt dit toch niet op, hè?

OLIVIA: Jawel.

HENRY: Zet af, alsjeblieft.

[Einde van de band.]

De deurbel ging op het moment dat de band was afgelopen. Ik holde de hal in en deed open. Het was Subject met een paar laarzen in zijn hand.

'Je hebt deze bij mij thuis laten liggen,' zei hij.

---

* Rae mag volgens de regel van mijn ouders alleen in het weekend junkfood eten.

'Ik wist dat ik iets vergeten was.'

Mijn moeder en waarschijnlijk Mrs. Schroeder konden ons gesprek verstaan. Mam wierp me een strenge blik toe die zei 'Verraad onze dekmantel niet'.* Ik nam mijn laarzen en Subject mee naar de achtertuin.

'Mama voert daar een heel belangrijk gesprek.'

'Ik wilde niet storen,' zei Subject.

'Geeft niks.'

'Vanavond samen eten?'

'Bij jou?' vroeg ik.

'Neu, als je het niet erg vindt hou ik je liever weg bij die deur.'

Vanuit mijn ooghoek kon ik Henry Stone aan de overkant zien parkeren. Zijn onmogelijk in te schatten gezichtsuitdrukking was kil als gebruikelijk.

'Prima. Waar?' zei ik, waarbij ik probeerde niet te afgeleid over te komen.

'Delfino's.'

'Hoe laat?'

'Ik haal je om zeven uur op.'

'Tot dan.'

Ik wachtte op de stoep op Stone om hem snel op de hoogte te stellen. 'De maatschappelijk werkster is er al een uur. Ze wil je waarschijnlijk eventjes begroeten om dan de zaak voorgoed te sluiten.'

'Wie was die vriend van je?' vroeg Stone, naar Subject knikkend, die het buurhuis binnenging.

'Ik weet het niet,' zei ik. 'Dat is het probleem.'

Mijn moeder probeerde de maatschappelijk werkster met allerlei koekjes stroop om de mond te smeren, maar Mrs. Schroeder liet zich niet omkopen. Het bezoek was niet zozeer een gevolg van bezorgdheid over de aard van de relatie tussen Henry en Rae, maar van belangstelling voor de verwijzing van mijn zusje naar de bijna-moord. Mama stelde voor dat Mrs. Schroeder rechtstreeks met

---

* Onder deze blik lagen de woorden 'Als je dit verknalt maak ik je leven tot een hel'.

Henry over deze kwestie zou praten en hield Rae buiten de kamer, waarbij ze uitlegde dat mijn zusjes neiging tot overdrijving de feiten in de weg zou kunnen staan. Henry zette op rustige en duidelijke wijze de gebeurtenissen van die noodlottige dag uiteen en legde verder uit dat Raes daden niet onbestraft bleven. Zij zou geen rijles meer van hem krijgen.

Mrs. Schroeder leek wel te willen aannemen dat er niets onbetamelijks was aan de verhouding tussen Henry en Rae, maar ze leek buitengewoon sceptisch te staan tegenover de 'verloving' van Henry en mij. Misschien was het de halve meter afstand tussen ons, het volledige gebrek aan oogcontact, en dan nog dat gênante moment dat ik Henry een koekje aanbood en hij zei: 'Dat spul eet ik niet.'

En mijn antwoord was: 'O, juist.'

Mijn moeders teleurstelling over ons waardeloze optreden kwam na het vertrek van de maatschappelijk werkster hoofdzakelijk tot uitdrukking in vijandigheid jegens mij.

'Nou, dat is wel een Oscar waard,' zei mama sarcastisch. 'Wat is er in hemelsnaam gaande tussen jou en de buurman?'

'Niks,' zei ik.

'Mannen komen je schoenen niet terugbrengen als er niks aan de hand is.'

'Wij hebben getuinierd,' zei ik.

'Hopelijk is dat geen eufemisme,' antwoordde mama.

'Jakkes, mam.'

'Je bent zogenaamd verloofd met Henry,' zei mama. 'Maar die maatschappelijk werkster ziet een willekeurige man je schoenen terugbrengen. Ze ziet je nu ongetwijfeld voor een slet aan.'

'Waarom zou ze hem niet aanzien voor een schoenlapper?' antwoordde ik.

Rae rende de trap af (ongetwijfeld zodra ze Mrs. Schroeders auto had zien wegrijden van de oprit) en hield onder aan de trap ineens in, alsof ze nonchalant wilde overkomen.

Ze ging tegenover Henry zitten en glimlachte beleefd.

'Dag, Henry.'

'Dag, Rae.' Henry glimlachte terug. Het was een oprechte en warme glimlach. Een glimlach die er vreemd uitzag bij de man zoals ik die kende. Het kwam mij voor dat de kilte die ik bij hem gewaarwerd geen vijandigheid jegens de Spellmans in het algemeen was, maar alleen jegens Isabel. Althans zo kwam het over.

'Heb je voldoende ruimte gehad?' vroeg Rae.

'Waar heb je het over?'

'Isabel zei tegen me dat ik je met rust moest laten, omdat je ruimte nodig had en dat als ik je geen ruimte gaf, je me zou gaan haten.'

Henry wierp me de vuilste blik toe die ik ooit had gezien.

'Ik zal je nooit haten, Rae. Ik had gewoon even de tijd nodig om mijn hoofd vrij te maken. Dat is alles.'

Mijn moeder keek alsof ze verliefd werd.

'Dus ik heb je zesenveertig dagen ruimte gegeven terwijl dat niet hoefde?' zei Rae, waarna ze mij met een minachting aankeek die ik maar een paar keer in mijn leven had meegemaakt.

'Je neemt dit toch niet op, Olivia?' vroeg Henry.

'O, vergeten. Verdomme.'

'Nee,' zei Henry. 'Ik wil niet worden opgenomen. Vind je het erg als Rae en ik een wandelingetje gaan maken? Ik wil het even met haar over ruimte en zo hebben,' zei hij, waarna hij mij strak aankeek.

Henry en Rae gingen naar buiten. Mijn moeder bestudeerde de inspecteur door het raam van de woonkamer.

'Er is iets mis met hem,' zei mijn moeder.

'Wat?'

'Ik weet het niet. Hij ziet er neerslachtig uit.'

'Hij ziet er net als altijd uit.'

'Nee. Er is iets veranderd,' hield mijn moeder vol.

Wat Rae en Henry ook tijdens hun wandeling bespraken, het bezorgde mijn zusje een verende tred.

Toen ze terugkwam, liet ze weten: 'Ik ga Henry niet meer ruimte geven. Maar als hij me vraagt om naar huis te gaan, zal ik acht slaan op zijn verzoek.' Het laatste klonk alsof het uit een script afkomstig was.

'Mam, ik ga huiswerk doen bij Ashley, goed?' vroeg ze vervolgens.

'Leg haar telefoonnummer op de aanrecht en veel plezier. Bel maar als ik je moet ophalen.'

Rae pakte haar spullen en holde het huis uit.

'Ik kan er maar niet aan wennen dat Rae vriendinnetjes heeft,' zei ik.

'En geen van hen is een crimineel,' zei mama, sarcastisch verwijzend naar de achtergrond van de meeste kennissen uit mijn puberteit.

Papa kwam vlak na Raes vertrek thuis, met nat haar van recent douchebezoek en een rood gezicht van recente fysieke activiteit.

'Dag, lieverd,' zei mama achteloos tegen papa, terwijl deze richting de trap liep.

'Ben je op de sportschool geweest?' vroeg ik.

'Eh... ja,' zei papa ontwijkend, en hij rende snel naar boven.

Toen papa buiten gehoorsafstand was, zei mama: 'Je vader heeft zonder twijfel een MILWA, al lijkt hij het niet van de daken te schreeuwen. Er klopt iets niet. Als hij vroeger naar de sportschool ging of een keer broccoli at, liet hij een persbericht uitgaan. Hoe het ook zij, dit is een MILWA waar ik achter kan staan.'

'Mam, ze heten tegenwoordig VUTWA's, geen MILWA's,' zei ik.

'Wat is een VUTWA?'

'Vervroegde-uittreding-waanzin. Pap werd te oud voor een MILWA.'

'Wanneer is dat gebeurd?'

'We hebben het een jaar of vier geleden veranderd. Heb je de memo niet gekregen?'[*]

Toen ik terugliep naar de zolder, ging mijn mobieltje. Ik nam op.

'Hallo?'

'Izzy, met je kamergenoot.'

'Wie?'

'Bernie.'

'Wij zijn geen kamergenoten.'

'Natuurlijk wel.'

'Waarom bel je me, Bernie?'

'Ik moet je een boodschap doorgeven. Petra heeft je teruggebeld.'

[*] Er was echt een memo (zie aanhangsel).

'Wat zei ze?'

'Niks. Ze zei alleen maar dat ik je moest doorgeven dat ze je had teruggebeld.'

'Zeg haar als ze nog een keer belt dat ik daar niet woon en geef haar mijn 06-nummer.'

'Zeg dat nummer nog eens,' zei Bernie.

'Dat heb je net gebeld,' zei ik, en ik verbrak de verbinding.

Ik belde Petra nog een keer en sprak een boodschap in om haar eraan te herinneren dat ik was vertrokken uit Bernies appartement. Ik vroeg haar nog een keer me terug te bellen.

Mijn bijna-nepoverval

16.30 uur

Ik besloot ter voorbereiding op mijn afspraakje van die avond bij mijn acteur-vrienden Len en Christopher langs te gaan. Ik ging tussen de repetities op de Academy of Arts koffie met ze drinken. Beide mannen waren toegelaten tot het afstudeerprogramma. Len en Christopher zijn knappe donkere mannen van in de dertig met een goed gevoel voor mode. Lens elegante stijl neigt naar urban chic, in scherp contrast met Christophers hang naar Oud-Engeland. Christopher droeg sinds korte tijd een halsdoek op zijn gesteven witte hemd en op maat gemaakte broek. Hij slaagt erin weg te komen met zijn pretentieuze kleding doordat hij ook het bijbehorende accent heeft. Hij ís ook echt Brits.

Ik heb een dubieuze geschiedenis met Len: op de middelbare school was ik in de gelegenheid zijn reputatie te ruïneren en dat deed ik niet. Len denkt sindsdien dat hij bij mij in het krijt staat. Ongeveer twee jaar geleden inde ik die schuld en schakelde ik Len en zijn minnaar, Christopher, in om een nep drugsdeal op te voeren als antwoord op de afluisteracties van mijn ouders in mijn kamer. Ze hadden zich altijd ongemakkelijk gevoeld bij hun deelname aan deze krijgslist, maar acteurs kunnen maar zelden een klus afslaan. Daarom is er ook altijd wel íemand bereid om een reclamespotje voor een aambeienzalf te doen.

Ik trakteerde Len en Christopher op een magere cappuccino, waardoor Len meteen op zijn hoede was. Ik stelde vast dat er een babbeltje nodig was om mijn acteurs in hun volgende rollen te slijmen, en daarom praatte ik over het onderwerp waar acteurs het liefst over praten: henzelf.

'Len speelt komend najaar Othello,' zei Christopher.

'Gefeliciteerd,' antwoordde ik. 'Dat is geweldig.'

'En Christopher heeft de rol van Walter Lee in *A Raisin in the Sun* gekregen,' zei Len.

'De accenten zijn vreselijk moeilijk,' klaagde Len.

'Dodelijk,' echode Christopher.

Ik opperde bijna dat ze van rol zouden wisselen, want Len was immers een Amerikaan en Christopher een Brit, maar je moet oppassen wat je zegt tegen acteurs, dus ik hield mijn kaken op elkaar.

Ik vroeg me af hoe mijn vrienden zouden aankijken tegen een meer avant-gardistische productie.

'Ik heb een klus voor jullie, als je wilt.'

'Wat?' riepen beiden achterdochtig uit.

'Straatrovers. Ik wil dat jullie mijn date zogenaamd beroven. Pik alleen zijn portefeuille en ga ervandoor. Gebruik eventueel een ongeladen pistool. Of een mes. Misschien kun je iets van de rekwisietenafdeling lenen. Die zijn vast hartstikke veilig.'

'Doet je date mee aan deze voorstelling?'

'Nee. Wat zou dat voor zin hebben?'

'Stel dat hij besluit te gaan knokken in plaats van zijn portefeuille af te staan?'

'Dat doet hij niet. Althans volgens mij niet. Doen jullie mee?'

'Zeker niet,' zei Christopher.

'Waarom niet?' vroeg ik, al wist ik het antwoord al.

'Omdat het het alleridiootste idee is dat je ooit hebt gehad, Isabel.'

'Waarschijnlijk niet het álleridiootste,' antwoordde ik, waarna ik een ander plan probeerde te bedenken. 'Ik weet iets beters,' zei ik.

'Ik brand van nieuwsgierigheid,' zei Christopher.

'Oké. Dit is een goeie. Ik ga met mijn date naar een drukke bar en jullie twee doen samen jullie zakkenrolleract. Christopher, jij morst je drankje en terwijl je hem droogdept, pikt Len zijn portefeuille. Dat heb je al eens eerder gedaan, Len. Doe maar niet alsof dat niet zo is.'

'Het lijkt mij,' zei Christopher, 'dat jij die portefeuille zelf zou moeten kunnen pakken aangezien je met hem gaat.'

'Nee, hij heeft me door,' zei ik. 'Ik heb het geprobeerd. Het gaat gewoon niet.'

'Ik moet weigeren,' zei Len.

'Ik ook,' antwoordde Christopher. 'Het is gewoon te gevaarlijk.'

Zonder Lens en Christophers hulp bij een verdekt onderzoek moest ik mijn toevlucht nemen tot een rechtstreekse ondervraging.

Subject verliest zijn geduld...

Ik was niet van plan de relatie met Subject die avond te verbreken. Maar er waren weken verstreken zonder enig fatsoenlijk antwoord op mijn vragen en mijn geduld raakte op. Ik besloot dat het tijd werd om de waarheid boven tafel te krijgen, ongeacht wat eruit zou komen.

Helaas besloot Subject mijn ondervraging naar mij om te buigen. Ik nam het gesprek op voor het geval de wijn mijn geheugen zou vertroebelen.

Het afschrift luidt als volgt:

ISABEL: En, hoe lang heb je in St. Louis gewoond?

SUBJECT: Veertien jaar. Heb jij altijd in San Francisco gewoond?

ISABEL: Ja. Waren dat je eerste veertien jaar?

SUBJECT: Ja. Vertel eens iets over je ouders.

ISABEL: Modaal. Volstrekt gewone ouders. Te saai om over te praten.

SUBJECT: Je moeder houdt er rare werktijden op na.

ISABEL: Ze lijdt aan slapeloosheid. Soms ontspant ze als ze wat gaat rijden.

SUBJECT: Daarom draagt ze dus altijd haar pyjama als ze midden in de nacht wegrijdt. Ik vond het al zo gek.

ISABEL: Raadsel opgelost. En waar ging je na St. Louis heen?

SUBJECT: Iowa.

ISABEL: Waarom?

SUBJECT: Omdat mijn vader daar een baan als docent kreeg.

ISABEL: Is hij professor?

SUBJECT: Wás. Hij is vier jaar geleden overleden.

ISABEL: Wat akelig. Wat doceerde hij?

SUBJECT: Wiskunde. Toen ik op een nacht niet kon slapen zag ik je moeder vertrekken voor een van haar middernachtelijke ritjes en even later zag ik jou ook weggaan. Was dat toeval of achtervolgde je haar?

ISABEL: Lijd je vaak aan slapeloosheid?

SUBJECT: Ja, heel vaak.

ISABEL: Hoe komt dat?

SUBJECT: Ik heb veel aan mijn hoofd.

ISABEL: Wat precies?

SUBJECT: Waarom achtervolgde je je moeder?

ISABEL: Ik wilde weten wat ze aan het doen was.

SUBJECT: Waarom heb je dat niet gewoon aan haar gevraagd?

ISABEL: Omdat ze me dan iets op de mouw had gespeld.

SUBJECT: Jouw ouders lijken me ineens een stuk minder saai.

ISABEL: Ik vind ze oninteressant. Hoe lang heb je in Iowa gewoond?

SUBJECT: Drie of vier jaar.

ISABEL: Wat is het nou, drie of vier?

SUBJECT: Dat kan ik me niet herinneren.

ISABEL: Hou je je schuil voor iemand?

SUBJECT: Hoe kom je daar nou bij?

ISABEL: Ik geloof niet dat je echt John Brown heet.

SUBJECT: Ben je altijd zo achterdochtig?

ISABEL: Ja. Dat moet je niet persoonlijk opvatten.

SUBJECT: Is het denkbaar dat je dit onderwerp laat rusten?

ISABEL: Onwaarschijnlijk.

SUBJECT: Waarom?

ISABEL: Omdat ik maar heel weinig goede redenen kan bedenken waarom iemand een schuilnaam hanteert.

SUBJECT: Ik heet John Brown.

ISABEL: Stel dat je in een getuigenbeschermingsprogramma zit. Dat kan natuurlijk, maar ik dacht altijd dat de FBI heel goed een geloofwaardige voorgeschiedenis voor door hen beschermde mensen kon verzinnen. Ik bedoel, als een nederige privédetective al kan bewijzen dat iemand niet geloofwaardig is, wat voor kans heeft zo iemand dan?

SUBJECT: Mijn geduld is bijna op.

ISABEL: Het mijne ook. Wie ben je?

SUBJECT: Ik heb je al verteld hoe ik heet.

ISABEL: Wat dacht je van je echte naam?

SUBJECT: John Brown is mijn echte naam.

ISABEL: Wie was die vrouw met wie je laatst had afgesproken bij de volkstuintjes?

SUBJECT: Hoe wist je dat ik had afgesproken met een vrouw?
[Stilte]

SUBJECT: Afrekenen, alstublieft!
[Einde afspraakje.]

Mijn date en ik reden haast zonder een woord te zeggen terug naar onze respectieve woningen. Hij reed zijn auto zijn oprit op en ontgrendelde de deur.

'Dag,' zei Subject, en dat was het meest definitieve afscheid dat ik ooit had gehoord.

'Ik hou je in de gaten,' was alles wat ik terugzei.

Dat was ons laatste beleefde gesprek.

Het 'advocatenkantoor' van Mort Schilling

Maandag 24 april
11.55 uur

Morty ging door met aantekeningen maken in zijn notitieboek.

'Je kijkt bezorgd,' zei ik.

'Je komt straks nog over als een stalker, Isabel. Je begint hem te belagen nadat hij je heeft afgewezen.'

'Ik belaagde hem al lang voor hij me afwees.'

'Waarom was je zo achterdochtig?' vroeg Morty.

'Wil je de hele lijst zien?' vroeg ik.

'Een voor een,' antwoordde Morty.* 'Vertel me maar wat je wist op dit moment in het verhaal.'

'Ik wist dat Subject me een nepgeboortedatum en mogelijk een valse naam opgaf. Hij wisselde pakketjes uit met een vrouw bij een volkstuin. Wie weet wat er in die papieren zakken zat? En dan dat getuinier. Er klopte iets niet.'

'Wanneer had je weer contact met Mr. Brown?'

'Een paar weken later.'

'Waarom toen pas?'

'Ik wist niet zeker hoe ik verder zou gaan. Het is moeilijk om onderzoek naar iemand te doen als je er niet eens achter kunt komen wie hij werkelijk is. Bovendien werd mijn aandacht door andere zaken in beslag genomen.'

---

* Morty probeerde dit zo lang mogelijk te rekken, besefte ik.

Verdachtgedragverslag #10

Toen ik die avond thuiskwam, was mijn moeder 'met een klus be-zig' en zat mijn vader hun volgende verdwijning te plannen op internet.

'Wat ben je aan het doen, pap?'

'Je moeder en ik overwegen een cruise te gaan maken,' zei papa nors, 'want dat doen mensen als ze oud worden.'

'Voel je je wel goed?'

'Prima,' antwoordde papa onmiddellijk, nadat hij had besloten dat ik niet het type was met wie je een serieus gesprek kunt voeren.

'Wil je iets met me bespreken?'

'Nee.'

'Zeker weten?'

'Ja.'

'Want laatst was ik uit vorm.'

'Nietwaar, je was gewoon jezelf.'

'Wat bedoel je daarmee?'

'Niks. Je deed wat je het gemakkelijkste af gaat.'

'Volgens mij was dat een belediging, pap. Maar in de geest van de zelfverbetering, zou ik dat gesprek nog een keertje over willen doen.'

Doodse stilte.

'Alsjeblieft,' zei ik.

'Zet het uit je hoofd.'

'Ik wil het echt graag overdoen.'

Papa schraapte zijn keel, overwegend of hij me een herkansing zou geven, wat hij deed.

'Ik vroeg je of je gelukkig was met wat je deed. Ben je gelukkig?' vroeg hij.

'Waarom vraag je dat?'

'Waarom beantwoord je de vraag niet?'

'Waarom kun je me niet zeggen waarom je dat vraagt?'

Mijn vader had ongetwijfeld spijt van het bovengenoemde besluit, zuchtte en legde zijn voeten op het bureau.

'Je moeder en ik zijn ons testament aan het herzien.'

'Waarom?'

'Omdat we dat al tien jaar niet gedaan hebben, ik boven de zestig ben en we een paar verdwijningen aan het plannen zijn. We moeten zorgen dat onze zaakjes op orde zijn.'

'Ik begrijp het,' antwoordde ik.

'Is dit wat je wilt?' vroeg mijn vader, terwijl hij met zijn arm door het kantoor zwaaide. Hij had een ongelukkige dag gekozen om mijn aandacht op onze benauwde werkplek te vestigen. Het kantoor van de Spellmans bestaat uit één grote kamer met vier bureaus en niet bij elkaar passend kantoormeubilair. Er moest worden gestofzuigd, de archiefkasten moesten worden afgestoft en de papierversnipperaar moest worden geleegd.

'Wat lichtere kleuren zou ik mooier vinden,' antwoordde ik.

'Isabel, geef verdomme* antwoord op de vraag. Ik begin mijn geduld te verliezen.'

'Verklaar je nader, pap.'

'Wil je dat wij de zaak aan jou nalaten? We kunnen David en Rae gedeeltelijk eigenaar maken, maar omdat we hopen dat Rae gaat studeren, moet jij de zaak in je eentje leiden als er iets met je moeder en mij gebeurt.'

'O,' zei ik, terwijl mijn hoofd begon te bonzen. Ik had niet verwacht dat het zo'n ernstig gesprek zou worden. 'Ik weet het niet,' antwoordde ik.

'Is dit wat je van het leven verwacht?'

'Ik weet het niet. Moet ik meteen antwoord geven op die vraag?'

---

* Als oud-politieman vloekte papa te pas en te onpas. Maar als vader ontdekte hij dat hij vloeken alleen als waarschuwing voor zijn kinderen kon gebruiken als hij het slechts met mate deed.

'Nee,' zei papa. 'Maar je moet er wel over nadenken.'

'Ik moet iets drinken,' zei ik, en ik liep regelrecht naar de koel-kast.

Verdachtgedragverslag #11

'Olivia Spellman'

Mama liep de keuken in toen ik net een biertje had geopend.

'Hoe gaat het met de Chandler-klus?' vroeg zij.

'Huh?' antwoordde ik, want ik was met mijn gedachten nog steeds in de andere kamer bij papa.

'Heb je vooruitgang geboekt of hebben we binnenkort dronken kabouters?'

'Ik ben mijn strategie nog aan het voorbereiden.'

Mijn moeder zette zwijgend water op en ging tegenover me zitten.

'Waar was je?' vroeg ik.

'Nergens.'

'Echt? Kun je me uitleggen hoe ik daar kom? Want daar wil ik ook wel eens heen.'

'Sorry, ik was niet duidelijk,' zei mama. 'Het juiste antwoord is "dat gaat je niks aan".'

'Weet je dat wel zeker?'

'Absoluut,' antwoordde mijn moeder, waarbij ze het soort oogcontact maakte dat ze bezigt als ze me probeert te intimideren.

'Dus je was niet de motor van een of andere arme sukkel aan het vernielen?' vroeg ik, en aan de uitdrukking op haar gezicht kon ik zien dat dat precies was wat ze gedaan had.

Mam stond haastig op. 'Je houdt je mond, Isabel, als je verstandig bent.'

De bedreigingen van sommige mensen maken weinig indruk. Mijn moeder behoort niet tot dat soort mensen. Ik moest buitengewoon voorzichtig zijn wilde ik een verklaring voor haar steeds excentriekere gedrag vinden. In de tussentijd had ik een ander soort vandaal om me druk over te maken.

De Chandler-klus

Woensdag 22 februari
9.00 uur

De volgende morgen begon ik aan de zaak door iedereen te ondervragen die getuige was geweest van het oorspronkelijke vandalisme van bijna dertien jaar geleden.

Interview #1 – Spellman, Albert

Het afschrift luidt als volgt:

ISABEL: Papa, herinner je je al die aanpassingen aan de levensgrote tableaus van Mrs. Chandler in het schooljaar 1992-1993 nog?

ALBERT: Aanpassingen. Aparte woordkeus.

ISABEL: Wil je alsjeblieft antwoorden?

ALBERT: Ja, ik herinner me die aanpassingen nog wel.

ISABEL: Kun je je die nog heel precies herinneren?

ALBERT: Ja.

ISABEL: Herinner je je of je er ooit met iemand over hebt gesproken?

ALBERT: Ja.

ISABEL: Met hoeveel mensen ongeveer?

ALBERT: Dat moeten er minstens veertig of vijftig zijn geweest.

ISABEL: Ben je niet goed snik? Kon je nergens anders over praten?

ALBERT: Sorry, Isabel, maar ik kreeg er genoeg van te moeten luisteren naar mijn collega's die jubelden over de tienen van hun dochters, hun overwinningen bij het zwemmen, lintjes bij wetenschapswedstrijden en hun Ivy League-opleidingen. Dit was het enige waarmee ik over jou kon opscheppen en ik vond het heerlijk. Ik vond het niet fijn dat jij een vandaal was, maar die 'aanpassingen', zoals jij ze noemt, waren ronduit briljant. Had je die energie maar aan iets nuttigs besteed.

ISABEL: Ik weet niet waar je het over hebt.

ALBERT: Doe me een lol.

ISABEL: Is er onder die ongeveer vijftig mensen aan wie je dit hebt verteld, eentje die het heel gedetailleerd te horen kreeg? Ik probeer namelijk vast te stellen wie die details kan kennen. En dan bedoel ik álle details. Ik weet niet of je het hebt opgemerkt, maar de taferelen van nu in Mrs. Chandlers tuin zijn exacte kopieën van het seizoen 1992-1993.

ALBERT: Zo'n twintig van hen hadden voldoende informatie om die... aanpassingen te kopiëren als ze dat per se wilden. Maar je vergeet je oom Ray. Hij nam altijd foto's. Volgens mij heeft hij er zelfs een album van gemaakt; dat nam hij mee naar cafés en zo. Was daar een groot succes, vertelde hij me. Je verdachtenvijver is gigantisch, Izzy. Gigantisch. Je kunt deze zaak alleen oplossen met ouderwetse observatie.

ISABEL: Daar was ik al bang voor.

[Einde van de band.]

Opmerkingen over observatie

Omdat het vaak uren en soms zelfs dagen of weken duurt voor je iemand betrapt op een illegale/verdachte/immorele daad, en omdat observatie minstens 50 (tot wel 75) dollar per uur kost per onderzoeker,* kan observatie de bulk van de bedrijfsinkomsten uitmaken. Maar observatiewerk is niet leuk. Vroeger wel, toen ik nog een tiener was die werd beschermd door de wet op de kinder-

---

* De detective haalt minimaal 15 dollar binnen. Mijn gangbare tarief is 25 dollar per uur voor surveillance, 20 dollar voor onderzoek en 15 dollar voor administratief werk (dat ik tot een minimum probeer te beperken).

arbeid. Het was nog leuk toen ik net mijn vergunning had en nooit alleen aan een zaak werkte. Maar nadat ik voor het eerst acht uur in mijn eentje in mijn auto* had gezeten, met de radio aan, was ik genezen van elke voorliefde voor het schaduwen van mensen.

Rae had tot voor kort een ernstige neiging tot observeren voor de lol. We hadden haar niet kunnen genezen van deze ondeugd tot Henry Stone ons duidelijk maakte dat observeren in werkelijkheid doodsaai is en dat we Rae aanmoedigden door haar klusjes te geven die veel boeiender waren dan de gemiddelde observatie. Mijn ouders lieten Rae in een periode van twee maanden veertig uur traditioneel, saai observatiewerk doen, veertig uur in een auto met een volwassene die haar negeert,** zonder snacks, met maar weinig plaspauzes. Door deze eenvoudige gedragsmodificatie werd Raes ongelukkige hobby met 80 procent teruggebracht. We zouden haar nooit helemaal uitroeien, maar nu Rae Henry Stone, schoolvriendinnen en het snotmysterie van Mr. Peabody had, schoot er eigenlijk niet veel tijd meer over.

* Waarbij ik er gedurende de laatste vier uur alleen maar aan kon denken hoe vreselijk nodig ik moest plassen.
** Henry legde uit dat de uren sneller verstreken als we met haar praatten. Het was de bedoeling dat ze het gevoel kreeg dat er geen eind aan kwam.

Het 'advocatenkantoor' van Mort Schilling

Morty was afgeleid – nee gefascineerd – door mijn mysterieuze zaak rond de na-aapvandalen.

'Het moet wel een insider zijn,' zei hij, terwijl hij een piramide vormde met zijn vingers en me van opzij aankeek als een speurder in een detective.

'Insider van wat?' vroeg ik.

'Van jouw familie.'

'Denk je nou echt dat mijn vader en moeder tijd hebben om de voortuin van een oude dame te vernielen?'

'Als je moeder tijd kan vrijmaken om de motor van een willekeurig joch te saboteren, weet ik niet meer zeker waar de grens ligt.'

'Luister, ik ben al mijn familieleden nagegaan. Mrs. Chandler beschikte over zeer specifieke data van de keren dat haar gazon werd getroffen. Mam, pap en Rae hebben voor bijna al die data een direct alibi. Bovendien is het niet hun modus operandi. Het is zelfs mijn modus operandi niet meer. Er is wel een of ander verband tussen de persoon of personen die dit doen en mij, maar ze zijn geen verwanten van me.'

'Als ik jou was, zou ik meer tijd aan die vernielingen besteden dan aan die buurman van je.'

'Dankjewel, maar ik was meer op zoek naar juridisch advies.'

'Laten we terugkomen op het contactverbod,' zei Morty. 'Voor zover ik nu begrepen heb uit je verhaal, had Mr. Brown dat nog niet aangevraagd.'

'Inderdaad,' antwoordde ik.

'Wanneer had je voor het eerst weer contact met Mr. Brown nadat hij het met je had uitgemaakt?'

'Ik geloof niet dat híj het met míj uitmaakte. Het was volgens mij wederzijds.'

'Izzele, geef gewoon antwoord op de vraag.'

'Ongeveer twee weken na ons laatste afspraakje.'

Verdwijning #2

Schip ahoi!

Woensdag 8 maart

Aangezien ik nog een paar plannetjes aan het uitbroeden was om Bernie uit mijn appartement te werken, bleef ik hardnekkig weigeren naar een andere woonruimte uit te kijken. Mijn ouders besloten opnieuw optimaal gebruik te maken van mijn onverwachte thuiskomst en nog een verdwijning te plannen. Papa ontdekte een cruise van twee weken door het Caribisch gebied met een onlinekorting van 60 procent bij een lastminutereservering. Dit schip (Princess Leia – gedoopt door Carrie Fisher persoonlijk) bleek betrokken te zijn geweest bij een recente kaping (het is inderdaad behoorlijk indrukwekkend om een schip te kapen) en de cruisereserveringen waren naar het laagste niveau in tien jaar gekelderd. Papa greep de buitenkans en begon zijn koffers te pakken.

Mama vertelde me later dat zij en papa dezelfde bedenkingen hadden bij het feit dat Rae alleen thuis zou blijven, al waren ze het erover eens dat ze heel goed wist wat ze moest doen in geval van nood. Papa zei dat ik hen had uitgeput; ik had hun vertrouwen voorgoed ondermijnd. Volgens mij was Rae gewoon nog te jong en mijn ouders konden zich geen van beiden voorstellen dat zij oud genoeg was om alleen gelaten te worden.

Mijn moeder plakte de avond voor hun verdwijning dit lijstje met nieuwe regels en instructies op de koelkast.

Wat je tijdens onze verdwijning wel en niét moet doen

Zet de vuilniszakken buiten
Poets je tanden en houd jezelf toonbaar
Zorg dat Rae naar school gaat
Laat vuur niet onbeheerd achter

Bestel niet vaker dan een keer per week een pizza (op straffe van een boete van $200)

Toen ik het lijstje had gelezen, zei ik tegen mijn moeder dat ik geen twaalf meer was, en ook geen Oscar Madison of lichtelijk achterlijk, waarop zij antwoordde met 'dat weet ik liefje, maar je hebt altijd een onderdrukte neiging tot luiheid en destructie in je gehad en ik wilde gewoon zorgen dat Rae er niets van overneemt tijdens wat naar ik hoop weer een prachtige tijd van bonding voor mijn twee dochters wordt'.

'Denk maar niet dat je die pizzaboete ooit kunt innen,' zei ik, terwijl ik mijn moeder aankeek alsof ze gek was.

Mama wierp een ongelovige blik terug en zei: 'Ik houd het gewoon op je salaris in. Da's toch niet zo moeilijk? Veel plezier, en bel Henry als er problemen zijn.'

'Is het niet logischer om David te bellen, aangezien hij onze broer is en, nou ja, een advocaat.'

'Bel gerust David, als je dat zo nodig wilt. Maar persoonlijk denk ik dat Henry betrouwbaarder is,' antwoordde mama koeltjes, kennelijk nog steeds kwaad op mijn broer.

Mama, papa, Rae en ik namen afscheid. Ik zag hoe hun taxi in de verte verdween. Rae ging naar school, waarna ik Davids kantoor belde. Zijn secretaresse zei dat hij al drie dagen ziek was. Ik belde naar zijn huis. Hij nam niet op, zoals ik al verwachtte, en daarom besloot ik naar hem toe te rijden om meer bewijs te verzamelen.

Verdachtgedragverslag #12

'David Spellman'

Davids auto stond op de oprit, maar hij deed niet open. Uit de stapels papier voor de ingang kon ik afleiden dat hij de voordeur de afgelopen vier dagen waarschijnlijk niet één keer had opengedaan. Het was een woensdag.

David woont in een gerenoveerd victoriaans huis dat enigszins lijkt op huize Spellman, maar dan chiquer. Via de trap aan de achterkant kon ik bij het raam van de bijkeuken komen. Ik haalde een schroevendraaier uit mijn auto. Die heb ik bij me voor noodgevallen en als ik een achterlicht moet stukslaan. Ik wrikte stilletjes het raam open en hees mezelf onelegant door de nauwe opening. Ik lag even boven op de droger en kroop toen met mijn hoofd naar beneden richting vloer. Ik kwam met een bons op mijn zij terecht en stond voorzichtig op.

Ik ging op het geluid van de televisie af en trof mijn broer aan in de 'amusementskamer', uitgerust met een 56-inchplasma-tv, een leren bank, bar en hypermoderne stereo-installatie. Het was donker, de gordijnen waren dicht en David lag in zijn pyjama op de bank. Ik ging naast mijn broer zitten, die nauwelijks zijn hoofd bewoog ten teken van herkenning.

'Breek niet nog eens bij me in,' zei David, die nog steeds naar de wanstaltige televisie keek.

'Wauw,' zei ik. 'Je moet het echt heel erg hebben verkloot om je zo te wentelen in je ongeluk.'

'Je hebt geen idee, Isabel.'

'Vertel me dan gewoon wat je hebt gedaan, dan kan ik je misschien helpen het op te lossen. Je kunt haar misschien nog terugkrijgen.'

'Ga weg.'

'Ik probeer Petra nu al drie weken te bereiken. Ik krijg haar niet eens aan de lijn. Zij is mijn beste vriendin, David. Ik wil haar terug, zelfs als jij dat niet wilt. Vertel me wat er is gebeurd.'

'Ik wil er niet meer over praten.'

'Hebben we het er ooit over gehad?'

'Neem iets te drinken en ga weg. En kom niet meer terug voor ik erom vraag. Begrepen?'

'David, ik heb net bij je ingebroken. Ik respecteer overduidelijk geen grenzen. Denk je nou echt dat een mondeling verzoek een deuk in een van mijn plannen kan slaan?'

David greep me bij mijn arm en trok me uit de stoel. Hij is groter dan ik, dus als hij een bullebak wil zijn, kan ie dat.* Nadat hij me naar zijn voordeur had begeleid en me buiten had gezet, keek hij me zo fel aan als zijn dronken ogen konden opbrengen.

'Ik maak geen grapje, Isabel... dus...'

David voltooide de gedachte niet. Hij gooide domweg de deur voor mijn neus dicht.

Ik liep terug naar mijn auto en pijnigde mijn hersens op zoek naar aanwijzingen voor problemen in de relatie van David en Petra. Ik vond niets. Twee jaar lang gaat alles prima, dan neemt Petra een tatoeage en verlaat ze de stad, David wast zich niet meer en komt zijn huis niet meer uit, en niemand is bereid me te vertellen wat er aan de hand is.

---

* Dat wil zeggen tenzij ik besluit vals te spelen. Blijf kijken – vechtpartij tussen broer en zus op til.

Alleen thuis

Toen ik die middag terugkwam in huize Spellman zat Rae te bellen. Mijn zusje hield me nauwlettend in de gaten terwijl ze zat te luisteren naar wie het ook was aan de andere kant van de lijn. Haar antwoorden werden ineens vaag en ongemakkelijk.

'Ja, het gaat best... Dat weet ik niet zeker... Ik laat je nog wel weten wanneer ik kom... Uh-huh... Ik verstond je wel... Ja... Dat hebben we nodig. Ik koop het wel. Ja... Isabel is terug, dus, je weet wel.'

'Wie was dat?' vroeg ik toen Rae had opgehangen.

'Een kennis.'

'Dezelfde of een andere?'

'Andere.'

'Hoe heet ze?'

'Jason.'

'Grappige naam voor een meisje.'

'Geen meisje.'

'Dat had ik inmiddels door.'

'Nog meer vragen?'

'Is hij je vriendje?'

'Jij bent zo prehistorisch,' zei Rae, terwijl ze van de aanrecht sprong. 'Er staat een bericht voor je op de kantoortelefoon,' vervolgde ze, waarna ze naar haar kamer ging.

Nadat ik de veiligheidscode had ingetoetst vond ik het bewaarde bericht.

'Dag, Izzy, met Petra. Ik ben bij mijn moeder op bezoek in Arizona. Ik kom over een paar weken terug. Dan praten we verder.'

Ik belde haar mobiel zodra ik haar boodschap had gehoord en die gaf meteen haar voicemail.

'Dag, Petra, met Izzy. Het kost me wat moeite om je gedrag van de laatste tijd te begrijpen. Ik heb een mobieltje. Het nummer staat in jouw mobieltje geprogrammeerd. Dat weet ik, want ik heb het er zelf in gezet. Als je je mobiel nou in een rivier had gegooid, zou ik begrijpen dat je ons kantoornummer hebt gebeld, maar aangezien wij nummerweergave hebben en ik kan zien vanaf welk nummer je mij hebt gebeld, heb je geen excuus. Bel me terug op mijn mobiel. Ik wil weten wat er aan de hand is. Alsjeblieft.'

Belletje trekken

Ik was van plan de hele nacht op de uitkijk te gaan zitten voor huize Chandler. De weduwe had haar versieringen vroeg aangebracht, in de hoop de vandalen in de kraag te grijpen voor het feest begon. Dat was mijn voorstel, want ik hoopte dat ik de schuldigen zo snel mogelijk te pakken zou krijgen zodat ik voorgoed van deze klus verlost was. Misschien dat de herinnering aan mijn jeugdzonde me aanzette tot de herhaling van een andere jeugdzonde. Maar om 23.59 uur zette ik mijn auto een straat verwijderd van mijn oude appartement, belde aan en glipte de hal in van het aangrenzende gebouw terwijl ik wachtte tot Bernie op de zoemer zou drukken. Tien minuten later belde ik nog een keer bij mij aan en glipte ik nog een keer de hal van het gebouw ernaast in. Tien minuten daarna belde ik weer aan, liep terug naar mijn auto en parkeerde voor Mrs. Chandlers huis.

Donderdag 9 maart
1.00 uur

Toen ik aankwam waren de kabouters nuchter en stonden ze rechtop. De gouden potten en regenbogen van crêpepapier waren nog niet bezoedeld door een zee van Guinnessblikjes en groentesoepkots. De na-aapvandalen zouden volgens mijn berekeningen ergens tussen vandaag en St. Patrick's Day toeslaan, uitsluitend gebaseerd op anekdotische aanwijzingen.*

Behalve als ze snel zouden toeslaan, had ik een lange nacht voor de boeg en dan misschien nog een lange nacht en dan nog een. Maar toen wijzigde ik mijn plannen.

Ik nam het besluit à la minute, de keuze tussen het mysterie dat mij was opgegeven en het mysterie dat ik zelf het liefst wilde oplossen. Het was gewoon een gelukkig (of ongelukkig, afhankelijk van wie ernaar kijkt) toeval dat ik donderdagochtend vroeg Subjects VW Jetta vanuit mijn observatie-auto voorbij zag rijden. Ik herkende het nummerbord niet direct, maar er zit een opvallende deuk in het chauffeursportier, met een stuk waar de lak vanaf is.

Ik startte de motor en volgde hem. Ik kon alleen maar hopen dat de kabouters zich tijdens mijn afwezigheid zouden onthouden van drank.

Subjects auto schoot links de Van Ness Avenue op en reed verder langs Market Street. De moeilijkheid van nachtelijke achtervolgingen is dat het in de verlaten straten nogal opvalt als iemand je vlak op de hielen zit, vooral als je geneigd bent vaak in je spiegel te kijken. Ik vermoed dat een man die een van zijn kamers voortdurend op slot doet en een valse identiteit aanneemt, waarschijnlijk zo iemand is. De enige meevaller die ik had was dat zijn achterlichten niet even fel waren. Dat is vaak zo als ze niet tegelijk worden vervangen.

Ik hield zo veel mogelijk afstand en probeerde continu ten minste een auto tussen ons in te houden. Subject reed nog tien à vijftien minuten door Mission Street naar het zuiden, voorbij Cesar Chavez en de snelweg, en ging toen het Excelsior-district in. Hij sloeg links af een straat in waarvan ik de naam niet kon lezen. Hij was omzoomd met gepleisterde eengezinswoningen in wisselende staat van onderhoud. Mijn prooi kwam gevaarlijk dichtbij en ik kon me niet veroorloven ontdekt te worden, dus ik deed mijn koplampen uit** en reed verder in Subjects kielzog, zigzaggend over de zijwegen.

Subject stopte voor een vervallen huis met een verzameling af-

---

* Waarvan 90 procent was gebaseerd op mijn eigen gedrag.
** Probeer dit zelf niet te doen.

gedankte tweedehandsspullen in de voortuin. Het schilderwerk moest te oordelen naar wat er nog van over was minstens twintig jaar oud zijn. Binnen brandde geen enkel licht. Maar dat doet er allemaal niet toe. Ik keek naar het verkeerde huis. Drie huizen verder kwam een blonde vrouw in een pyjama en een morsig sweatshirt van de San Francisco Giants naar buiten uit een andere gepleisterde eengezinswoning, die wel goed onderhouden was afgezien van de niet zo urgente noodzaak van een likje verf. Deze woning was eveneens volkomen donker.

De blonde vrouw deed het portier open en zat ongeveer tien minuten op de bijrijderstoel in Subjects auto. De lichten waren uit en ik kon niet dichter bij komen en daarom kon ik onmogelijk zien wat ze aan het doen waren. De vrouw ging vervolgens de auto uit met iets in haar hand wat ze eerst niet had – mogelijk een papieren zak, maar dat was onmogelijk te zeggen.

Subject startte de motor en reed weg. Ik volgde hem een klein stukje, tot het duidelijk was dat hij naar huis ging. Toen nam ik een andere weg terug naar Mrs. Chandler en zette mijn auto opnieuw voor haar huis. De kabouters waren tijdens mijn afwezigheid nuchter gebleven.

Drie uur later brak de dageraad aan en ging ik naar huis en naar bed.

Mijn bijna-nepdrugdeal #2

Toen ik die middag wakker werd had ik een plan. Een plan dat voortvloeide uit het knagende vermoeden dat het geheim van Subject erin bestond dat hij een drugdealer was. Dat zou zijn stiekeme gedrag verklaren, de gesloten deur en de middernachtelijke uitwisseling van spullen waarvan ik getuige was geweest.

Nadat ik me had aangekleed en twee koppen koffie had gedronken, ging ik op zoek naar Rae om te kijken of ze er echt wel was en ik trof haar aan in het kantoor van de Spellmans, waar ze zat te googelen naar variaties op de zin 'Waarom zou je je eigen snot bewaren?' Die vraag was sinds kort een terugkerende kreet in ons huis geworden, als het refrein van een liedje, steeds uitgesproken op een krachtige, bijna emotionele toon: 'Wáárom? Wáárom bewaart iemand zijn eigen snot?'

Ik antwoordde zoals gewoonlijk: 'Ik heb geen idee.'

Ik stapte in mijn auto, reed de brug over en arriveerde korte tijd later bij het vertrouwde pakhuis in Oakland.

Len en Christopher waren meteen op hun hoede. Ze beseften maar al te goed dat ik niet alleen voor thee en koekjes langskwam (al was dat wel mooi meegenomen).

Len kwam ter zake. 'Voor de draad ermee, Spellman.'

'Ik heb een nieuwe acteerklus voor jullie.'

'Wat dan?' vroeg Christopher argwanend.

'Ik wil jullie vragen je rol als drugdealers nieuw leven in te blazen.'

'Wie is het doelwit?'

'Die vent met wie ik omging. Hij woont naast ons. Hij zou wel eens een drugdealer kunnen zijn.'

'Waarom denk je dat?' vroeg Christopher.

'Om te beginnen,' antwoordde ik, 'heb ik hem minstens twee

keer een pakketje zien overdragen. Een keer midden in de nacht. En verder is tuinieren echt zijn ding, als je begrijpt wat ik bedoel.'

De manier waarop Christopher keek, wees erop dat dat niet het geval was.

'Nou, als hij een drugdealer is,' zei Len, 'dan heeft hij waarschijnlijk zijn eigen voorraad.'

'Goed. Probeer dan drugs van hem te kópen.'

Len, die zelf ooit drugdealer was geweest, voelde nog altijd enige loyaliteit jegens zijn oude beroep. 'Isabel, dat heet uitlokking.'

'Nee,' zei ik. 'Volgens mij heet dat *acteren*.'

'Ik moet weigeren,' zei Christopher.

Ik zuchtte en probeerde een ander plan te bedenken.

'Bovendien moeten we, geloof ik, erbij zeggen dat we liever niet worden getypecast,' vervolgde hij.

'Mee eens,' zei Len.

'Huh?' zei ik.

'We hebben al een keer drugdealers voor je gespeeld; laatst vroeg je ons gewapende overvallers te doen, daarna zakkenrollers. Vandaag kom je weer terug met de drugdealers. Wat is het volgende? Pooiers?'

'Het spijt me jongens, maar ik heb in mijn werk zelden een hertog of een graaf nodig. Ik probeer mensen te pakken die slechte dingen doen en in het algemeen heb je iemand uit de wereld van de slechte mores nodig om ze uit te lokken. Vergeef me.'

'Daar zit wat in,' erkende Christopher.

'Dus ik kan jullie echt niet overhalen?' vroeg ik.

'Sorry, schat,' zei Christopher. 'Wij zijn gewoon meer Denzel dan Tupac, maar wil je misschien nog een kopje thee?'

Ex #10

Naam: Greg Larson
Leeftijd: 36
Beroep: Sheriff bij de Marin County Sheriff's Department
Hobby's: Schietoefeningen en bier drinken
Duur relatie: zes weken
Laatste woorden: 'Nee.'

Ik leerde sheriff Larson kennen tijdens de eerder genoemde Spell-manoorlogen. Hij speelde een belangrijke rol in mijn 'onoplosba-re' vermissingszaak. Ik vond Larson van meet af aan verdacht. Hij maakte zelden een zin af en gaf de voorkeur aan antwoorden van een of twee woorden op al mijn vragen. Maar toen de zaak was ge-sloten en ik me realiseerde hoezeer ik me in de man had vergist –vergeet niet dat ik er vrijwel zeker van was dat hij een moord had verdoezeld of zelf een moordenaar was – begon hij me meer en meer te boeien.

Toen ik de waarheid had ontdekt – waarop ik hier niet nader zal ingaan* – en de sheriff was gezuiverd van kwade opzet,** vond ik dat ik Greg een excuus verschuldigd was. Die verontschuldiging mondde op de een of andere manier uit in een zeer korte relatie, eentje die het beste kan worden gereduceerd tot onze laatste woor-denwisseling, waarbij de sheriff zich interessant genoeg breed-sprakiger dan ooit betoonde:

SHERIFF: Zo is het wel genoeg met al die vragen.
ISABEL: Zo is het wel genoeg met het negeren van de vragen.

---

* Zie voorgaande document voor alle details – *Familiedossier*, nu in paperback!
** Neem me niet kwalijk, maar dat detail moest ik wel prijsgeven.

SHERIFF: Hou je ooit op?

ISABEL: Uiteindelijk.

SHERIFF: Wanneer? Een precieze datum alsjeblieft.

ISABEL: Als ik alle informatie heb die ik nodig heb.

SHERIFF: Je hersens doen misschien wel mee, maar je hart niet.

ISABEL: Nee, mijn hart heeft gewoon meer feiten nodig dan andere harten.

SHERIFF: Werkt dit voor jou?

ISABEL: Niet echt. En voor jou?

SHERIFF: Nee.

Ik had de sheriff een jaar niet gezien. Ik vond dat voldoende tijd om de schuld te innen waarop een middelmatige relatie van zes weken me recht gaf. Larson lachte me vriendelijk toe en legde zijn laarzen op het bureau toen ik zijn kantoor binnenkwam.

'Spellman,' zei hij. 'Waar heb ik het genoegen aan te danken?'

Ik ging op de rand van zijn bureau zitten en zei: 'Je moet iets voor me doen.'

'Ik wist het,' zei hij. 'Je had die blik in je ogen.'

'Ik heb je een heel jaar met rust gelaten. Heb een beetje vertrouwen in me.'

'Ik had je best af en toe willen zien, maar dan begin je weer met al die vragen.'

'Ik houd het nu kort,' zei ik, en ik overhandigde Larson een vel papier met elke flard informatie die ik over Subject had.

'Ik weet niet zeker of de naam klopt,' vervolgde ik, 'maar stel dat dat wel zo is, dan kan ik geen gegevens over hem vinden in St. Louis, Washington, Iowa – stuk voor stuk staten waarin hij naar eigen zeggen zou hebben gewoond. Wat jij wel en ik niet kan achterhalen, is of er een politiedossier van hem bestaat. Zoiets als een klacht, bijvoorbeeld. Een stuk dat niet in een database belandt. Wil je dat voor me doen?'

Larson nam het vel ter hand. 'Wie is die vent?'

'Hij woont naast mijn ouders. Er klopt iets niet aan hem.'*

---

* Zie je hoe vaag ik ben en geen nadere details over de relatie tussen Subject en mij geef?

Larson deed het vel papier in zijn zak en zei: 'Ik zal ernaar kijken.'

De gunstfase van het gesprek was nu ten einde en we stapten over op de koetjes-en-kalfjesfase. Een van de dingen van Larson die me echt bevielen, was dat hij weinig ophad met koetjes en kalfjes, dus ik wist dat onze ontmoeting spoedig afgelopen zou zijn.

'En hoe gaat het met je?' vroeg ik.

'Mag niet klagen. En jij?'

'Ik mag eerlijk gezegd wel klagen, maar ik weet dat je daar een hekel aan hebt, dus dat zal ik niet doen.'

Toen beging ik de fout een lijstje met een foto van een vrouw op zijn bureau op te merken.

'Wie is dat?' vroeg ik.

'Mijn verloofde,' antwoordde hij, en alhoewel jaloezie het laatste was wat in me opkwam, voelde ik toch iets vaags en onaangenaams. Ik stond op om te vertrekken.

'Is zij neurochirurg?' vroeg ik.

'Nee,' antwoordde Larson grinnikend.

'Heeft ze meegedaan aan de Olympische Spelen?'

Hij keek me ongelovig aan. 'Hoe wist je dat?'

The Philosopher's Club

Milo toonde nog steeds geen medeleven.

'Ach, het is nooit te laat om in training te gaan voor de Spelen. Ik bedoel, je bent wel te oud voor atletiek, turnen, kunstschaatsen, volleybal, basketbal, alle echte sporten, maar sommige van die andere "sporten" – hij gebruikte de doorgaans geminachte vingeraanhalingstekens – zou je kunnen proberen als je nu begint en echt keihard gaat trainen. Hurling bijvoorbeeld. Dat ken je toch wel? Dat is een soort sjoelbakken op ijs, met stenen. Daarbij heb je mensen die voorovergebogen het ijs vegen voor de steen eroverheen glijdt. Je zou een van die vegers kunnen zijn. Ik heb achter wel een bezem als je wilt oefenen. Ik wil best een bijdrage voor de hurlingtenues leveren. Daar moet dan natuurlijk wel "The Philosopher's Club" op staan. We kunnen wel wat reclame gebruiken.'

'Milo, de sport die jij bedoelt, heet "curling".'

'Ik zou kunnen zweren dat er een sport is die "hurling" heet.'

'Dat is ook zo,' antwoordde ik. 'Dat wordt voornamelijk in Ierland gespeeld. Dat is een soort hockey, maar dan veel sneller.'*

'Het lijkt me dat je voor die sport in conditie moet zijn. Het wordt dus curling,' zei Milo. 'Des te beter, als je het mij vraagt. Ik begon me al een beetje zorgen te maken over een bar die iets als "hurling" sponsorde. Ik betwijfel of dat het soort reclame is dat ik nodig heb.'

'Wat is er met je gebeurd, Milo? Je was altijd veel leuker.'

'Ik ben oud, mijn voeten doen steeds meer pijn, ik heb een prostaatprobleem, en ik word gewoon een stuk chagrijn. Ik heb gewoon geen zin om te luisteren naar jouw geklaag over je middelmatigheid omdat je niet aan de Spelen hebt meegedaan. De enige sport die jij ooit hebt gedaan, was amateurvandalisme.'

---

* Dacht jij dat ik een sport die 'hurling' heette niet kende?

'Wat vervelend van je prostaat,' zei ik tegen Milo. 'Het is vast niet zo prettig als je voortdurend moet plassen.'

Ik kon aan Milo's blik zien dat hij spijt had van zijn vlaag van eerlijkheid.

Want weet je, kennis is macht.

De Chandler-klus

Vrijdag 10 maart
10.30 uur

Aangezien de volgende dag een zaterdag was, vroeg ik Rae me te vergezellen naar de uitkijkpost bij huize Chandler. Rae weigerde eerst, maar toen ik haar zei dat ze de vrije hand over de versnaperingen kreeg, stemde ze toe. Midden in de nacht in een verduisterde auto met niets omhanden is het heel moeilijk om Pringles, Milk Duds en Hot Tamales te weerstaan.

Gewoonlijk begint mijn zusje in zo'n zit van vijf uur een gesprek over allerlei onderwerpen, maar dat was deze nacht anders. Ze kon Mr. Peabody, haar docent, gewoon niet uit haar hoofd zetten.

'Waarom? Waarom bewaart iemand zijn eigen snot?'

Vier uur later waren het snotraadsel en het raadsel van de naapvandalen nog steeds niet opgelost.

Rae en ik bleven de hele ochtend in bed. We werden wakker met een suikerkater. Ik dwong Rae een afspraak met Daniel te maken voor een gebitsreiniging en daarna bakten we omeletten voor het ontbijt.

Terwijl ik koffie dronk en Rae twee glazen chocolademelk achteroversloeg, bekeken we onze e-mail en zagen we de eerste twee berichten van pap en mam vanaf hun cruise.

Van: Albert Spellman
Datum: 10 maart
Aan: Isabel Spellman, Rae Spellman
Onderwerp: Cruisebericht #1

Dit is net een drijvende gevangenis. Soms wil ik gewoon

overboord springen zodat ik wat meer ruimte heb. Ik begrijp niet wat er zo aantrekkelijk aan is. Bovendien is jullie moeder zo ziek als een hond, dus ik moet in mijn eentje over het dek dwalen. Alle passagiers zijn gedrogeerd met een of ander walgelijk goedje waardoor ze onophoudelijk glimlachen. De bemanning vraagt de hele tijd of ze iets voor me kunnen doen. Ik loop door een gangpad en ze vragen of ik hulp nodig heb. Waarbij?

Ik hoop dat jullie je allebei fatsoenlijk gedragen. Zo niet, dan kom ik erachter.

Papa

Van: Olivia Spellman
Datum: 10 maart
Aan: Isabel Spellman, Rae Spellman
Onderwerp: Groeten uit de hel

Na twee dagen alleen maar zoutjes gegeten te hebben, kon ik eindelijk de hut uit, die ongeveer even groot is als onze Audi. Maar ter verdediging van mijn hut moet ik zeggen dat daar in ieder geval niemand een string draagt. En jullie vader voert iets in zijn schild. Telkens als hij zegt dat hij naar het buffet gaat, komt hij terug met natte haren, alsof hij net gedoucht heeft. Als ik hem ernaar vraag, zegt hij dat hij een duik in het zwembad heeft genomen, maar hij ruikt naar shampoo.

Een andere kwestie, er is hier geen telefoon. Isabel, jij moet voor mij iets nagaan bij Ron Howell. Zijn geheugen deugt niet. Bel hem op en zeg tegen hem: 'Ron, vergeet niet datgene te regelen waarvan ik zei dat je het moest regelen.' Dat is alles.

Liefs,

Mama

Rae stuurde de volgende antwoorden:

Van: Rae Spellman
Datum: 11 maart
Aan: Olivia Spellman

Onderwerp: Re: Groeten uit de hel

Mama, misschien kun je de volgende vakantie beter niet op een boot houden. Pap vindt het echt heerlijk om 'alles los te laten', dus verdraag het en doe alsof je geniet. Ik zal online zoeken naar een geschiktere ontsnapping. Een boot is gewoon niet jouw ding. Hou vol. Hier gaat alles prima. Maak je geen zorgen.
Liefs, Rae

Van: Rae Spellman
Datum: 11 maart
Aan: Albert Spellman
Onderwerp: Re: Cruisebericht #1

Papa, mama vindt het echt vreselijk vervelend dat ze zo ziek is. Ze keek echt uit naar wat qualitytime met jou samen. Jullie volgende vakantie moet op land zijn, maar jullie moeten het echt nog eens proberen. Ik begrijp dat het buffet aan boord fantastisch is. Doe eens gek. Verwen jezelf.

Terwijl Rae haar duivelse antwoorden tikte, voldeed ik aan mijn moeders verzoek om Ron te bellen, een van onze vaste observatie-krachten. Ron nam op nadat de telefoon drie keer was overgegaan.
'Hallo.'
'Ron, met Isabel Spellman.'
'Waar kan ik je vanaf helpen, Izzy?'
'Dat vind ik zo'n stomme uitdrukking.'
'Dat weet ik. Daarom zeg ik het.'
'Mam heeft me gevraagd je te zeggen dat je niet moet vergeten datgene te regelen wat ze je heeft opgedragen te regelen.'
'Uh-huh.'
'Weet je wat ik bedoel, Ron?'
'Jawel, ik was het niet vergeten. Ik was van plan het vanavond te doen.'
'O, mooi,' zei ik, en ondertussen probeerde ik te bedenken hoe ik dit het beste kon aanpakken.

'Was dat alles, Spell?'

'Heb je hulp nodig?' vroeg ik.

'Nee. Alles is geregeld.'

'Want ik wil heel graag helpen.'

'Izz, dit is iets tussen je moeder en mij.'

'Je zegt het maar,' zei ik, en hing op.

Die avond, nadat ik Rae met geweld een salade en kipfilet had laten eten, had benadrukt dat zij thuisbleef en haar huiswerk maakte en bovendien had benadrukt dat mijn plannen voor de avond uitsluitend bestonden uit het toezicht op Mrs. Chandlers ode aan kabouters, reed ik naar Ron Fosters appartement in Daly City en parkeerde aan het eind van de straat. Twee uur en een halve cd met *Spaans voor beginners* later kwam Ron zijn huis uit en reed rechtstreeks naar Noe Valley. Ron, die wel vlakbij keek of er iemand was maar niet, laten we zeggen, twintig meter achter zich, besloot dat de kust veilig was en stak de banden van die arme sukkel zijn motor lek.

Nadat ik de marionet van mijn moeder aan het werk had gezien, reed ik naar Mrs. Chandler en zette mijn auto voor de deur. De kabouters waren niet aangeraakt en dat bleef de rest van de nacht zo. Maar het was niet een helemaal verloren avond. Sheriff Larson belde met zeer interessant nieuws.

'Wat heb je voor me?' vroeg ik.

'Dat was een van de dingen aan je die me beviel, Spellman. Voor jou geen beleefdheden.'

'Wauw,' zei ik. 'Ik wist niet dat je twee zinnen achter elkaar kon zeggen. Bravo,' antwoordde ik.

'Wees aardig,' waarschuwde Larson. 'Ik heb iets.'

'Wat dan?' zei ik, terwijl ik pen en papier tevoorschijn haalde.

'Een vriend van me zit bij de politie in Tacoma, Washington. Gaf hem de gegevens over jouw man en hij is gaan rondvragen. Een rechercheur die hij kent en die zich met vermisten bezighoudt, herinnerde zich de naam. Er is nooit een aanklacht tegen hem ingediend, maar jouw John Brown werd ondervraagd naar aanleiding van een zaak rond een vermissing.'

'Wie werd vermist?'

'Haar naam was Elizabeth Bartell. Ik fax je de details. Het kwam erop neer dat de echtgenoot jouw man ervan beschuldigde betrokken te zijn bij de verdwijning van zijn vrouw. Volgens de echtgenoot had zijn vrouw in de weken voor zij verdween vrij veel omgang met Mr. Brown. Maar ze konden hem niets in de schoenen schuiven, dus die zaak liep dood.'

'Weet je zeker dat het dezelfde John Brown is?' vroeg ik.

'Zelfde geb.dat. op het rijbewijs, en volgens het dossier is hij tuinman.'

'Tuinarchitect,' verbeterde ik hem.

'Chique tuinman.'

'Nog meer?' vroeg ik.

'Nee,' zei Larson.

'Bedankt,' antwoordde ik en hing op.

Het 'advocatenkantoor' van Mort Schilling

Maandag 24 april
12.35 uur

'Zie je nou,' zei ik, 'dat komt mijn zaak toch zeker ten goede, niet?'

'Nee,' antwoordde Morty. 'Het is ontoelaatbaar. Het enige wat ertoe doet, is dat jij het contactverbod hebt geschonden. Externe omstandigheden zijn irrelevant, tenzij je hem uit een brandend huis had gered. Bovendien heb je hem bedreigd.'

'Ik heb hem niet bedreigd.'

'Hij heeft een bandopname waarop jij zegt, ik citeer, ik zal je laten boeten voor wat je hebt gedaan.'

'Ik wil niet muggenziften, maar hangt dat ene dreigement van mij niet samen met het feit dat Subject iets verkeerds heeft gedaan? Hoe kan het een dreigement zijn als hij niks heeft gedaan?'

'Waarom neem jij dit niet serieus? Je nering staat op het spel. Dat begrijp je toch zeker wel?'

'Jawel. Maar er worden twee vrouwen vermist en beide stonden voor hun verdwijning in rechtstreeks contact met Subject. Dat lijkt mij belangrijker dan mijn werk. Vind je soms ook niet, Morty?'

Maar ik loop weer eens op de zaken vooruit.

Alleen thuis

HOOFDSTUK 3

Zondag 12 maart

Ik had tot dat telefoontje van sheriff Larson op de derde nacht van mijn kaboutertoezicht geprobeerd niet aan Subject te denken. Zijn verdachte gedrag beheerste tenminste niet meer al mijn gedachten. Ik was nu overgestapt op andere onderwerpen, zoals bijvoorbeeld sabotage van motorfietsen, na-aapvandalisme, een ontrouwe broer en een voortvluchtige beste vriendin.

Maar toen vroeg Subject opnieuw mijn aandacht en verdwenen die andere onderwerpen naar de achtergrond.

Ik gaf de laatste informatie over onze buurman door aan Rae, die mij hielp bij mijn 24-uurstoezicht op Subject. Wij stelden niets afwijkends vast in zijn dagelijkse gewoonten. Hij laadde aarde in zijn truck en deed de ronde langs verschillende tuinen in de Bay Area, plantte, bewaterde, wiedde en deed wat tuinarchitecten zoal doen. Ik zag hoe hij naar schatting vijf minuten met een vrouw praatte en haar zijn kaartje overhandigde. Ik zag overdag geen uitwisseling van pakketjes meer, maar hij ging wel terug naar dat huis in het Excelsior-district en gaf diezelfde blonde vrouw weer een papieren zak. Ik zou haar verhouding met Subject grondiger moeten onderzoeken.

Introductie afvalkunde

Woensdag 15 maart
9.00 uur

Na drie hele dagen gretig Subject-kijken, waren Rae en ik niets opgeschoten met ons onderzoek. Toen zagen we Subject het vuilnis buiten zetten en Rae en ik keken elkaar met een blik van verstandhouding aan.*

'Vijf dollar,' zei ik.

'Twintig,' antwoordde Rae.

'Tien,' zei ik.

'Vijfentwintig,' antwoordde mijn zusje.

'Vijftien,' zei ik.

'Dertig.'

'Je moet zakken, niet stijgen.'

'Er zijn geen regels voor.'

'Tien,' zei ik.

'Vijfendertig.'

'Oké, goed. Twintig,' zei ik, en ik haalde een biljet uit mijn portemonnee.

Rae nam het geld aan en liep richting de deur. In onze familie doen we altijd graag alsof we hebben gewonnen als we een onderhandeling hebben verloren.

'Ik had je ook dertig gegeven,' zei ik.

'Ik had het voor vijf ook gedaan,' antwoordde Rae.

---

*Voor het geval je niet bekend bent met onze zusterlijke buitenzintuiglijke waarneming, we besloten tegelijkertijd dat we Subjects afval te pakken moesten krijgen.

Tien minuten later stonden Rae en ik in de kelder twee vuilniszakken door te vlooien.

'Heb je zijn vuilnis of zijn herbruikbaar afval?' vroeg ik.

'Van elk een,' zei Rae, die een van de 150-literzakken doorwroette.

'Wat stinkt dat,' zei ik.

Rae, die gele afwashandschoenen aanhad, groef als een zwerver door het vuilnis.

'Er zitten zeker vier bananenschillen in,' zei Rae. 'Dat is nog eens verdacht.'

'Sommige mensen houden van bananen, Rae. Ze noemen het de perfecte snack omdat hij zijn eigen verpakking heeft.'

'Suzy Franklin eet elke dag minstens een banaan. En zij is volkomen geschift.'

'Je mag iemand niet beoordelen op haar fruitvoorkeur. Hij versnippert wel een boel papier. Zit er in die zak ook papier?'

'Alleen tissues. Volgens mij is dit echt alleen maar rotzooi,' zei Rae, die probeerde niet door haar neus te ademen.

'Doe maar weg,' antwoordde ik.

Rae deed de geopende zak in een andere vuilniszak en ging naar buiten. Ik zag door het raam hoe zij het afval terugzette in Subjects vuilnisbak. Daarna kwam ze weer binnen.

'Waarom heb je zijn afval in zijn eigen vuilnisbak teruggedaan? Hij had je wel kunnen zien.'

'Waar had ik het dan moeten laten?'

'Eh, in onze vuilnisbak.'

'Stel dat hij had gezien dat zijn afval weg was?' vroeg zij.

'De meeste mensen houden geen kasboek van hun afval bij.'

'Wel als ze er geheime voorwerpen in doen waardoor ze de verdenking op zich zouden kunnen laden,' antwoordde Rae.

Soms is de logica van haar redenering sterker dan het principe erachter. Ik liet de kwestie rusten. De vuilniszak die we nog hadden, was een kussen van versnipperd papier. We spreidden de inhoud over de vloer om te kijken of er iets opvallends tussen zat. Mijn zus en ik zochten naar anomalieën. Het grootste deel van de confetti voor onze neus was afkomstig van gewoon blanco papier, maar als we er iets anders tussen zouden ontdekken, konden we naar iets vergelijkbaars zoeken en het aan elkaar passen.

Ik zocht speciaal naar stukjes plastic, want ik dacht dat we misschien alle stukjes van een versnipperd identiteitsbewijs konden verzamelen. Rae merkte de opvallende kop van een e-mail op en zocht naar de rest ervan.

Drie uur later wist ik zeker dat er een identiteitsbewijs was versnipperd, maar van wie en of het een bibliotheekpas of een rijbewijs of de pas van een bepaalde winkel was, kon ik niet zeggen. Rae had iets meer succes. Vlak voor ze dreigde zelfmoord* te plegen als ze hiermee door moest gaan, plakte ze deze e-mail aan elkaar:

m James
om: Alley Cat [alleycat25@
Nora [jj2376
ck box morgen. Bel daarna

'Het mysterie is opgelost,' zei ik, terwijl ik achterover op de grond ging liggen en mijn ogen afschermde tegen het meedogenloze licht.

'Vier uur van mijn leven die ik niet meer terugkrijg,' zei Rae. 'Wat een tijdverspilling.'

'Hij versnippert zijn papier en daarna scheidt hij het en verdeelt hij het over verschillende vuilniszakken.'

'Hoe wist hij dat wij dit zouden doen?' vroeg Rae.

'Dat wist hij niet,' antwoordde ik. 'Hij neemt voorzorgsmaatregelen omdat dit hem al eens eerder is overkomen.'

'Wat doen we nu?'

'Ik moet in die kamer zien te komen.'

---

*Het bestuderen van afval van veiligheidsbewuste (en dus versnippergrage) mensen is altijd een doodsaai klusje.

Operatie Gesloten Deur

DEEL II

Donderdag 16 maart

Zo'n vierentwintig uur later, na een weinig spectaculaire surveillance bij Mrs. Chandler, was ik weer in Davids oude kamertje om Subjects appartement in de gaten te houden. Toen Rae terugkwam uit school, kwam ze bij me zitten. Ze praatte tussen het sms'en met vriendinnen door over ditjes en datjes.

'Blijf je hier de hele nacht zitten?' vroeg ze.

'Nee,' antwoordde ik. 'Ik heb een plan.'

'Ben je daarom in het zwart?' vroeg Rae.

'Ja.'

'Heeft je plan iets te maken met de ladder die tegen de schutting staat?'

'Zou kunnen.'

'Waar wacht je op?'

'Voor mijn plan moet Subject eerst vertrokken zijn.'

'Juist,' zei Rae. 'Hoe zit het met de Chandler-klus? Morgen is het St. Patrick's Day.'

'Ze slaan pas na middernacht toe. Ik heb tijd zat.'

Subject verlaat zijn appartement...
23.00 uur

Ik zette een zwart petje op en pakte een schroevendraaier uit papa's gereedschapskist. Ik zette mijn mobiel op trilfunctie en zei tegen Rae dat ze moest bellen als Subject onverwacht thuiskwam. Ik drukte haar op 't hart goed op te blijven letten. Rae rolde met haar ogen en ik ging door de achterdeur naar buiten.

Ik schoof de schildersladder uit en zette hem tegen het pand van Subject. Hij kwam tot ongeveer 75 centimeter onder het raam van zijn kantoor. Dat was misschien nogal een gat maar ik was in een *winning mood*. Ik beklom de ladder en gebruikte vervolgens de muur om mijn evenwicht te bewaren terwijl ik de laatste paar treden op klom, tot ik op de een na laatste trede stond en ik met mijn handen Subjects venster vasthad. Ik pakte de schroevendraaier uit mijn achterzak en wrikte het raam open.

Het was donker in het kantoor; ik deed een zaklamp in mijn mond om het interieur te bekijken. Tegen de muren stonden verscheidene printers en computers. Op de vloer stonden een grote papierversnipperaar en twee telefoons. Vlak onder het raam stond een archiefkast. Ik zou me eroverheen moeten trekken om binnen te komen. Ik deed de lamp weer in mijn zak en legde de schroevendraaier op de archiefkast. Ik ging op de hoogste trede van de ladder staan om mezelf naar binnen te hijsen.

Mijn voet belandde in een verkeerde hoek op de bovenste sport en de ladder viel onder me weg. Ik had het raam alleen maar vast om mijn evenwicht te bewaren. Een tel later lag ik drieënhalve meter lager op de grond.

De adem werd me benomen en ik kwam misschien pas vijf minuten later bij, terwijl Rae met een echt angstige blik over me heen gebogen stond.

'Moet ik het alarmnummer bellen?' vroeg Rae.

'Absoluut niet,' probeerde ik te roepen, maar de pijn smoorde mijn stem. 'Het gaat prima,' zei ik, al viel dat nog te bezien.

Ik stond voorzichtig op en ontdekte tot mijn vreugde dat al mijn ledematen nog functioneerden. We liepen om het gebouw heen en gingen door de achterdeur huize Spellman binnen.

'Ruim die ladder op,' zei ik tegen Rae voor we naar binnen gingen.

Rae sleepte de ladder de garage in, terwijl ik mijn verwondingen naliep. Er zat een sneetje aan de zijkant van mijn gezicht en ik had een lelijke jaap in mijn arm, maar niets wat gehecht moest worden. Dat was het goede nieuws. Het slechte nieuws was dat het voelde alsof er een mes in me werd gestoken als ik diep ademhaalde, al weet ik niet uit ervaring hoe dat voelt.

'Misschien heb je een gebroken of een gekneusde rib,' zei Rae. 'Ik ben zo terug.'

Ik nam een scheut van mijn vaders whisky en probeerde een prettig plekje op de bank te vinden om te gaan liggen. Er was geen houding waarin dat geen pijn deed, dus koos ik maar de meest draaglijke positie.

Rae kwam na ongeveer een kwartier (kennelijk de duur die nodig was om op het internet uitvoerig onderzoek naar ribblessures te doen) terug met een graad in de medicijnen.

'Wijs eens aan waar het pijn doet,' vroeg Rae op een professioneel autoritaire toon.

Ik wees het voor haar aan.

'Doet het pijn als ik het aanraak?'

'Au!!!'

'Het doet pijn.' Rae maakte hier een aantekening van. 'Doet het pijn bij het ademhalen?' vroeg Rae.

'Ja.'

'Doet het pijn als je hoest?'

'Dat weet ik niet. Ik hoef niet te hoesten.'

'Kun je niet doen alsof?'

'Ik ga ervan uit dat het pijn doet als ik doe alsof ik hoest, dus ik zie het nut er niet van in.'

'Doe het nou maar om het zeker te weten.'

Ik hoestte opdat ze haar mond verder zou houden. 'Het doet pijn,' zei ik. Rae maakte daar een aantekening van.

'Haal je snel en ondiep adem?'

'Ik geloof het niet,' antwoordde ik. 'Schenk me nog eens een whisky in.'

'Er staat niets over whisky drinken in mijn onderzoek.'

'Staat er iets over het niét drinken?'

Rae bladerde haar net geprinte papieren door. 'Nee.'

Omdat Rae met iets anders bezig was, schonk ik zelf maar een whisky in.

'Ik moet je pols nemen en kijken of die versneld is,' zei Rae, waarna ze twee vingers op mijn pols legde en op haar horloge keek.

'Hoe hoog is hij normaal?' vroeg ze.

'Dat weet ik niet.'

'Hoe moet ik dan weten of hij versneld is?' vroeg ze.

'Ik denk niet dat hij versneld is,' zei ik, waarna ik mijn tweede whisky wegklokte. De pijn begon eindelijk af te nemen.

'Hoest je bloed op?' vroeg Rae.

'Nee,' antwoordde ik. 'Wil je dat ik doe alsof ik bloed ophoest?'

'Dat kun je proberen.'

Na drie kwartier van Raes versie van diagnosticeren wist ik haar ervan te overtuigen dat ik niet in groot gevaar verkeerde en dat een bezoek aan het ziekenhuis niet nodig was. Ik wist zeker dat ze dat ziekenhuisbezoek opperde omdat zij dan kon oefenen met autorijden.

Ik nam drie paracetamollen en probeerde te slapen. Maar dat was door de pijn volstrekt onmogelijk. Ik keek vier lange uren nachttelevisie en klokte vervolgens tot vlak voor dageraad ongeveer twee uur slaap. Ik werd om zeven uur precies wakker doordat de telefoon ging.

'Huh?' zei ik.

'Isabel,' zei een strenge vrouwenstem.

'Ja?'

'Fijne St. Patrick's.'

Ik was te moe, te zwak en had te veel pijn voor een ruzie, en daarom liet ik me door Rae naar de woning van Mrs. Chandler rijden, twee straten verderop. Zij was al in de schoonmaakmodus, druk doende de blikjes Guinness in de recyclingbak te gooien en haar kabouters te ontnuchteren. Mijn na-aapvandalen hadden in de vroegste uurtjes van St. Patrick's Day toegeslagen, terwijl ik kronkelend van de pijn in bed lag.

Ik ging gehuld in mijn pyjama de auto uit en liep over het gras naar Mrs. Chandler. Haar strenge gezichtsuitdrukking verzachtte toen ze zag hoe het met mij gesteld was.

'Wat is er met jou gebeurd?'

'Ik heb een ongeluk gehad.'

'Een auto-ongeluk?'

'Nee,' zei ik, broedend op een antwoord. Ik moest namelijk een leugentje bedenken dat mijn moeder niet zou weerleggen als het in haar bijzijn werd herhaald.

'Ik struikelde en ben van een trap af gevallen.'
'Wat vreselijk, meisje.'
'Inderdaad.'
'Ga naar huis en kruip weer in je bed,' zei ze.
'De volgende keer pak ik ze,' zei ik. 'Ik beloof het.'

Alleen thuis

HOOFDSTUK 4

Vrijdag 17 maart
18.00 uur

Rae warmde als avondeten een blikje kippensoep op en bracht me die op bed. De vermicelli herinnerde me aan de kabouterkots en ik was meteen mijn eetlust kwijt.

'Hoe voel je je?' vroeg ze.

'Ik voel een enorme haat tegen die ladder, maar verder heb ik verschrikkelijke pijn.'

'Moet ik thuisblijven en voor je zorgen?' vroeg Rae.

'Waarvoor, om me nog meer lauwe soep te brengen? Nee, dank je.'

'Dus ik kan naar mijn vriendin toe gaan?'

'Welke vriendin?'

'Ashley Pierce.'

'Je medespeurneus in de snotzaak?'

'Inderdaad.'

'Noteer al haar gegevens en houd je mobieltje aan.'

Rae krabbelde wat op een papiertje.

'Mag ik daar blijven slapen?' vroeg zij. 'Of moet ik thuiskomen om je steek te verschonen?'

'Je bent walgelijk. Ga maar naar je pyjamafeest. Ga maar lekker elkaars haar vlechten.'

'Dát is pas walgelijk,' zei Rae. 'Ik zie je morgenochtend. Bel het alarmnummer als je iets nodig hebt.'

Rae vertrok kort na zeven uur.

Om elf uur 's avonds snakte ik naar slaap en leed ik ondraaglijke pijn. Ik plunderde mama's medicijnkastje en pakte twee pijnstillers en een slaappil.* Ik bleef buiten westen tot drie uur 's nachts, toen ik twee sterke handen op mijn schouders voelde.

Het was donker, ik was nog steeds verdoofd en ik kon alleen de gedaante ontwaren van een man die over me heen stond en me ruw heen en weer schudde.

Ik herinner me dat ik meteen in de greep van de angst was. Ik was meteen klaarwakker en snakte naar adem. Daarna schreeuwde ik het uit van de pijn en haalde uit naar de onbekende man in mijn kamer.

De man deinsde achteruit en voelde aan de zijkant van zijn gezicht.

'Dat deed zeer, Isabel.'

Zijn stem kwam me bekend voor, maar dat hoefde niet te betekenen dat ik buiten gevaar was. Vergeet niet: ik had twee pijnstillers en een slaappil genomen en was net ontwaakt uit een diepe slaap.

'Ik bel de politie,' wilde ik zeggen, maar het kwam eruit als ' 'k plisie bellen'.

Henry Stone deed het licht aan.

'Wat doe jij hier?' vroeg ik, nog steeds brabbelend, maar nu met de woorden in de juiste volgorde.

'Rae belde me ongeveer drie kwartier geleden vanaf een feestje. Ze was nauwelijks bij bewustzijn. Ze zei dat ze geprobeerd had om jou en David te bellen maar dat er niet werd opgenomen. Het gesprek werd afgebroken voor ik het adres kon vragen. Ik sta nu al een halfuur je nummer te bellen en op je deurbel te drukken.'

'Echt waar?'

'Wat heb je gebruikt, Isabel?'

'Pijnstillers en slaappillen. Enkelvoud. Maar één slaappil.'

'Waarom?'

'Ik denk dat ik mijn rib of ribben heb gebroken of zoiets.'

'Ben je naar het ziekenhuis geweest?'

'Geen dokters!'

'Oké, dat zien we later dan wel. Weet je waar Rae is?'

'Eh, ja. Ze heeft me het adres van haar vriendin gegeven.'

Ik speurde de kamer af en vond meteen het briefje dat Rae had

---

* Ik weet het, onverstandig.

neergelegd voor ze wegging. Henry liep naar mijn kast en pakte een jas en sportschoenen. Terwijl ik mijn arm in de jasmouw probeerde te krijgen, klaagde ik over zijn schoeiselkeuze.

'Die kan ik niet aan.'

'Wat?' zei Stone geërgerd. 'Je ziet er niet uit, Isabel. De schoenen zullen daar niets aan veranderen.'

'Man, wat ben jij lomp. Ik kan die niet aan omdat ik de veters niet kan strikken. Ik kan niet bij mijn voeten.'

'Ga zitten,' beval Henry.

Ik ging op bed zitten en Henry schoof de sportschoenen aan mijn voeten en strikte de veters.

'We gaan,' zei hij, en we stapten in zijn auto en gingen op zoek naar Rae.

We kwamen aan tijdens de nasleep van een feestje. De aanblik deed me wel enigszins denken aan die van de dronken kabouters tussen de lege bierblikjes. Het huis was halfverlicht en je kon door het raam levenloze lichamen op de grond, op de bank, en sommige tegen de muur aan zien liggen.

Stone belde minstens zes keer aan en bonsde vervolgens krachtig op de deur.

'Politie. Doe open,' zei hij, en op dat moment herinnerde ik me dat hij politieman was.

Aangezien 'politie' meestal een effectievere aandachttrekker is dan 'is daar iemand?', werd de deur even later opengedaan door een armoedig ogende knaap met lange, slordige haren. De stonede, relaxte uitdrukking op zijn gezicht sloeg snel om in angst toen Henry het huis binnenstormde en hem in zijn kraag greep.

'Waar is Rae Spellman?'

'Eh, kweenie.'

Stone dreef de sjofele jongen een hoek in en wierp hem de meest intimiderende blik toe die ik ooit heb gezien. Ik was er zo aan gewend dat Stone rondgekoeioneerd werd door mijn moeder en Raes bespottelijke eisen dat het nooit in me was opgekomen dat hij iets anders was dan een zachtjes pruttelende, vriendelijke inspecteur.

'Denk godverdomme goed na, want ik ga niet weg voor ik haar heb gevonden.'

'Misschien boven.'

'Ik hoop voor jou dat je gelijk hebt.'

Henry holde de trap op. Ik hinkte achter hem aan. Hij begon deuren open en dicht te doen en riep Raes naam. Toen deed hij iets heel eigenaardigs. Hij hees een halfslapend kind van de grond op, tikte hem zachtjes op zijn gezicht om hem wakker te maken en toen het joch zijn ogen opende, zei hij: 'Je stelt me diep teleur. Je hoort nog van me.'

Henry liet de jongen zakken en liep verder door de gang. Er was nog één kamer waar we niet geweest waren. Henry probeerde de deur te openen maar die zat op slot. Hij bonsde erop en riep 'doe open', maar er werd niet gereageerd. Henry zette een stap naar achter alsof hij de deur met zijn schouder wilde forceren.

'Stop!' riep ik, terwijl ik mijn jaszakken doorzocht. 'Ik kan het slot openmaken.' Ik vond een paperclip en een nagelvijl. De laatste keer dat ik met Subject uitging had ik deze jas ook aan, dus ik had het geschikte gereedschap om in die geheime kamer te komen. Henry ijsbeerde gespannen achter me heen en weer. Misschien kwam het door de pillen of het feit dat dit feesttafereel niet kon tippen aan sommige fuiven waar ik in mijn jeugd was geweest, maar ik maakte me niet zo'n zorgen.

'Schiet op,' zei Henry, terwijl ik me over de deur ontfermde.

Twee minuten later gingen we de afgesloten kamer binnen en troffen Rae, helemaal van de wereld, aan op het bed. Alleen, godzijdank. Ze had zichzelf vlak voor ze buiten westen raakte opgesloten. Ik probeerde haar wakker te maken, maar ze was te groggy om zelfstandig naar de auto te lopen.

Henry droeg de vrijwel bewusteloze Rae het oorlogsgebied uit. De paar achterblijvers die wakker werden, maakten behoedzaam dat ze wegkwamen.

Ik zette Rae op de achterbank, maakte haar gordel vast en ging naast haar zitten. Henry stapte in de auto.

'We gaan naar het ziekenhuis.'

'Nee, Henry.'

'Stel dat ze gedrogeerd is?' vroeg hij.

'Ze stinkt van alle kanten naar bier. Ze is gewoon stomdronken en bewusteloos.'

'Heeft ze dit wel eens eerder gedaan?' vroeg Henry.

'Nee,' antwoordde ik. 'Maar het werd tijd.'

Toen Henry zijn auto de oprit van Clay Street 1799 opreed, werd Rae wakker en zei: 'Ik geloof dat ik moet kotsen.' Ze braakte een keer in de voortuin en rende daarna de wc naast de keuken in.

'Dank je,' zei ik tegen Henry toen we in de hal stonden te luisteren naar het rommelende geluid van Raes gutturaal gekuch in de wc.

De bezigheden van de vroege ochtend hadden me afgeleid van de pijn. Nu de afleiding was verdwenen, keerde de pijn terug. Ik greep naar mijn zij en zei: 'Maak je geen zorgen. Ze komt er wel overheen.'

'Wat mankeert jou, Isabel?'

'Ik weet het niet,' zei ik geërgerd. 'Van alles.'

'Nee, ik bedoel je zij. Wat heb je gedaan?'

'Niks.'

Henry trok mijn T-shirt omhoog. Ik sloeg zijn hand van me af. 'Hou daarmee op!'

'Laat eens kijken.'

'Ik wil niet dat je naar mijn buik gluurt.'

'Sta stil,' zei Henry, en toen kon hij eindelijk de zwartblauwe plek op mijn linkerzij bekijken.

'Je hoort eerst te vragen of je het shirt van een meisje omhoog mag doen.'

'Volgens mij moet je naar het ziekenhuis.'

'Geen dokters!'

'Denk na, Isabel.'

'Ik hoest geen bloed op.'

'Wat?'

'Ik kan ademhalen. Mijn hartslag is niet versneld. Tenminste, dat denk ik. We hebben het allemaal op internet opgezocht. Als ik gebroken of gekneusde ribben heb, geneest het vanzelf.'

Henry leunde tegen de deur en keek hoofdschuddend naar zijn schoenen. Toen deed hij zijn jasje uit en gooide het op de bank.

'Wat doe je?'

'Ik blijf hier,' zei Henry geërgerd.

'Waarom?'

'Als ik ga, is het alsof ik twee geestelijk gehandicapten in een depot voor nucleair afval laat zitten.'

'Dat is aardig, Henry. Wil je me excuseren terwijl ik me ontferm over Kotskindje?'

Ik deed de eerste dienst bij mijn zus, wat betekende dat ik op de wc-vloer zat te kijken hoe Rae alles wat ze de zes uur ervoor genuttigd uitbraakte. Henry deed de tweede dienst, wat gepaard ging met een haast wetenschappelijke aanvulling van vloeistoffen, zoals ik later zou ontdekken. Van pure uitputting sliep ik die nacht acht uur en ik werd, nog altijd met pijn maar enigszins opgefrist, om elf uur 's ochtends wakker.

De ochtend erna

Toen ik de keuken in kwam, rook het er naar flensjes, geroosterd brood en eieren (niet sissend, maar pocherend).

'Mag ik ook bacon?' vroeg Rae aan Henry. Rae dronk, moet ik eraan toevoegen, sinaasappelsap, zag in geen enkel opzicht groen of geel en klonk bijna vrolijk.

'Nee,' antwoordde Henry botweg.

'Goedemorgen,' zei ik toen ik de keuken in kwam.

'Het spijt me vreselijk van vannacht, Isabel,' zei Rae.

'Al goed,' antwoordde ik, speurend naar tekenen van ondraaglijke misselijkheid en een verlammend bonzend hoofd.

'Waarom mag ik geen bacon?'

'Omdat je me midden in de nacht wakker hebt gemaakt om je weg te halen van een feest waar je dronken bent geworden. Daarom,' antwoordde Henry.

Ik glipte naar Henry bij het fornuis en fluisterde: 'Geef haar toch bacon. Dat helpt tegen de kater.'

'Ze heeft geen kater,' zei Henry.

'Hoe kan dat nou?' vroeg ik met een ronduit vijandig gevoel.

'Omdat,' antwoordde Henry, 'ze alles heeft uitgekotst wat ze heeft gedronken en daarna heb ik haar bijna twee liter water en twee liter sportdrank laten drinken en drie sneetjes toast laten eten voor ze naar bed ging.'

'Waarom heb je dat gedaan?' vroeg ik geërgerd.

'Omdat ze dan geen kater zou hebben.'

'Ze hoort nu juist een kater te hebben. Jij,' zei ik tegen Rae, 'hoort je nu zieker te voelen dan je je ooit hebt gevoeld.'

'Ik voel me ook geen honderd procent,' zei Rae.

'Wat is het nut van een kater?' vroeg Henry.

'Oorzaak en gevolg. Ze ontdekt dat ze zich ziek voelt door te veel te drinken en daardoor zal ze hopelijk niet nog eens aan de drank gaan, of ze zal in ieder geval gematigd drinken.'

'Werkelijk?' antwoordde Henry, terwijl hij zijn aandacht weer op het fornuis vestigde. 'Hoeveel katers heb jij nodig gehad voor je leerde matigen?'

'Honderdzevenentachtig,'* antwoordde ik, en verloor daarmee stijlvol het debat. Ik schonk een kopje koffie op Stone-sterkte** voor mezelf in en ging tegenover Rae zitten. Henry zette mijn zus twee gepocheerde eieren met droge volkorentoast voor.

'Weet je zeker dat je geen flensjes wilt?' vroeg Henry.

'Nee, dank je,' antwoordde Rae iets te overtuigd. Toen begon ze haar eieren onder de ketchup te spuiten.

'Mag ik flensjes?' vroeg ik, achterdochtig omdat Rae een van haar lievelingsmaaltjes voor de ochtend, middag en avond afsloeg.

'Hoeveel?' vroeg Stone.

'Drie,' antwoordde ik.

'Ze wil er maar één,' zei Rae.

'Nee, ik heb honger. Ik neem er drie.'

'Ik heb mijn best gedaan,' mompelde Rae fluisterend.

Terwijl Stone het beslag maakte en in de pan schonk, besloot ik dat de tijd gekomen was om mijn zusje te ondervragen over haar activiteiten van de avond ervoor.

'Waarom heb je me niet verteld dat je naar een feestje ging?'

'Vertelde jij het altijd aan papa en mama als je naar een feestje ging?'

Ik besefte dat mijn gebrek aan geloofwaardigheid een probleem was. Ik koos een andere aanpak.

'Hoeveel heb je gedronken?' vroeg ik.

'Maar vijf biertjes,' antwoordde Rae.

'Máár vijf?'

---

* Geen correct cijfer, maar vermoedelijk in die orde.
** De man wist wel wat koffiezetten was.

'Ik wist niet dat dat veel was.'

Op dat moment draaide Henry zich met een verontruste blik om. 'Hoe kun je níét denken dat vijf biertjes veel is?'

'Ik heb gezien dat Isabel tijdens de laatste Super Bowl een heel sixpack dronk.'

Henry schudde teleurgesteld zijn hoofd. 'In de eerste plaats,' zei hij tegen Rae, 'heeft je zus veel ervaring.'

'Hé!'

'In de tweede plaats weegt ze bijna twintig kilo meer dan jij.'

'Vijftien eerder,' beet ik terug.

'Wil je op de weegschaal?' vroeg Stone.

Zoals hij al dacht, liet ik dat punt verder rusten. Maar een ander moest ik wel aanvoeren.

'Als excuus zeg ik dat ik Bud Light dronk en ik had zeg maar tweehonderd dollar ingezet en mijn team ging het niet redden.'

'Is dat je excuus?' zei Henry.

Rae was maar al te blij dat de aandacht was afgeleid. Alsof er niets bijzonders was gebeurd at ze rustig haar eieren en toast.

Maar na de dramatische drijfjacht van de nacht ervoor voelde ik een lichte irritatie nu ik haar daar eieren (zij het gepocheerde) naar binnen zag schuiven en sinaasappelsap zag drinken alsof het een doodgewone ochtend bij de Spellmans was. Ik glipte de keuken uit, door de gang naar het kantoor van de Spellmans, pakte een digitale recorder en zette die aan terwijl ik hem in de zak van mijn kamerjas liet glijden. Ik wilde haar bekentenis vastleggen op band.

Toen ik terugkwam, waren de flensjes opgediend met wat vers fruit erbij en Rae speelde een rol in een screwballcomedy door met haar lippen woorden te vormen als Henry even niet keek.

De Stone en Spellman-show

'Eet de flensjes niet op en bekentenis van slemppartij'

Het afschrift luidt als volgt:

ISABEL: Dankjewel, Henry.

HENRY: [bromt] Alsjeblieft.

[Rae schudt haar hoofd en zegt met zwijgende mondbewegingen '*Eet de flensjes niet op*'.]

ISABEL: Ik heb trek.

HENRY: Eet dan.

[Rae voert een pantomime op waarbij zij de flensjes oppakt en in haar zak stopt. Ik zou later horen dat dit instructies voor mij waren.]

ISABEL: Harpo, eet je ontbijt op.

[Rae schudt haar hoofd in de 'heb ik het niet gezegd'-stijl. Ik neem mijn eerste hapje van de flensjes, die in niets lijken op de flensjes die ik gewend ben.]

RAE: Wat er ook gebeurt, spuug het niet uit. Hij heeft er echt een hekel aan als je eten uitspuugt dat hij voor je heeft klaargemaakt.

[Henry komt aan tafel zitten. Ik slik het hapje in mijn mond door.]

ISABEL: Is er stroop in huis?

RAE: Je mag geen stroop op de flensjes doen.

ISABEL: Ben je gek geworden?

RAE: [tegen Henry] Ik mag van jou nooit stroop op mijn flensjes. Waarom Isabel wel?

[Ik haal de fles stroop uit de provisiekast en giet het over de flensjes.]

HENRY: Rae, je zus is – officieel – een volwassen vrouw en zij mag doen wat ze wil. De situatie waar jij naar verwijst was, en dat weet je vast nog wel, heel anders. Jij eiste dat ik flensjes voor je zou maken. Ik maakte de flensjes, daarna spuugde je je halfverteerde eten terug op je bord en vroeg om stroop om wat volgens mij alleen maar flensjessoep kon zijn te maken.

RAE: Ben je boos op me?

HENRY: Natuurlijk ben ik boos op je. Wat jij vannacht hebt gedaan was 1) illegaal, 2) onverantwoordelijk en 3) heel gevaarlijk.

RAE: Het spijt me, Henry. Echt waar. Ik ben nou eenmaal nooit eerder dronken geweest en ik wilde eens proberen hoe het is. [Ja, ik heb de bekentenis vastgelegd op band!]

HENRY: Het zal dus niet weer gebeuren?

RAE: Niet voor ik ga studeren.*

HENRY: Juist.**

[Langdurige stilte]

RAE: Bedankt dat je me bent komen halen.

HENRY: Graag gedaan.

RAE: Ik wist wel dat je me niet in mijn eigen kots zou laten stikken.

ISABEL: Er proberen hier mensen te eten.

RAE: Neem me niet kwalijk.

[Ik doe mijn hand in mijn zak om mijn recorder af te zetten, aangezien ik voldoende bewijs heb, maar Stone betrapt me vanuit zijn ooghoek.]

STONE: Ben je aan het opnemen?

ISABEL: Ja.

[Einde van de opname.]

Henry probeerde het uur erna David te bereiken, die naar zijn mening de volledige verantwoordelijkheid voor zijn ontspoorde zusters op zich moest nemen. Toen Henry hem eindelijk te pakken had, klonk zijn aandeel in het gesprek als volgt:

'David, met Henry Stone. Prima. En met jou? Aha. Juist. Je bent

---

* Ze krabde aan haar neus en vermeed oogcontact terwijl ze dit zei. Volgens de interpretatie van de elementaire lichaamstaal was dit vrijwel zeker een leugen.
** De leugen bleef niet onopgemerkt.

219

wáár? Echt waar? Je zit in een yogacentrum. Mmm. Souplesse is inderdaad belangrijk. Kan ik je op de een of andere manier overhalen om thuis te komen...? Nee, het is niet echt een noodgeval, maar volgens mij heeft Isabel een gekneusde of gebroken rib of zoiets. Nee, ze hoest geen bloed op, maar toch. Uh-huh. Nou ja, volgens mij moet iemand je zusjes in de gaten houden... Ik weet ook wel dat Isabel een volwassen vrouw is, maar... ik begrijp het. Juist. Oké. Ja. Dat zal ik haar zeggen. Graag gedaan. Tot ziens.'

'Wat zei hij?'

'Hij zit in een yogacentrum in Noord-Californië. Hij moet zijn hoofd leegmaken.'

'Waarvan?' vroeg ik.

'Daar hebben we het niet over gehad. Hij zei dat je naar mij moest luisteren en naar een dokter moest gaan.'

'Geen dokters!'

'Waarom zeg je dat steeds?'

Ik gaf geen antwoord uit vrees dat ik mezelf dan zou beschuldigen. Rae vertaalde mijn zwijgen: 'Ze wil niet omdat mama alle verzekeringspapieren krijgt en dan ontdekt hoe Isabel zichzelf heeft geblesseerd.'

'Dan hoort ze dat je van de trap bent gevallen, nou en?' zei Henry.

Rae rolde met haar ogen.

'Is dat dan niet gebeurd?' vroeg Henry.

Ik keerde me naar Rae en keek haar woedend aan. 'Je houdt je mond of er zwaait wat.'

De bel ging. Rae deed de deur open en daar stonden twee politieagenten in uniform.

'Is Isabel Spellman thuis?' vroeg agent Carmichael, die een nepkleurtje leek te hebben.

'Ik zal even kijken,' antwoordde Rae, waarna ze mij aankeek voor nadere instructies.

Henry pakte me bij de arm en begeleidde me naar de deur.

'Dag, agenten, ik ben inspecteur Henry Stone en dit is Isabel Spellman. Wat is het probleem?'

De andere agent, Townsend, wiens lichamelijke nietszeggendheid het enige opmerkelijke aan hem was, hield zijn mond en liet zijn partner het woord voeren.

'We hebben een klacht ontvangen van uw buurman, Mr. John Brown. Kennelijk heeft eergisteravond iemand geprobeerd tijdens zijn afwezigheid in zijn appartement in te breken. Mr. Brown werd gebeld door een andere buur die beweert een vrouw op een ladder vlak bij zijn kantoorraam te hebben gezien, en toen hij zijn kantoor onderzocht, ontdekte hij een schroevendraaier op de grond, die volgens hem werd gebruikt om het raam open te wrikken. Weet u daar iets van, Ms. Spellman?'

'Nee. Het spijt me, nee. Dacht Mr. Brown dat ik degene was die bij hem probeerde in te breken?'

'Dat dacht Mr. Brown niet, maar volgens hem zei de buur die hem inlichtte dat u het was.'

'Kunt u me zeggen wie die buur was?'

'Dat mag ik u niet vertellen,' antwoordde de sprekende agent.

'Goed, ik kan u verzekeren dat ik niets te maken heb met de poging tot inbraak, maar ik zal vanaf nu goed opletten of er dieven zijn. Bedankt voor de waarschuwing.'

'Wat dat alles, agenten?' zei Henry op autoritaire toon.

'Nog één ding. Mr. Brown vroeg ons aan u door te geven dat hij niet zou aarzelen een contactverbod voor u te vragen als hij dat nodig acht.'

'Zo ver zal het vast niet komen,' antwoordde ik.

Henry en ik zeiden de agenten beleefd gedag. Zodra ik de voordeur had dichtgedaan, greep hij me bij de schouders en keek me recht aan.

'Je bent van een ladder gevallen toen je probeerde bij die vent in te breken, nietwaar? Heb je jezelf zo geblesseerd?'

'Nietwaar,' zei ik, bijna overtuigend.

'Wat is er aan de hand tussen jullie twee?'

'Niets, niet meer.'

'Je hebt geen verhouding met hem?'

'Nee.'

'Waarom probeer je dan bij hem in te breken?'

'Omdat hij slecht is.'

'Hoezo is hij slecht?'

'Dat weet ik niet! Daar probeer ik nou juist achter te komen.'
Henry probeerde me met zijn teleurgestelde blik te vernederen.
'Pak je jas, we gaan.'

'Ik dacht het niet,' antwoordde ik.

Henry liep naar me toe en keek me ijzig aan. 'Moet ik je ouders soms vertellen over het bezoekje van de agenten?'

'Nee,' antwoordde ik.

'Mooi. Dan hoef je alleen nog maar te beslissen of je als ontsnapte gek of als een beschaafd mens in het ziekenhuis wilt komen. Je hebt tien minuten om je wel of niet aan te kleden. Jij mag het zeggen,' zei hij, en ik ging naar boven om mezelf met enige waardigheid te tooien.

Vier uur later, na drie uur te hebben gewacht op de eerstehulpafdeling van San Francisco General Hospital, werd er een röntgenfoto van me gemaakt en bleek ik een kleine ribfractuur te hebben; ik kreeg pijnstillers en kreeg te horen dat ik het de eerstvolgende zes weken rustig aan moest doen. Henry was prikkelbaar, dus herhaalde ik op de terugweg maar niet dat we net een zesde van een dag en vijfhonderd dollar eigen risico waren kwijtgeraakt die we nooit meer terug zouden krijgen. Mijn enige wraak was de opname van de volgende aflevering van The Stone and Spellman Show op de terugweg. Rae had in het ziekenhuis een paar brochures over orgaandonatie doorgekeken. Dat had haar aan het denken gezet.

De Stone en Spellman-show

Het afschrift luidt als volgt:

[Rae, Henry en Isabel verlaten San Francisco General Hospital.]

RAE: Voorin!

ISABEL: Je doet maar.

[We gaan in de auto zitten en rijden de parkeerplaats af. Rae zet de radio aan en gaat de verschillende zenders langs.]

RAE: Wat is er met mijn radiostations gebeurd?

HENRY: Waar heb je het over?

RAE: Ik had de onderste drie knoppen voorgeprogrammeerd op mijn stations.

HENRY: Wanneer?

RAE: Al een tijd terug.

HENRY: Ik heb ze veranderd.

RAE: Maar ik had de bovenste drie stations voor jou bewaard. Dat was hartstikke eerlijk. Ieder de helft.

HENRY: Rae, dit is mijn auto. Ik mag alle stations programmeren.

RAE: Jij bent zo prehistorisch.

[Henry moet daar altijd om lachen. Ik heb geen idee waarom.]

HENRY: Noem me niet meer zo!

RAE: Ik ga het laatste station programmeren. Probeer eraf te blijven, als je kunt.

HENRY: Ik beloof niks.

RAE: Hebben jullie die folders over orgaandonatie in het ziekenhuis gelezen?

HENRY: Ja. Het is dieptreurig.

RAE: Er moeten meer mensen organen doneren.

HENRY: Helemaal mee eens.

RAE: Als ik doodga, sta ik alles af.

ISABEL: Als jij doodgaat, Rae, zijn je organen hoogstwaarschijnlijk te oud om iemand te kunnen helpen.

RAE: Dat is de moeilijkheid. Je kunt ze niet doneren als je nog leeft.

ISABEL: Behalve een nier. Je kunt een nier doneren.

[Lange stilte.]

RAE: Als jij ooit een nier nodig hebt, Henry, mag je er een van mij hebben.

HENRY: Dank je wel, maar volgens mij ben jij nog te jong om nieren te doneren.

RAE: Je zou hem dus niet aannemen?

HENRY: Nee.

RAE: Ook als dat zou betekenen dat je misschien doodgaat?

HENRY: Inderdaad.

ISABEL: Mag ik een nier hebben?

RAE: Alleen als Henry hem niet nodig heeft.

ISABEL: Hij zei net dat hij geen nier van jou zou aannemen.

RAE: En Isabel? Zou je een nier van haar aannemen?

HENRY: Nee, ik vermoed dat Isabel haar beide nieren nodig zal hebben.

ISABEL: Je bent heel grappig.

RAE: Van wie neem je liever een nier aan, van mij of van Isabel?

ISABEL: Wie zei dat ik iets in de aanbieding had?

RAE: Het is een hypothetische vraag.

HENRY: Mooi gezegd.

RAE: Nou?

HENRY: Nou, ik zou van geen van jullie beiden een nier aannemen.

RAE: Maar je moet kiezen. Dat zijn de spelregels.

HENRY: Volgens mij bestaat zo'n spel niet.

RAE: Ik heb het net bedacht. Het heet Kies je Orgaandonor.

HENRY: Ik heb geen zin in dat spel.

RAE: Alsjeblieft.

ISABEL: Geef nou gewoon antwoord, Henry.

HENRY: Oké. Ik neem eerder Isabels nier dan de jouwe.

RAE: Dat is een onverstandig besluit.

HENRY: Waarom?

RAE: Omdat mijn nieren wel beter moeten zijn dan die van Isabel.

ISABEL: Hoe weet je dat?

RAE: Omdat ik duidelijk een superieure levensvorm ben in vergelijking met Isabel.

[Henry betrapt me er in de achteruitkijkspiegel op dat ik de batterijen van de digitale recorder controleer.]

HENRY: Isabel, neem je dit op?

ISABEL: Ja.

HENRY: Zet af!

De eeuwige vraag

'Waarom bewaart iemand zijn eigen snot?' vroeg Rae aan Henry, terwijl ze de borden opruimde. Mijn zusje stond erop dat Henry zou blijven eten voor het geval ik een allergische reactie op de pijnstillers zou krijgen.*

Het was het antwoord op die vraag dat eindelijk een ander licht wierp op Raes onwrikbare liefde voor de man.

'Je ziet het te letterlijk, Rae,' zei Henry. 'Volgens mij heeft hij geen doel voor zijn gebruikte zakdoekjes. Volgens mij is het bewaren ervan gewoon een symptoom van een andere psychologische aandrang.'

'Dus hij bewaart zijn snot omdat hij gek is?'

'Nee,' zei Henry in reactie op Raes opmerking, en vervolgens: 'Nee. Je moet deze schaal beter afspoelen,' in reactie op haar inlaadkwaliteiten. 'Je moet niet alleen naar het resultaat van zijn handelingen kijken, een la vol gebruikte zakdoekjes. Kijk naar de handeling zelf.'

'Dat hij zijn neus snuit?' vroeg Rae. 'Hij is dus verkouden.'

'Denk na, Rae. Wat doet hij?'

'Hij bewaart zijn snot.'

'Juist. Hij bewaart iets. Sommige mensen verzamelen poppen of postzegels of ze bewaren elke ansichtkaart die ze krijgen, maar ben je nooit iemand tegengekomen die iets verzamelde dat misschien een tikje ongebruikelijk was?'

'Die keer dat ik op kamp was, sliep ik naast een meisje dat altijd haar nagels afbeet en die bewaarde in een oud pepermuntdoosje.'

'Nog meer?'

'Mr. Lubovich, van om de hoek, die bewaart zijn kranten. Hij

---

* Een zuiver manipulatieve tactiek om Henry langer in de buurt te houden.

226

heeft minstens een paar jaargangen in zijn huis. En hij weigert ze weg te doen.'

'Ik zal je iets laten zien,' zei Henry, en hij wandelde naar de provisiekast en deed de deur open.

'Hoeveel dozen Froot Loops, Cocoa Puffs en Cap'n Crunch staan hier?'

'De laatste keer dat ik ze telde waren het er twintig,' zei Rae.

'Je mag die dingen toch alleen in het weekend eten?'

'Ja.'

'En we mogen aannemen dat je niet meer dan één doos per weekend eet?'

'Ik probeer te minderen,' antwoordde Rae.

'Je hebt dus een voorraad cereals voor bijna vijf maanden in de provisiekast.'

'Wat wil je daarmee zeggen?'

'Jij hamstert cereals. Mr. Lubovich hamstert kranten. Mr. Peabody hamstert gebruikte tissues. Het symptoom verschilt, maar ik weet niet zeker of dat ook voor de impuls geldt.'

'Nee! Nee! Nee!' schreeuwde Rae bij wijze van zwakke verdediging. 'Stel je mijn cerealverzameling gelijk aan het bewaren van een weekopbrengst aan slijmerige snotlappen in een bureaula?'

'Je gebruik van het woord "gelijkstellen" bevalt me. Dat was heel goed,' antwoordde Henry.

'Dat zijn twee volkomen andere dingen, Henry. Wat ik doe is gebaseerd op overleven.'

'Hoe dan?'

'Heb je wel eens gehoord van voorbereid zijn op aardbevingen?'

'Zeker wel,' antwoordde Henry. 'Maar als jij zo bang bent voor een natuurramp, waarom staan daar dan geen flessen water?'

Rae staarde Henry uitdrukkingloos aan.

'Ik wil gewoon graag dat je objectief bent,' zei hij, waarmee hij het gesprek voor eens en altijd beëindigde.

'Verdomme!' riep ik uit.

'Wat is er aan de hand?' vroeg Henry.

'De batterijen van de taperecorder zijn leeg. Mam zou deze heerlijk hebben gevonden. Kunnen jullie het misschien even overdoen?'

Henry nam de taperecorder in beslag.

Ik nam een halve pijnstiller als toetje en besloot naar buiten te glippen voor wat R&V.*

'Waar ga jij heen?' vroeg Henry, toen ik voorzichtig mijn regenjas aantrok.

'Sorry, papa. Heb ik ook huisarrest?' vroeg ik.

'Je mag niet rijden, Isabel.'

Ik gooide mijn autosleutels naar Henry. 'Rij jij dan maar.'

'Oké,' zei Henry onverwacht. 'Laten we gaan.'

'Mag ik ook mee?' vroeg Rae.

'Jij hebt huisarrest,' antwoordde Stone.

'Laat ook maar,' antwoordde Rae, en ze pakte de afstandsbediening en plofte neer op de bank.

*Research en verkenning.

Inlichtingen verzamelen

'Linksaf. Rechtsaf.'

'Hier?'

'Dat is een oprit. Bij de volgende weg rechts.'

'En dan?'

'Rechtdoor.'

'Tot waar?'

'Tot ik zeg dat je af moet slaan. Als ik had geweten dat je zo'n nieuwsgierige chauffeur was, zou ik ondanks de pijn zelf hebben gereden.'

'Waarom vertel je me niet gewoon waar we heen gaan? Ik weet misschien een kortere weg,' zei Henry.

'Ik weet niet zeker waar we heen gaan. Ik moet op mijn schreden terugkeren, bij wijze van spreken.'

'Misschien wil je me wel vertellen waarom we erheen gaan?'

'Parkeer nou maar, chauffeur.'

Henry zette de auto op een plekje zo'n vier huizen verwijderd van het huis in Excelsior waarheen ik Subject twee avonden ervoor gevolgd was.

'Wacht hier. Ik ben zo terug.'

Henry greep mijn arm vast voor ik uit kon stappen.

'Vertel me eerst wat je gaat doen.'

'Ik controleer gewoon een adres van een observatieklus die ik laatst deed. Subject was op weg en het was te donker om de nummers te lezen. Ik moet het in mijn rapport zetten.'*

Henry liet mijn arm los. 'Goed.'

* Goed ben ik, hè?

229

Ik noteerde het adres, San Jose Avenue 1341. Omdat het binnen donker was, dacht ik dat ik rustig de naam op de brievenbus kon controleren. Ik zou een omgekeerde adresopsporing kunnen doen, maar als de eigenaar het huis verhuurde, zou ik de naam van de echte bewoners niet achterhalen.

MR. EN MRS. DAVIS

Volgens de officiële telling van 1990 is Davis de op vijf na meest-voorkomende achternaam in de Verenigde Staten. Ik heb dit al eens eerder gezegd en ook in mijn vorige document*, dus ik wil niet in herhaling vallen, maar de veelvoorkomende naam maakt mijn werk buitengewoon lastig. In plaats van de brievenbus te bekijken en ervandoor te gaan, bleef ik even rondhangen bij het voorportaal van huize Davis (de veronderstelde 'Davis') en keek ik of er nog meer aanwijzingen waren voor de identiteit van de bewoner. Ik bleef, kort en goed, te lang hangen en een man die naar ik mocht aannemen alleen maar Mr. Davis kon zijn deed de voordeur van het huis open.

'Kan ik u helpen?' vroeg 'Mr. Davis'. Hij droeg een flanellen overhemd en een wit T-shirt, blauwe spijkerbroek en slippers. Aan zijn hand bungelde een blikje bier, zijn ogen leken me bloeddoor-lopen en hij had een vale huid, misschien door slaapgebrek of een vitaminetekort.

'Is Mary** thuis?'

'Mijn vrouw heet Jennifer,' zei de vermoedelijke Mr. Davis.

'Ik denk dat ik het verkeerde adres heb. Is er bij u vanavond toevallig een boekenclub?'

'Eh, nee.'

'Neem me niet kwalijk, ik zal het adres verkeerd hebben genoteerd.'

'Dat zal wel.'

'Prettige avond nog,' zei ik en maakte aanstalten om weg te lopen.

* Nu verkrijgbaar in paperback!
** Volgens dezelfde bron als hierboven de meest populaire meisjesnaam.

'Hé daar,' zei de vermoedelijke Mr. Davis.

'Ja?' antwoordde ik, me weer omdraaiend.

'Waar is je boek?'

'Pardon?'

'Je was op weg naar een boekenclub. Ik vroeg me af waar je boek is?'

'O, ik lees het boek nooit,' zei ik. 'Ik ga alleen voor de gratis drank. Tot ziens.'

'We gaan,' zei ik tegen Henry zodra ik weer in zijn auto zat.

'Heb je een nieuwe vriend?'

'Neu. Ik ben betrapt, verder niks.'

Stone en ik reden zwijgend naar huis. Het was een lange dag geweest en waar ik het meeste behoefte aan had, was nog een hele nacht van door bedwelmende middelen opgewekte rust. Als een mens niet hoefde te ademen, zou ik pijnvrij zijn. Maar je weet hoe het gaat.

Henry stopte bij huize Spellman. Op het moment dat ik de deur wilde openen, kreeg ik een flashback over het avontuur van de avond ervoor.

'Wie was die jongen, Henry?'

'Welke jongen?'

'Op dat feestje. Jij liep recht op hem af en schudde hem heen en weer en zei zoiets als "je stelt me teleur".'

'Dat kan ik me niet herinneren,' antwoordde Henry nonchalant.

'Ik weet het nog wel en ik zat onder de pijnstillers.'

'Je zou ook kunnen zeggen,' antwoordde Henry, 'dat jouw geheugen door al die medicijnen wordt vertroebeld.'

'Je kende die jongen. Wie was dat?'

'Ik heb geen idee waar je het over hebt.'

'Je kunt slecht liegen.'

'Ik heb niet zoveel geoefend als jij.'

'Wie was die jongen?'

'Isabel, ik heb nu ongeveer twintig uur achter elkaar samen met jou doorgebracht.'

'Ik heb ook genoten van ons samenzijn.'

'Verdwijn uit mijn auto,' zei Henry in een poging dreigend te klinken.

Ik keek onderzoekend naar Stones onverstoorbare gezichtsuitdrukking om zijn vastberadenheid te peilen.

'Goed, slaap lekker.'

Toen deed ik iets heel geks. Ik gaf hem een kus op zijn wang. Henry deinsde lichtjes terug toen ik me naar hem toe bewoog, alsof hij bang was dat ik hem zou verwonden.

'Sorry,' zei ik, en ik voelde het schaamrood op mijn kaken. 'Ik heb géén idee waarom ik dat deed.'

'Het komt vast door die pillen.'

'Vast,' bauwde ik hem na, terwijl ik uit de auto stapte.

Alleen thuis

HOOFDSTUK 5

Ik ging huize Spellman binnen, waar ik mijn zusje aantrof die voor
de televisie was neergeploft en naar een of andere oude sciencefic-
tionfilm op dvd keek.

'Waar kijk je naar?'

'Doctor Who: The Five Doctors.'

'Waar heb je die vandaan?'

'Van Henry. Die heeft echt alle veertig jaar Doctor Who op dvd. Ik
wilde alleen de nieuwe serie zien, maar dat mag ik pas van hem als
ik iets van het oude materiaal heb gezien. Hij heeft zo veel regels,'
zei Rae.

'Inderdaad,' erkende ik. 'Op dat feestje,' zei ik, van onderwerp
veranderend, 'was een jongen van ongeveer 16, 17 jaar. Slungelig,
zandbruin haar, geheel gehuld in skaterkleren. Henry greep hem
bij zijn schouders toen we binnen waren gedrongen en zei tegen
hem: "Je stelt me teleur." Nou?'

'Nou wat?'

'Geef antwoord.'

'Je stelde helemaal geen vraag.'

'Rae, wie was die skatergozer?'

'Volgens mij heet hij Dylan Loomis, maar er waren wel meer jongens die voldoen aan dat signalement.'

'Waarom zou Henry hebben gezegd: "Je stelt me teleur"?'

'Weet ik veel. Heb je het aan Henry gevraagd?'

'Ja.'

'Wat zei hij?' vroeg Rae, terwijl ze me aankeek. Tot dat moment
was haar gedrag onverschillig geweest. Maar het antwoord op die
vraag interesseerde haar echt.

'Hij zei niks. Maar er is geen reden waarom hij teleurgesteld zou
zijn over een willekeurige jongen op een feestje waar jij was. Dus

de volgende vraag is: is Dylan Loomis de echte naam van je vriendje of heb je een valse naam opgegeven om mij nog even op een dwaalspoor te houden? En reken maar dat die laatste zin in de vragende vorm was.'

Rae drukte op de 'play'-knop en verlegde haar aandacht naar vijf middelbare mannen in laboratoriumjassen. Ik dacht eventjes terug aan mijn eigen puberteit en dacht dat Rae misschien een betere kans zou hebben dan ik als ik niet zou aandringen, me er niet mee zou bemoeien. Dus liet ik het onderwerp rusten. Voorlopig.

'Moet je horen. Het gaat mij niks aan, maar je kunt op feestjes waarschijnlijk beter een tijdje van het bier afblijven.'

Deze keer drukte Rae op de pauzeknop. 'Ga je het aan pap en mam vertellen?'

'Als ik het niet doe, doet Henry het wel. Je was dronken op een feestje, Rae.'

'Nee, dat andere.'

'Weten ze niet dat je misschien een vriendje hebt?'

'Uh-uh.'

'Waarom weet Henry het wel en pap en mam niet?'

'Omdat ik alles aan Henry vertel,' zei Rae, terwijl ze opstond en keek of er nog meer snacks in de provisiekast lagen. Rae pakte een zak chips en een blikje limonade en ging weer op de bank zitten. 'Dus je vertelt het niet?'

'Ik weet het niet. Daar moet ik over nadenken.'

'Ik heb iets in de aanbieding in ruil voor je zwijgen,' zei ze op samenzweerderige toon.

'Wat dan?'

'Als je dan toch iemand van de familie wilt onderzoeken, waarom kies je dan niet een dankbaarder object?'

'Wie?'

'Papa.'

'Wat is er dan met hem?'

'Volgens mij heeft hij geen VUTWA.'

'Wat bedoel je, Rae?'

'Kijk maar eens in het dashboardkastje van zijn auto.'

Verdachtgedragverslag #10.1

'Albert Spellman'

Vertrouwelijke informanten zijn bij alle onderzoekswerk gebruikelijk, maar dit was de eerste keer dat Rae informatie doorgaf in plaats van die zelf te benutten. Het klopt dat ik het gedrag van mijn vader de laatste tijd verdacht vond, maar ik keek nooit verder dan de natte haren, de bladerrijke groenten en pogingen tot diepe gesprekken over leven en dood. Ik dacht alleen maar dat pap zijn zoveelste VUTWA doormaakte. Maar toen ik zijn dashboardkastje had geopend, besloot ik dat het verdachtgedragverslag moest worden bijgewerkt.

Ik vond drie pillendoosjes met kindersluiting op recept van ene dokter Nate Glasser van het California Pacific Medical Center. Ik deed de flesjes in mijn zak (pap en mam zouden nog drie dagen wegblijven) en ging weer naar binnen. Ik drukte op de pauzeknop van de afstandbediening en vroeg Rae of zij al op internet had gezocht. Ze zei van niet; ze was bang voor wat ze misschien zou ontdekken. Ik zei dat ze zich geen zorgen hoefde te maken. Ik loog en zei dat ik ervan overtuigd was dat papa niks mankeerde. Ik moest me enorm inhouden om de recepten zelf te onderzoeken, maar ik wachtte tot de volgende middag, wanneer ik met Morty zou gaan lunchen bij Moishe's Pippic.*

*Onze vaste lunchafspraak is op donderdag, maar ik kon niet wachten en Morty was zoals gewoonlijk vrij.

235

Zondag 19 maart

11.00 uur*

Morty bestelde decafé met zijn eeuwige pastramisandwich. Ik bedacht dat de combinatie van koffie met sandwich misschien wel een van de duidelijkste symbolen van onze generatieverschillen was. Ik kan weinig dingen bedenken die zo onsmakelijk zijn. Toen deed Morty wat hij gewoonlijk deed als hij een kop koffie had gekregen; hij brandde zijn tong aan het brouwsel en deed een ijsklontje in zijn kopje. Daarna begon hij te praten en vergat hij zijn decafé.

'Je zei gisteren door de telefoon dat je me om een gunst wilde vragen.'

'Ik vroeg me af of je me het telefoonnummer van je zoon kon geven.'

'Ik dacht dat je hem te oud vond.'

'Dat is ook zo. Maar ik wil hem iets vragen over een recept dat ik vond in het dashboardkastje van mijn vader.'

Morty schreef het nummer op, nam een paar slordige hapjes van zijn sandwich en een slokje van zijn koffie. In de tussentijd was de drank in de lauwe fase aanbeland en zoals gewoonlijk riep Morty de serveerster erbij.

'Wil je deze voor me opwarmen, schat?' vroeg hij met een knipoog.

De serveerster, Gayle, die op de hoogte was van Morty's modus operandi aangaande warme drank, verborg haar ergernis achter een flauwe glimlach, nam de koffie mee achter de bar en zette hem in de magnetron.

---

* Morty neemt de meeste maaltijden bij voorkeur aan de vroege kant.

'Je bent zo voorspelbaar,' zei ik tegen Morty.

'Hou jij van lauwe koffie?'

'Laat maar.'

'Oké.'

De serveerster kwam terug met Morty's koffie en Morty nam, als in een déjà vu, een slokje, trok een pijnlijk gezicht, zei 'te warm', deed een ijsklontje in de drank, babbelde verder over een partijtje bridge van kort ervoor, nam twee slokjes koffie en vroeg aan de serveerster of ze hem weer wilde opwarmen.

Het 'advocatenkantoor' van Mort Schilling

Maandag 24 april
12.45 uur

'Je overdrijft,' zei Morty als reactie op mijn relaas over zijn obsessie met de temperatuur van de koffie.

'Elke keer,' antwoordde ik.

'Bah,' zei Morty, en hij maakte een misprijzend handgebaar. 'Kunnen we doorgaan?'

'Natuurlijk.'

'En, heb je het met mijn zoon over het recept van je vader gehad?'

'Ja. Het waren recepten voor Lisinopril, Zocor en Coreg. Volgens jouw zoon is dat het gebruikelijke regime voor aandoeningen aan de kransslagader. Ik vertelde hem over mijn vaders veranderde leefstijl van de laatste tijd en je zoon vermoedde dat mijn pa uit alle macht een hartoperatie probeerde te vermijden.'

'En je moeder wist van niets?'

'Ze had geen idee. Ze wist wel dat hij een probleempje met zijn cholesterol had, maar meer ook niet. Zij dacht dat hij gewoon besloten had wat beter op zijn gezondheid te letten. Ik bedoel, hij hield de mate van zijn gezonde activiteiten verborgen. Als hij naar de fitness kon gaan of een vegetarische maaltijd kon nemen zonder dat zij het wist, zou hij dat doen. Want als ze de omvang van de omslag zou hebben opgemerkt, dan had ze geweten dat er iets ergers aan de hand was.'

'En wat heb je gedaan?'

Ik loop weer te ver op de zaken vooruit. De kwestie van mijn vader had voorrang, maar ik moet toegeven dat de zaak van John Brown veel intrigerender was.

Subject drie dagen niet waargenomen...

Maandag 20 maart
18.30 uur

John Brown en zijn voertuig werden ondanks mijn onophoudelijke wake bij de woning van Subject in de drie dagen na het debacle van St. Patrick's Day niet waargenomen. Zonder Subject die me een bepaalde richting op wees, kon mijn onderzoek geen kant op, behalve terug naar het uitgangspunt. Aangezien ik in de woning in Excelsior bekendstond als een zogenaamd boekenclublid dat de weg kwijt was, kon ik niet zonder achterdocht te wekken teruggaan om nadere inlichtingen in te winnen. En daarom wendde ik me tot de enige persoon die ik kende die me bij mijn onderzoek wilde en kon bijstaan.

'Wat is mijn dekmantel?' vroeg Rae.

Ik deed het afluisterinstrument in mijn oor en keek vanuit mijn auto – op ongeveer een half voetbalveld afstand geparkeerd – hoe mijn zusje bij San Jose Avenue 1341 op de deur klopte.

Het afschrift luidt als volgt:

[Geluid van klop op de deur.]

MR. DAVIS: Wat kan ik voor u doen?

RAE: Hallo, mijn naam is Mary Anne Carmichael. Is Mrs. Davis thuis?

MR. DAVIS: Nee. Mag ik weten waar het over gaat?

RAE: Ik ben bij de padvindsters en ik heb haar een paar weken terug koekjes verkocht. Ik kwam ze afgeven en de betaling ophalen.

MR. DAVIS: Je draagt geen uniform.

RAE: We hebben geen uniform meer. Dan zien we eruit als nonnen.

MR. DAVIS: Ze is er niet. Ik weet niet of ik wel geld heb.

RAE: Weet u wanneer ze er weer is?

MR. DAVIS: Nee.

RAE: Weet u niet wanneer uw vrouw thuiskomt?

MR. DAVIS: Nee.

RAE: Het spijt me. Mijn ouders zijn ook gescheiden. Dat is voor alle partijen moeilijk.

MR. DAVIS: We gaan niet scheiden.

RAE: Waarom weet u dan niet waar uw vrouw is?

MR. DAVIS: Omdat ze wordt vermist.

RAE: Heeft u de politie gebeld?

MR. DAVIS: Uiteraard.

RAE: Hoelang wordt ze al vermist?

MR. DAVIS: Ongeveer twee weken.

RAE: Is er een misdrijf in het spel?

Ik waardeerde de grondigheid van Raes ondervraging, maar ze ging te ver. Ik belde haar op haar mobieltje.

RAE: Neem me niet kwalijk. [neemt de telefoon aan] Met Mary Anne.

ISABEL: Je dekmantel was een padvindster, niet inspecteur Poirot. Ophouden nu.

RAE: [in de telefoon] Ja, mam. Ja, mam. Ik verstond je wel. Dag. [tegen Mr. Davis] Ik vind het vreselijk wat u is overkomen. Ik hoop dat alles goed komt. U mag de koekjes voor niks hebben. Het spijt me dat ik u heb lastiggevallen.
[Einde van de band.]

'Die koekjes waren zo'n vier jaar oud,' zei ik op de terugweg tegen Rae.

'Dat weet ik. Daarom heb ik ze ook aan hem gegeven.'

'Hoe zag hij eruit?'

'Bezorgd. Hij zag eruit alsof hij niet had geslapen. Van wat ik kon zien in het huis, leek het een enorme bende.'

Mijn gedachten schoten alle kanten op. Ik probeerde de ontmoeting van Subject en Mrs. Davis niet in verband te brengen met haar plotselinge verdwijning, maar het was onmogelijk om dat verband niet te leggen. Ik kwam opnieuw tot dezelfde conclusie: ik moest en zou in dat gesloten kantoor komen.

Toen Rae en ik thuiskwamen, controleerden we onze e-mail in de hoop op een verwachte aankomsttijd van pap en mam de volgende dag, maar geen van beiden had een bericht gestuurd. Maar er was wel een bericht van Petra.

Van: Petra Clark
Verzonden: 20 maart
Aan: Isabel Spellman
Onderwerp: Geen mobiele ontvangst

Hoi, ik weet dat je geprobeerd hebt me te bellen, maar ik ben naar een kuuroord in de Arizona-woestijn gegaan en hier is geen ontvangst. Ik ben ongeveer een week niet bereikbaar, maar ik bel je zodra ik weer in de bewoonde wereld ben.

Ik geloofde geen woord van Petra's mededeling en stuurde haar meteen een e-mailtje terug.

Van: Isabel Spellman
Verzonden: 20 maart
Aan: Petra Clark
Onderwerp: Re: Geen mobiele ontvangst

Wil je me soms wijsmaken dat er in jouw mysterieuze verblijfplaats geen landlijnen zijn? Ik neem aan dat je me mijdt, maar waarom? Ik sta aan jouw kant. Ik meen het, Petra, bel me terug. Ik begin me zorgen over je te maken...

Operatie Gesloten Deur

DEEL III

Woensdag 22 maart
9.00 uur

Met een laatste schoonmaakbeurt bereidden Rae en ik ons voor op de terugkeer van onze ouders de volgende dag. Onder normale omstandigheden zouden Rae en ik er weer een puinhoop van gemaakt hebben, maar Henry's aanwezigheid had ons gebruikelijke gedrag getemperd. Hij dwong Rae zelfs haar kast op te ruimen. Mijn zus en ik hoefden alleen maar iets te doen aan de stapel afwas die sinds Henry's vertrek was gegroeid, wat opmerkelijk was als je bedacht hoe weinig tijd er verstreken was. Terwijl we de resten van de borden schraapten en ze in de afwasmachine zetten, realiseerde ik me dat ik die avond voor het laatst zonder het scherpe toezicht van de ouderlijke Eenheid Subjects huis kon doorzoeken (d.w.z. er kon inbreken). Het viel niet te zeggen wanneer ze hun volgende verdwijning zouden houden.

Ik zag dat Subject voor zijn vertrek was vergeten het raam van zijn geheime kamer dicht te doen. Sterker nog, het was de eerste keer dat ik dat raam wijdopen zag staan. Dat beschouwde ik als een voorteken, een kans die ik niet mocht laten lopen. Ik wachtte tot het avond was, zette mijn mobieltje op trilfunctie en deed het in mijn kontzak. Ik holde de trap af naar Rae, die een laatste (tot het weekend erna) afscheidsportie Rice Krispies Treats klaarmaakte.*
Ik deed de lichten in de zitkamer uit en duwde mijn zusje naar het raam.

'Ik denk niet dat hij vanavond terugkomt, maar als Subject zijn

---

* Ik had de 'alleen in het weekend suiker'-regel versoepeld, want ik had gedurende mijn verblijf al zo veel ernstigere regels geschonden.

oprit komt oprijden, moet je me op mijn mobieltje bellen. Verlaat deze plaats niet voor ik je toestemming geef.'

'Wat ga jij doen?' vroeg Rae achterdochtig.

'Maak je daar maar geen zorgen over; alleen mijn mobieltje bellen als Subject thuiskomt.'

Ik rende naar boven naar Davids oude kamertje, duwde het raam op het oosten helemaal open, pakte de ladder die me eerder in de steek had gelaten en stak hem over de kleine twee meter die de woning van Subject van huize Spellman scheidde.

Ik duikelde door het gewicht van de uitgeschoven ladder bijna voorover. Maar ik wierp mijn gewicht op het uiteinde en slaagde erin de ladder over de laatste vijftig centimeter naar het raam van Subjects kantoor te schuiven en zo de kloof tussen de twee huizen te overbruggen. Ik hoopte dat de ingevallen duisternis mijn escapade inmiddels aan het oog onttrok.

Ik was me ervan bewust dat mijn voorgenomen daad een misdrijf was, maar mijn geloof in mijn zoektocht woog zwaarder dan wat er nog aan morele twijfel over was. Het was eenvoudig gezegd aanvaardbaar om de wet te overtreden als dat betekende dat Subject werd ontmaskerd als dader, waar hij dan ook maar schuldig aan mocht zijn.

Ik heb geen hoogtevrees en ik zoek evenmin naar spanning (althans niet in de bungeejumpingschool van het spanning opzoeken), maar ik was behoorlijk bang toen ik op zo'n vierenhalve meter boven de grond over de ladder kroop. Mijn overtocht, waarbij de metalen randen diep in mijn schenen en knieën drukten, duurde niet langer dan veertig seconden. Enkel adrenaline verhulde de pijn die bij het naderen van Subjects raam begon op te komen. Ik duikelde voorover het kantoor binnen, stortte op de grond en greep van de pijn naar mijn benen.

Toen ik eenmaal in de verboden kamer was, besefte ik dat ik een zaklamp was vergeten. Ik besloot het risico te nemen en de plafonnière aan te doen. De kamer bestond uit een L-vormig bureau met een computer op het hoofdblad en twee printers en een laminator op het zijblad. Een van de kleurenprinters leek wel te kunnen worden gebruikt voor de productie van valse identiteitsbewijzen, al was er niets te zien dat dit feit bewees. Ik zette de computer aan en terwijl ik wachtte tot die was opgestart, probeerde ik de laden van alle archiefkasten. Op slot. Tijdens de volgende tien minuten maakte ik het slot van de archiefkast die het dichtst bij het bureau stond open. Er zaten een envelop met een stapeltje biljetten van vijftig dollar, volgens mijn schatting in totaal vijfhonderd* dollar, en twee creditcards op 'naam' van Subject in. In de onderste la van de archiefkast zaten persoonlijke rekeningen en facturen voor zijn bedrijf. Er was niet ongewoons. Er was ook geen reden waarom deze kamer vierentwintig uur per dag gesloten zou moeten zijn.

Ik bekeek de computer en zocht naar documenten, maar Subject leek een programma te gebruiken dat alle documenten verwijdert na gebruik. Er moest een externe harde schijf zijn vanwaaraf hij werkte. Ik veronderstelde dat hij de schijf in een van de andere gesloten kasten bewaarde en daarom begon ik aan de sloten te werken.

Ongeveer een kwartier nadat ik het kantoor was binnengegaan trilde mijn mobiele telefoon.

'Ja?'

'Kom nu terug,' zei Rae aan de andere kant van de lijn.

'Is hij terug?' vroeg ik, terwijl mijn hart keihard in mijn borst begon te bonzen.

'Snel,' zei ze, en ze hing op.

Ik speurde de kamer af op zoek naar sporen van mijn bezoekje. Ik zette de computer uit, legde de inhoud van de archiefkastlade recht en duwde het slot met mijn duim in. Ik had geen ruimte verwacht die zo was voorbereid op een mogelijke inbraak. De computer was gewist, de archiefkasten zaten op slot, de prullenmand was leeg. Toen ik richting het raam liep, besefte ik dat ik overal vingerafdrukken had achtergelaten. Ik trok de mouw van mijn shirt over mijn hand en maakte een paar snelle veegbewegingen in de hoop op zijn minst al mijn afdrukken weg te vegen.

Daarna klom ik uit het raam en kroop op de ladder en over de provisorische brug. Het einde van mijn circusoefening was een onhandige koprol Davids oude kamer in. Ik wilde me net concentre-

---

*Nog een detail voor verdachtgedragverslag: houdt flinke sommen geld bij de hand.

244

ren op het intrekken van de ladder toen ik Henry Stone op het bed zag zitten, met een ronduit woeste blik in zijn ogen, en Rae naast hem, met een zonder meer schuldbewuste blik.

Eerst het belangrijkste: dumpen van het bewijsmateriaal, afgezien van de rechtstreekse getuigen. Het kostte me ontzettend veel moeite om de ladder weer in de kamer te krijgen. Henry stond op om me te helpen toen ik de ladder van Subjects vensterbank had gerukt en ik de controle over het schommelende gewicht dreigde te verliezen. Hij duwde me opzij, trok de ladder de kamer in, sloot het slaapkamerraam en deed de gordijnen dicht.

Hij keek me onaangenaam lang aan.

'Rae, laat je Isabel en mij even alleen?'

'Nee, verklikker. Hier blijven,' zei ik. Rae moet hem zodra ik mezelf buiten het raam begaf hebben opgebeld.

'Noem haar geen verklikker,' snauwde Henry.

Ik keek mijn zus aan. 'Waar ligt je loyaliteit?' vroeg ik. 'Bij Henry of bij mij?'

Rae tuurde naar haar voeten. 'Het leek gevaarlijk. Echt gevaarlijk.'

'Laat haar met rust,' zei Stone. 'Rae, laat me eventjes.'

Rae ging de kamer uit, en ze besefte dat ik haar hoe dan ook terug zou pakken. Stone ging op bed zitten en nam de tijd om zijn verbale spervuur te formuleren.

'Ik ben een inspecteur van politie en was zojuist getuige van een misdrijf. Wat denk je dat ik moet doen?'

'Hij is ergens schuldig aan, en als ik weet wat, ben je me dankbaar.'

'Kun je ophouden?' vroeg hij. Het was veeleer een oprechte vraag dan een gebod.

'Ik denk het niet,' antwoordde ik, en ik voelde mijn ogen nat worden nu ik alles uit mijn handen voelde glippen. Het ging niet om mijn wil of mijn zelfbeheersing of mijn kennis van de wet. Ik kón niet stoppen. Ik wist dat het zou blijven kriebelen tot ik het antwoord had gevonden. Niets was nog belangrijk, behalve achterhalen waaraan John Brown schuldig was.

'Kun je je in hem vergissen, Isabel?'

'Misschien,' antwoordde ik. 'Ik heb al eerder aanwijzingen verkeerd geïnterpreteerd. Maar ik weet hoe iemand eruitziet die iets probeert te verbergen. Hij verbergt iets heel groots.'

Stone leek machteloos, leek te voelen dat mijn vastbeslotenheid groter was dan ik zelf. Hij stond op en liep naar de deur.

'Dit is geen manier van leven,' zei hij.

'Je meent 't.'

Stone opende zijn mond om nog iets te zeggen, maar hij schudde alleen maar zijn hoofd en vertrok.

Die avond aten Rae en ik pizza's als avondeten en Rice Krispies Treats toe. Daarna deden we de pizzadozen in de vuilnisemmer achter de buurtwinkel om de sporen uit te wissen.

Ik kon het niet opbrengen die avond nog Subjects huis te observeren, want ik wist dat ik niet kon instaan voor mijn eigen daden als ik ook maar het minste ongebruikelijke gedrag zou waarnemen. Natuurlijk bleven die daden nog steeds mijn verantwoordelijkheid – formeel gezien – maar zo zou het niet voelen.

Arrestatie #1

DEEL I

Donderdag 23 maart
8.00 uur

Mijn ouders konden hun vreugde niet verbergen over het feit dat ze weer op Spellmanse bodem waren geland. Ik denk dat zij elkaars enthousiasme ten onrechte aanzagen voor dat doodgewone blij-dat-ik-thuis-ben-gevoel. Een gevoel dat ik zelf al een hele tijd niet meer gehad had, aangezien ik helemaal geen eigen huis meer had.

Mijn moeder zette de bagage neer en begon aan haar inspectie. Rae* volgde al haar bewegingen en stelde onschuldige vragen over de cruise, maar probeerde stiekem te controleren of we bij onze schoonmaak iets hadden overgeslagen. Ik daarentegen hield papa nauwkeurig in de gaten. We zouden het binnenkort over zijn geheim moeten hebben. Maar ik besloot hem de tijd te geven om even echt aan te komen.

Toen de deurbel ging was mijn vader degene die opendeed. Ik hoorde het begin van het gesprek vanuit de keuken.

'Is Isabel Spellman er?'

'Kunt u me vertellen waar het over gaat?'

'Is ze thuis?'

'Isabel!'

Ik liep naar de hal, me niet bewust dat ik net mijn laatste ontsnappingskans had laten lopen. Niet dat ontsnappen nu raadzaam was.

'Ik ben Isabel. Wat is er aan de hand?' zei ik, toen ik twee politie-

---

* Erop uit te laat op school te komen.

247

agenten in uniform voor de deur zag staan.

'Wij hebben hier een arrestatiebevel tegen u,' zei agent één.

'Huh?' luidde mijn onhandige reactie.

Mijn vader bestudeerde het bevel. 'Inbraak?'

Pap keek me met een verbouwereerd gezicht aan. Ik hing voorlopig de vermoorde onschuld uit en haalde mijn schouders op.

'Welk bewijs heeft u voor deze aanklacht?'

'Waterdicht bewijs,' zei agent twee. 'Mr. Brown heeft een verborgen camera gericht op zijn raam op het westen en beschikt over een loepzuivere opname van Ms. Spellman die door dat raam klimt en de ruimte doorzoekt.'

Mijn moeder kwam binnen op het moment dat de agent omschreef waar ik me aan schuldig had gemaakt. Het was meer dan twaalf jaar geleden sinds ik een echt misdrijf beging – of beter, gepákt was voor een echt misdrijf. Anders dan in mijn puberteit was mijn moeder niet voorbereid op dit moment. Ze stond ons vol ongeloof aan te gapen.

'Is dat waar?' vroeg zij.

'Ik kan het uitleggen,' antwoordde ik.

'Niks zeggen,' zei mijn vader.

Rae hoorde de commotie vanuit haar slaapkamer en holde de trap af. Ze zag hoe agent één me in de boeien sloeg.

'O, nee,' was het enige wat ze zei.

'Isabel Spellman,' zei de agent monotoon, 'u heeft het recht om te zwijgen. Alles wat u zegt kan en zal tegen u gebruikt worden in een rechtszaal. U heeft recht op een advocaat...'

Mysteriën en meer arrestaties

Arrestatie #1

Donderdag 23 maart
9.00 uur

De laatste keer dat ik in een arrestantencel zat, was twee jaar geleden, toen ik mijn zusje 'mishandelde' nadat ik erachter was gekomen dat ze zelf verantwoordelijk was voor haar verdwijning.
Rae was ongedeerd en mijn beweegredenen waren van het sympa-
thieke type en daarom werden alle ingediende aanklachten ingetrokken. Ik had geen strafblad. Maar als de aanklacht van inbraak
standhield, zou ik een strafblad hebben en kon ik mijn vergunning
kwijtraken.

Ik werd vier uur na mijn arrestatie voorgeleid en de borgsom
werd vastgesteld op vijfduizend dollar. Mama deed er nog eens
acht uur over om op het bureau te komen en de borgsom te betalen. Ik gebruikte die tijd om me jegens de stoet celgenoten een
onbenaderbare maar niet confronterende houding aan te meten.
Gedurende die halve dag waarin ik niets te lezen had om me af te
leiden, overdacht ik de verzameling verdachtgedragverslagen die
ik in de voorgaande maanden had verzameld en besloot dat drie
ervan een promotie naar de status van mysterie verdienden. Om je
geheugen op te frissen volgt hier de lijst:

Het mysterie van mama
Bewijs: Motorvernieling, niet nagekomen afspraken met tandarts,
vijandigheid jegens oudste zoon, onverklaarde afwezigheid.

Het mysterie van David
Bewijs: Drinken voor het middaguur, neergaande verzorgingsnor-
men, echtgenote heeft de stad verlaten, voortdurend geagiteerd,

251

lijkt schuldig aan iets, verdwenen naar een yogacentrum.

Het mysterie van 'John Brown'
Bewijs: Handig veelvoorkomende voor- en achternaam. Kan geen kloppende identiteit vinden onder die naam; Subject heeft tegenstrijdige geboortedata en -plaatsen genoemd; Subject heeft verdacht gereageerd op vrijwel elke vraag met betrekking tot zijn identiteit; Subject heeft zonder verklaarbare reden een geheime kamer in zijn eigen woning; Subject is gezien met twee vrouwen die nadien spoorloos verdwenen. Subject heeft mij met opzet in de val laten lopen zodat ik wegens inbraak zou worden gearresteerd. Waarom?

De zaak van mijn vader was opgelost, al moest het nog wel aan mijn moeder worden verteld. Tijdens de voornamelijk zwijgende rit naar 'huis' met mama, vroeg ik me af of ik het aan haar moest vertellen. Ik was zo in gedachten verzonken dat ik niet merkte dat mama niet naar Clay Street 1799 reed, maar voor mijn oude appartement in de Avenues stopte.

'Je koffer ligt in de bak,' zei mama. Ik probeerde net te begrijpen wat ze bedoelde, toen ze het uitlegde. 'Je kunt niet meer in ons huis blijven. Dwing me alsjeblieft niet om de sloten te vervangen.'

'Dit meen je niet, mam.'

'Je hebt net de laatste twaalf uur van je leven verspild in de gevangenis...'

'Het heet officieel een arrestantencel...'

'...wegens inbraak. Ik weet niet wat ik tegen je moet zeggen.'

'Wil je niet weten waarom?'

'Het kan me niet schelen. Je kunt je vergunning wel kwijtraken. Hij kan een civiele aanklacht tegen ons aanspannen. Dan zijn we geruïneerd.'

'Het spijt me, mama. Maar ik wéét gewoon dat hij iets doet wat niet mag. Ik wil er alleen maar achter komen wat het is. Zo help ik misschien een paar mensen.'

Mama ontgrendelde het portier. 'Laat de politie het alsjeblieft oplossen. Moet je horen, het is al laat. Ik ben moe. Die verdwijning heeft veel van me gevergd,' zei ze. 'Bel maar als je iets nodig hebt.

Maar je kunt de komende paar weken niet bij ons komen, tot we de zaken met Mr. Brown hebben geregeld.'

'En het werk?' vroeg ik.

'De Chandler-klus is het enige wat je moet doen. Probeer al je onderzoeksenergie te stoppen in het opsporen van de schurken die jouw werk zo bewonderen.'

'Ik heb geen idee waar je het over hebt,' antwoordde ik zonder mijn gebruikelijke overtuiging.

Mam wierp me een boze blik toe en liet de kofferbak openspringen. Ik tilde mijn koffer uit de auto en zette hem op de stoep. Ik liep terug naar het raampje aan de bijrijderkant en leunde naar binnen. Ik probeerde iets te bedenken wat mijn handelingen kon rechtvaardigen, maar mama had het laatste woord.

'Je bent nou dertig jaar,' zei zij en ze deed het raampje dicht. Ik stapte achteruit de stoep op en keek haar na. Haar laatste woorden staken meer dan je zou denken.

Ik sjokte de trap naar mijn oude appartement op en klopte voor de zekerheid aan. Een diepe mannenstem gromde: 'Hij is open.'

Ik zag in een mist van sigarenrook vijf oudere 'heren' rond een keukentafel vol bier en pretzels zitten pokeren. Bernies gezicht klaarde op toen hij mij zag.

'Hé, kamergenoot,' zei hij, terwijl hij opstond. 'Geef je ome Bernie eens een kus?'

Bernie kwam met open armen voor een omhelzing op me af. Ik maakte een zigzagbeweging om hem heen die aan een rennende rugbyspeler deed denken en pakte een biertje uit de koelkast. Ik zag de fiches op tafel. Dit was geen vriendschappelijk spelletje.

'Ik zou de politie kunnen bellen om jullie op te pakken,' zei ik.

'Schat,' zei een man van in de zestig met de meeste fiches . 'Wij zijn de politie.'

Bernie kwam schuchter naast me staan. 'Wat heb je nodig, Izz?'

'Ik moet slapen,' antwoordde ik bijna huilend.

'Neem het bed,' antwoordde Bernie. 'Mijn casa is jouw casa.'

'Jouw casa was vroeger mijn casa,' zei ik. 'Hoe lang duurt dit spelletje nog?'

'Wie zal het zeggen? Zolang we wakker blijven en niemand alle poen heeft.'

'Tot ziens,' zei ik. Na een avond in de cel kon ik een nacht met Bernie en vier andere dronken ex-agenten niet aan.

Terwijl ik in de nor zat, hadden mijn ouders mijn auto bij Bernies wettelijke woning geparkeerd. Ik besloot die avond in een motel te overnachten om mijn hoofd leeg te maken. Ik moest nu niet alleen drie mysteriën oplossen maar ook een woning vinden in een stad waar het percentage lege appartementen rond de vier procent schommelt.

Ik bracht de nacht door in een Days Inn in de Avenues. Mama had mijn bagage ingepakt met de zorg die ze gehad zou hebben voor een overspelige echtgenoot die ze in een driftbui het huis uit gooit. Ik trok een flannel pyjama aan en kroop in bed.

Mijn geestelijke landschap maakte het vrijwel onmogelijk om te slapen. Iets aan mama's teleurstelling vernederde me. Als ik alles in perspectief zag, waren de geheimen van John Brown niet de prijs van mijn familie of mijn loopbaan waard. Althans dat begreep ik rationeel. De slaap kwam pas vroeg in de ochtend, toen mijn geest geen informatie meer kon verwerken.

Niet-geënsceneerde tandartsafspraak #7

Vrijdag 24 maart
16.00 uur

Rae belde me de volgende middag op mijn mobieltje op met het voorstel elkaar in Daniels praktijk te treffen voor een tête-à-tête* over de recente gebeurtenissen in huize Spellman. Aangezien ik toch alleen maar in een café zat, veel te veel koffie dronk en mijn vruchteloze onderzoek naar de achtergrond van Subject voortzette, stemde ik in met de ontmoeting.

De informatie-uitwisseling begon al in de onderzoekskamer voor Daniel binnenkwam.

'Heeft papa iets tegen mama gezegd over zijn medicijnen?' vroeg ik.

'Ik denk het niet,' antwoordde Rae. 'Hoe erg is het met hem?'

'Maak je geen zorgen. Hij maakt het best. Hij moet gewoon voorzichtig zijn. Ik gun hem nog wat tijd om het aan haar te vertellen.'

Daniel kwam de praktijk binnen. Hij moest twee keer kijken toen hij mij in de hoek tegen de muur zag leunen.

'Isabel. Wat een aangename verrassing.'

'Dag, Daniel,' zei ik, en ik gaf hem een kus op zijn wang. 'Ik moest een paar dingen bespreken met Rae en ik mag huize Spellman niet in, dus dachten we, laten we hier afspreken.'

'Waarom mag je... schrap die vraag,' was Daniel zo verstandig te zeggen. Hij had al genoeg Spellman-drama meegemaakt om een compleet leven mee te vullen en had geen behoefte aan meer. Daniel deed Rae het tandartsslabbetje om terwijl ik naar nadere gegevens vroeg.

---

* Dat zei ze echt.

'Heb je iets ongewoons bij Subjects woning opgemerkt?' vroeg ik.

'Papa is vanmorgen met hem wezen praten,' zei Rae.

'Mond open, Rae,' zei Daniel, terwijl het gezoem van de apparatuur gonsde op de achtergrond.

'Wat ging hij doen?'

'Inen ad rijke,' zei Rae.

'Wat?'

'Dingen gladstrijken,' vertaalde Daniel.

'Hielp het?'

'Eet i ie.'

'Wat?'

'Weet ik niet,' vertaalde Daniel. 'Rae, flos je wel?'

'Elke dag,' antwoordde Rae.

'Liegbeest!'

'En, hoe boos zijn pap en mam?' vroeg ik

'Spoelen,' zei Daniel tegen Rae.

Rae spuugde een paar keer in het bakje en begon te praten voor Daniel de spiegel en de tandsteenverwijderaar weer in haar mond kon stoppen.

'Mama is vrij boos maar zij kijkt wel anders naar John Brown, heb ik gemerkt. Soms zie ik haar naar hem kijken door het raam in de woonkamer.'

'Houdt ze er nog steeds van die rare werktijden op na?'

'Vannacht hoorde ik haar om zeg maar twee uur wegrijden.'

'Ahum,' zei Daniel, zijn keel schrapend. 'Hindert deze gebitscontrole jullie gesprek?'

'Nee, hoor,' antwoordde ik vriendelijk. 'Rae, doe je mond open.'

Daniel nam het woord voor ik mijn ondervraging kon voortzetten.

'Rae, je weet toch dat je maar één stel volwassen tanden krijgt?'

Nadat hij het apparaat uit haar mond had gehaald en Rae gespuugd had, zei ze: 'Is dat een retorische vraag?'

Het onderzoek werd besloten met foto's die vier nieuwe gaatjes onthulden. In een soort van *Scared Straight!* van de tandartspraktijk zette Daniel Rae op een stoel in zijn kantoor en liet hij haar foto's zien van wat er gebeurt met mensen die nooit hun tanden poetsen. Rae herinnerde Daniel eraan dat dit foto's waren van mensen die nooit naar de tandarts gingen. Toen stelde Rae een indringende vraag.

'Dus als ik zeg maar ergens een vulling krijg, is dat een gedeelte van mijn tanden waar ik geen gaatje meer kan krijgen, klopt dat?'

Daniel bevestigde dat, maar het beviel hem niet waar haar redenering naartoe ging.

'Dus, zeg maar, de kans dat ik een gaatje krijg wordt met elke vulling kleiner omdat daardoor het totale oppervlak waar een gaatje kan ontstaan afneemt?'

Daniel nam afscheid van Rae en zei dat ze een afspraak moest maken voor de week erop voor de behandeling van haar gaatjes. Terwijl Rae met de receptioniste, Mrs. Sanchez, sprak trok Daniel mij terzijde.

'Heb je onze uitnodiging ontvangen?' vroeg hij.

'Voor wat?'

'Mijn bruiloft. Die heb ik meer dan een week geleden gestuurd.'

'Ik heb mijn post laten doorsturen en al een tijdje niet gekeken.'

'Vrijdag 23 juni. Kun je dan, denk je?'

'Tuurlijk,' zei ik. 'Als ik niet in de gevangenis zit.'

Dat was toen als een grapje bedoeld.

Adreswijziging

Voor ik die avond een bed had gevonden voor de nacht, ging ik in The Philosopher's Club zitten nadenken over mijn mogelijkheden. Ik zag hoe Milo inwendig grinnikte om een of ander Olympisch grapje dat hij in gedachten aan het instuderen was. Ik wierp hem een blik toe die zo vijandig was dat hij zijn geestige bedenksel toch maar niet met me deelde.

'Kan ik vanavond in jouw kantoor logeren?'

'Nee.'

'Alsjeblieft.'

'Nee.'

'Waarom niet?'

'Omdat ik een café heb, geen motel.'

'Je bent chagrijnig de laatste tijd,' zei ik.

'Ik heb nog wel wat anders aan mijn hoofd naast het niet-halen van de Spelen.'

'Wil je daar nou eens mee ophouden?'

'Denk er in de toekomst om, Isabel: vertel nooit aan een barkeeper dat je je mogelijkheden niet hebt benut. Goed?'

'Sorry dat ik je moet corrigeren, maar mijn probleem is misschien dat ik mijn mogelijkheden wel degelijk heb benut.'

Milo gaf me een Guinness, schonk zichzelf een whisky in en ging op een barkruk achter de bar zitten.

'En, hoe gaat het met je?' vroeg ik om zomaar een praatje te maken.

'Kon beter,' zei Milo.

Ik vroeg hem niet of hij in detail wilde treden, want dat 'beter' betekende volgens mij dat hij een betere baan, meer haar en minder onbetaalde rekeningen wilde hebben. Milo's reactie was van het soort dat iedereen kon geven. Ik keek niet verder dan de oppervlakte; ik echode gewoon dat gevoel.

'Insgelijks,' antwoordde ik.

Ik dronk mijn bier op en vertrok. Ik liep gedurende vijf minuten in mijn auto mijn opties na: teruggaan naar Bernie; de brug oversteken en bij Len en Christopher logeren; motel; in mijn auto slapen; naar Davids huis. De laatste optie leek de verstandigste en ik reed er in tien minuutjes heen.

Ik had de precieze elementen die de recente neergang van mijn broer veroorzaakten nog niet in kaart gebracht. Ik nam aan dat het te maken had met ontrouw, gevolgd door diepe spijt. Omdat ik wist dat David nog in het yogacentrum zat en Petra nog altijd verdwenen was, dacht ik niet dat het kwaad kon dat ik inbrak om bij hen te logeren. Bij ons in de familie verstopt niemand een sleutel. Als je jezelf buitensluit, bel je iemand op die de sleutel heeft of je breekt in. Je legt niet ergens een sleutel neer voor iemand die niet over de nodige inbraakvaardigheid beschikt.

Ik liep om Davids huis heen om te kijken of er een raam open stond. Alles zat dicht, zoals ik wel had verwacht. Ik haalde een zaklamp uit mijn auto en pakte mijn inbrekersgereedschap uit het dashboardkastje. Davids voor- en achterdeur hebben elk twee nachtsloten. Er is echter een kelderingang met maar één slot, die buiten het gezichtsveld van de meeste buren is. Vijf minuten later stond ik in Davids huis.

Ik schonk twee vingers van zijn chique whisky voor mezelf in en ging op zijn suède bank van tienduizend dollar voor zijn 56-inch-flatscreentelevisie zitten. Davids uitspattingen irriteerden me altijd, maar dat ik buiten zijn medeweten om zijn woning gebruikte gaf me beslist een kick. Ik vermoed dat David ook een kick kreeg toen hij naderhand hoorde dat door mijn komst in zijn huis een stil alarm was afgegaan. Een kwartier nadat ik op zijn wanstaltig dure bank was gaan zitten, werd er op de deur geklopt.

Ik deed de deur open met het glas in mijn hand. Toen de agent in uniform me beval mijn handen in de lucht te steken, morste ik wat whisky op mijn arm.

De tweede agent (op dit moment doen namen, beschrijvingen en rangen er niet veel meer toe) nam het glas uit mijn hand, draaide die hand achter mijn rug en deed me in een soepele beweging de handboeien om.

'Dit is een vergissing. Ik ben Isabel Spellman. Davids zus.'

'Mevrouw, een buurman zag u aan de achterzijde van het huis een slot forceren en daardoor is een alarm afgegaan.'

'Ik mag Davids slot forceren. Vraag het hem maar.'

'Mevrouw, we moeten u opbrengen.'

'Noem me alsjeblieft geen "mevrouw" meer.'

Arrestatie #2

Het duurde negen uur voor mijn langdradige verklaring voor mijn goedaardige inbraak was geverifieerd. Ik wachtte twee uur voor ik namen ging noemen, in de hoop dat David zou terugbellen naar het politiebureau. Maar het vooruitzicht van nog eens twaalf uur opsluiting was erger dan het vooruitzicht mijn vader onder ogen te komen. Om twee uur 's nachts belde de dienstdoende districts-commandant mijn vader, die pas vijf uur later op het bureau verscheen. Ik probeerde te slapen op een vuile stretcher in een helverlichte arrestantencel. Toen papa me eindelijk kwam ophalen, kon ik mijn vijandigheid niet beheersen.

'Waarom duurde het zo lang?'

'Ik ben weer naar bed gegaan,' antwoordde papa.

'Leuk is dat. Een cadeautje op vaderdag kun je dit jaar wel op je buik schrijven.'

'Dus ik moet zelf een flesje Old Spice kopen?'

'Hoe kon je me hier laten stikken?'

'Ik dacht dat een nachtje in de cel je er misschien aan zou herinneren dat inbraak een misdrijf is.'

'Ik heb me alleen maar toegang verschaft tot Davids huis. Hij was er geeneens.'

'Als je de sleutel en de code van het alarm van een huis niet hebt, mag je er niet ongevraagd binnengaan. Dat is normaal menselijk gedrag, wat ik je op jouw leeftijd niet zou moeten hoeven uitleggen.'

Papa zette zijn auto op Davids oprit, pal achter mijn Buick.

'Ik ken je geheimpje,' zei ik.

'Wat?' antwoordde papa.

'Ik heb de pillen in het dashboardkastje gezien. Ik heb geïnformeerd bij een arts en die zei...'

Papa greep de kraag van mijn jas en keek me dreigend aan.

'Geen woord meer,' fluisterde hij traag en hees.

'Ik weet het,' fluisterde ik terug. Ik weet echt niet of ik mijn vader werkelijk wilde chanteren met zijn eigen gezondheidstoestand, maar mijn stoere uitspraak wees daar in elk geval wel op.

Papa leunde naar me toe en fluisterde in mijn oor: 'Waag het niet iets aan je moeder te vertellen.'

'En anders?' antwoordde ik, terwijl ik de vijandigheid in mijn wangen voelde branden.

'Je verneukt mij niet, Isabel. Ik weet waar je woont.'

'O ja?' zei ik. 'Waar dan?'

Ik stapte de auto uit en keek niet om. De verzameling losse feiten die mijn hersens pijnigden kreeg een ongebreidelde omvang. Ik had op dit moment andere dingen te doen: 1) Douchen. 2) Een slaapplaats zoeken.

Ik reed naar Bernie om te douchen. Hij lag voor pampus in de slaapkamer. Op grond van de hoeveelheid bierflesjes en sigarenstompjes wist ik dat hij nog wel een paar uur bewusteloos zou blijven. Ik douchte en verkleedde me in alle rust en verstopte zijn bier in de kast (mijn treurige poging *Gaslight* na te spelen) en vertrok, niets dan de geur van een fruitige shampoo achterlatend. Bernie zou denken dat hij de nacht met een vrouw had doorgebracht als hij wakker werd, maar hij zou niet meer weten hoe ze heette of eruitzag.

Het was tien uur toen ik bij Bernie wegging. Ik had wat tijd te doden, want de vandalismezaak bij Chandler was mijn enige klus en het zou pas over een paar weken Pasen zijn. Ik reed naar de bibliotheek en bracht de dag door met andere daklozen. Ik vond een prettig plekje op de afdeling middeleeuwse geschiedenis en deed een dutje. Een paar uur later belde ik Morty op en vroeg hem of hij met me ging lunchen.

Ik was even na enen in onze gebruikelijke deli.

'Kan ik misschien een paar dagen bij jou en Ethel logeren?' vroeg ik met de beste boefjesblik die ik kon opzetten.

'De kleinkinderen komen vanavond,' antwoordde Morty, terwijl hij ijs in zijn koffie lepelde. 'Als je tegen de herrie kunt, ben je welkom.'

'Nee. Laat maar,' antwoordde ik. 'Ik vind wel iets anders.'

'Zeker weten?' zei Morty, en hij nam een slokje koffie.

'Zeker weten,' zei ik.

Twee minuten later vroeg Morty de serveerster zijn decafé op te warmen. Vier uur later reed ik over de Bay Bridge op weg naar Len en Christopher.

Toen ik aankwam waren zij bezig hun banken en stoelen in een halve cirkel rond een lege ruimte op te stellen. Christopher gaf me thee en zei: 'Waaraan danken wij het genoegen van dit bezoek? Moet ik een bendelid spelen? Van welke gang, Bloods of Crips? Dat moet ik weten voor de juiste aankleding.'

'Ik vroeg me af of ik misschien een paar dagen bij jullie kan logeren. Mijn appartement moet worden ontsmet.'*

'Natuurlijk,' antwoordde Len vriendelijk. Daarna gaf hij een verklaring voor de meubelopstelling. 'Dan krijg je onze thuisproductie van *Waiting for Godot* te zien. We gaan het de hele week opvoeren.'

Twee uur later zat ik in The Philosopher's Club, waar ik Milo opnieuw om een slaapplaats vroeg, al was het deze keer in een andere woning.

'Kan ik misschien in jouw appartement logeren? Ik slaap wel op de bank en zal zorgen dat ik 's ochtends meteen vertrokken ben.'

'Sorry, meid. Uitgesloten. Er, eh... er wordt gewerkt in mijn appartement. Ik slaap in een motel.'

'Wat voor soort werk?'

'Schilderen. Ga nou maar naar huis, Izzy. Bied je excuses aan en gedraag je. Wat kunnen ze je maken?'

Ik dacht de volgende drie uur in The Philosopher's Club na over mijn mogelijkheden. Om elf uur reed ik terug naar Clay Street 1799 en zag dat de lichten uit waren. Ik parkeerde drie straten verderop en liep terug naar het huis. Ik ging achterom en klom over de brandtrap naar mijn oude kamer op zolder. Ik was zo uitgeput van de vorige nacht in de gevangenis dat ik alleen mijn schoenen uitdeed, onder de dekens kroop en als een blok in slaap viel.

---

* Echt, geen leugen.

Subject gaat 's avonds laat op pad...

Zondag 26 maart
3.15 uur

Ik werd wakker door het geluid van dingen die werden geopend en gesloten: autoportieren, kofferbakken, voordeuren, hordeuren enzovoort. Er werd wel gepoogd om de geluiden te dempen, maar autoportieren sluiten niet zonder begeleidende klap. (Ik heb me vaak afgevraagd waarom autofabrikanten nooit hebben geprobeerd om iets te doen aan dit overduidelijke manco.) Ik deed zonder het licht aan te doen in mijn zolderkamer de gordijnen een stukje open en gluurde naar buiten. Subjects woning was deels verlicht. Subject was op. Hij leek, bewegend door zijn appartement, wel zo'n figuurtje dat gaat bewegen als je snel door een boekje bladert.

Het uitzicht, dat werd beperkt door de begrenzingen van het raam, onthulde Subject die een paar keer van het kantoor naar de hal liep en daarna van de hal naar de auto, die op de oprit van zijn woning stond. Ik verliet de zolder en sloop op mijn tenen de trap af naar beneden, waar ik een glimp probeerde op te vangen van Subject toen deze zijn appartement uit ging. De deur van het kantoor van de Spellmans was op slot en daarom ging ik de woonkamer in en keek ik in de erker vanuit een lastige hoek naar Subject. Subject laadde zijn auto vol met dozen. Ik bleef tien minuten of een kwartier kijken en bedacht wat ik zou doen als hij zou wegrijden. Mijn auto stond drie straten verderop. Het zou onmogelijk zijn om naar mijn auto te gaan en ongemerkt terug te komen terwijl ik afwachtte of Subject zou vertrekken.

Mijn moeder bewaart reservesleutels van haar auto aan een haakje naast de koelkast. Ik nam de sleutel, keerde terug naar mijn bunker achter de bank en zag Subject nog twee ladingen archiefdozen naar zijn auto dragen. Net toen Subject in zijn auto stapte, kwam mijn vader de trap af.

'Izzy, wat doe jij hier?' vroeg papa. Ik was zo verdiept in Subjects bewegingen dat ik de overdreven vijandige toon in mijn vaders stem niet opmerkte.

'Ik moet gaan,' zei ik, terwijl ik Subject nog steeds door het raam in de gaten hield. 'Ik neem mams auto. Ben zo terug.'

'Isabel, nee!'

'Rustig maar. Ik ben zo terug.'

Papa riep me iets na, maar ik verstond hem niet. Ik sprong in mama's Honda en racete Subjects gedeukte Volkswagen achterna.

Ik achtervolgde de vw door California Street, over twee heuvels en de Avenues in. Om vier uur 's nachts liet ik een auto tussen ons en hoopte dat de Honda Accord van mijn moeder nooit door hem was opgemerkt.

Opmerking voor de lezer met betrekking tot de gebeurtenissen die hierop volgden: als je iemand schaduwt is je aandacht voor praktisch 90 procent op het subject gericht en de overige 10 procent op de elementaire verkeersregels. Het is vrijwel onmogelijk om op te merken of iemand jou volgt terwijl jij iemand anders volgt. Zo komt het dat ik papa's auto die mij in de verte schaduwde over het hoofd zag, en zo komt het dat papa, in zijn auto, de tijd had om de politie te bellen en hun mijn exacte coördinaten door te geven.

Eerst hoorde ik de sirene en daarna verlichtte de verblindende flits van de lichten mij via de achteruitkijkspiegel. De agenten kwamen naast mijn (oké, niet mijn) auto en gebaarden dat ik moest stoppen. Ik stopte. De ene agent stapte uit, terwijl de andere bleef zitten en met mijn vader sprak. De eerste agent naderde de auto waarin ik zat terwijl ik het raampje open deed. Hij vroeg naar mijn rijbewijs en papieren. Ik had niet eens schoenen aan, dus een rijbewijs was al helemaal uitgesloten. Ik haalde de papieren uit het dashboardkastje en legde uit dat ik haast had en mijn rijbewijs had vergeten, maar dat de man die achter me reed kon bevestigen dat ik inderdaad de dochter van Olivia Spellman was, eigenares van het voertuig waarmee ik reed.

Mijn agent liep terug naar zijn auto en sprak heel kort met zijn partner en mijn vader. Toen kwam hij weer bij mij en vroeg me of ik wilde uitstappen. Ik gehoorzaamde.

Mijn blote voeten werden koud op het ruwe asfalt.

'Draai je om met je gezicht naar de auto,' zei de agent.

'Huh?' was mijn reactie. Maar de agent draaide me al om voor het tot me doordrong wat er gebeurde.

Hij sloeg me in de boeien en herhaalde een tekst die ondertussen erg bekend begon te klinken.

'U heeft het recht om te zwijgen. Alles wat u zegt kan en zal tegen u gebruikt worden in een rechtszaal. U heeft recht op een advocaat...'

Arrestatie #3

Afgezien van je eigen huis zijn er maar weinig plaatsen waar een flannel pyjama en blote voeten een gepaste aankleding vormen. Ik kan er zo gauw niet een bedenken, maar ik weet zeker dat een arrestantencel op de hoek van Bryant en Third Street er geen is.

Ik liet het laatste uur van de nacht aan mijn geestesoog voorbijtrekken en overwoog mijn mogelijkheden om een borg te regelen. Ik had me tot mijn vader gewend toen de agent me de handboeien omdeed en tegen hem geroepen.

'Papa! Wat doe je?'

Mijn vader kon me niet recht in de ogen kijken. Hij liep terug naar zijn auto en riep over zijn schouder: 'Niet jouw auto!'

Het leek me al met al verstandiger om niet mama of papa te bellen voor een borgtocht. Op een christelijker uur zou ik Morty hebben geprobeerd, maar het geluid van een telefoon 's ochtends vroeg bij een man van in de tachtig die van zijn pastrami houdt, leek me niet verstandig. David zat in het yogacentrum. En Petra, die was voorzover ik wist nog altijd voortvluchtig. Niet dat zij me ooit terugbelde. Als zij er was geweest, zou mijn leven de afgelopen paar weken zoveel eenvoudiger zijn geweest.

Ik wachtte tot vroeg in de morgen en belde de enige persoon die ik kon bedenken. Drie kwartier later zat ik in een ongemakkelijke stilte bij hem in de auto.

'Dat is ook een ongelukkige outfit voor in een cel,' zei Henry droogjes. In tegenstelling tot mijn familie leek Henry geen plezier te beleven aan plagen.

'Ik weet het,' antwoordde ik.

'Waar moet ik je heen brengen?' vroeg Henry.

'Er staat een tas bij mijn ouders thuis. Wat kleren, schoenen, mijn portefeuille, autosleutels. Die moet ik eerst hebben.'

Tien minuten later reed Henry de Spellman-oprit op.

'Ik kan niet naar binnen,' zei ik.

'Blijf zitten,' antwoordde Henry, en hij stapte de auto uit.

Terwijl Henry waarschijnlijk mijn spullen verzamelde en er bij mijn vader sterk op aandrong dat hij de aanklacht van autodiefstal – een zwaar misdrijf – zou intrekken, keek Subject vanuit zijn raam op mij neer. Het was een zeer vijandige blik. Misschien had hij mij de nacht ervoor gezien en was hij alleen dankzij mijn vaders zorgvuldige ingrijpen gered. Of misschien drukte zijn blik in vijandigheid vermomde angst uit. Misschien kwam ik in de buurt. Misschien was hij bang voor mij. Maar met drie recente arrestaties achter de kiezen kon ik niet gaan piekeren over Subjects misdaden. Die van mezelf bezorgden me al hoofdbrekens genoeg.

Toen ik mijn aandacht weer op de voordeur van Clay Street 1799 richtte, zag ik Rae het huis uit komen met een papieren lunchzakje en zo'n afsluitbare mok koffie voor in de auto. Ze kwam via het chauffeursportier de auto in, ging naast me zitten en overhandigde me haar geschenken.

'Ik dacht dat je misschien trek had,' zei ze.

Het gebaar van mijn zusje was zo precies wat ik nodig had (afgezien van de Pop-Tarts in de papieren zak) dat ik haar wel kon zoenen. In plaats daarvan gaf ik een tikje op haar hoofd en dronk mijn koffie, terwijl ik probeerde geen tranen waarvan ik de oorzaak niet kon aanwijzen over mijn wangen te laten rollen.

'Ik hou hem wel voor je in de gaten,' zei Rae.

'Niks doen, Rae.'

'Nee, hoor. Ik hou alleen mijn ogen open. Dat is alles.'

Henry deed het portier open en wisselde van plaats met Rae.

'Ik had een tien voor mijn wiskunderepetitie,' zei Rae tegen Henry.

'Een tien?' vroeg Henry achterdochtig.

Rae zuchtte. 'Een tien min. Het blijft een tien.'

'Goed gedaan,' antwoordde Henry.

'Ik moet je iets onder vier ogen vertellen,' zei Rae vervolgens, en ze boog zich naar Henry toe en fluisterde iets in zijn oor. Hij knikte schijnbaar instemmend en Rae gooide het portier dicht en zwaaide gedag.

Henry stopte zijn auto naast de mijne.

'Ik heb een logeerkamer, voor het geval je een overnachtingsplaats zoekt,' zei Henry.

Het aanbod verbaasde me. Maar mijn reactie werd ingegeven door trots.

'Bedankt, maar ik denk dat ik maar gewoon terugga naar Bernie. Als ik het vriendelijk vraag slaapt hij wel op de bank.'

Het bleek dat ik het niet aardig hoefde te vragen. Bernie was nergens te zien. Ik nestelde me op de bank en keek de hele avond televisie. Om elf uur bereidde ik me voor op Bernies terugkeer en belde ik hem op zijn mobiel om te horen hoelaat hij thuis dacht te komen.

'Ha, die kamergenoot,' zei Bernie toen hij opnam. Op de achtergrond klonk duidelijk de chaos van een casino.

'Waar zit je?' vroeg ik.

'Tahoe,' antwoordde Bernie, alsof dat vanzelfsprekend was.

'Wanneer kom je terug?'

'Hoezo, mis je me?'

'Helemaal niet,' antwoordde ik.

'Die grapjas,' zei Bernie. 'Ik zit een tijdje hier. Het zit me even mee. Zit jij weer in het appartement?'

'Ja,' antwoordde ik. 'Doe me een lol en bel even als je van plan bent om terug te komen.'

'Wat? Ik verstond je niet.'

'Laat maar,' antwoordde ik, en hing op.

Die avond verschoonde ik de lakens, nam een douche zonder de deur op slot te doen en sliep acht uur in wat vroeger mijn eigen bed was.

De drie dagen erna kwam ik nauwelijks 'mijn' appartement uit, in de wetenschap dat deze kortstondige kans op privacy niet voort zou duren. Ik pakte mijn broodnodige rust, ontsmette het appartement en ging de 'John Browns' op internet na in de hoop degene te vinden die ik zocht.

Maar aan alle mooie dingen komt een eind. Op donderdagmiddag verscheen Bernie in het appartement, zonder me zoals gevraagd van tevoren in te lichten over zijn komst, met zijn weekendtas en boodschappen.

'Kamergenoot,' zei hij vriendelijk bij het binnenkomen.

'Bernie,' antwoordde ik, vechtend tegen mijn tranen. 'Ik dacht dat je nog in Tahoe zou zitten.'

'Ik bedacht dat het tijd werd voor een adempauze. Blijf toch, Izz. Zoals ik al zei, mijn casa is jouw casa.'

'Zeg dat niet steeds,' antwoordde ik, een beetje snauwerig.

'Izz, deze woning is groot genoeg voor ons beiden.'

'Er is maar één slaapkamer.'

'In sommige landen zitten achtkoppige gezinnen in een appartement met één slaapkamer.'

Ik besloot van dit gespreksonderwerp af te stappen. In plaats daarvan pakte ik een zak chips en een biertje uit Bernies boodschappentas.

'Vanwaar al die snacks, Bernie?'

'Pokeren vanavond. Doe je mee?'

Vier uur later stond ik op een verlies van tweehonderd dollar en een horloge, die ik had gedacht te kunnen uitbouwen tot motelgeld voor een week. Bernie had kennelijk uitgedokterd hoe ik me verraadde en dat aan zijn maten doorgegeven.*

'Ik kap ermee,' zei ik toen ik voor de vierde achtereenvolgende keer had verloren. 'Het stinkt hier.' Ik stond op en gooide een raam open.

Ik rook aan mijn shirt. 'Ik ruik naar sigaar.'

Bernies vriend Mac haalde een flesje reukwater uit zijn tas en besproeide me.

'Hé!'

'Dat camoufleert de sigarenlucht. Morgen ben je me dankbaar,' zei hij.**

'Hoelang gaan jullie nog door, denk je?' vroeg ik.

'Nu jij eruit ligt?' antwoordde Bernie. 'Tot morgenochtend waarschijnlijk.'

Het was niet alleen de sigarenrook en het reukwater en de ge-

---

* Bij het bluffen met de ogen knipperen en tikken, en een 'minachtende blik' bij een topkaart.

** Nee, dat was ik niet.

morste chips op tafel en de hoeveelheden lege bierflesjes die het appartement overstroomden, maar ik keek om me heen en wist dat ik niet nog een nacht onder hetzelfde dak kon doorbrengen als Bernie.

'Ik moet hier weg,' zei ik en ik pakte mijn koffer weer in.

'Tot ziens, meid,' antwoordde Bernie, en toen zette hij alles in.

Ik bleef niet lang genoeg om te zien of Bernie de pot won of alles kwijtraakte.

Adreswijziging

DEEL II

Donderdag 30 maart
23.00 uur

'Geldt het aanbod nog steeds?' vroeg ik, terwijl ik in de hal stond –
en er ongetwijfeld nederig en ellendig uitzag.

Henry Stone knikte en deed de deur open om me binnen te laten. Ik liep rakelings langs hem zijn smetteloze woning in.

'Je ruikt naar sigaren,' zei hij.

'En goedkoop reukwater,' voegde ik eraan toe.

Henry liet me zijn logeerkamer zien en wees daarbij met nadruk
op de douche. De logeerkamer had net als de rest van de woning
de vlekkeloosheid van een vijfsterrenhotel. Het had na Bernies op-
trekje iets eigenaardig bevredigends om in een niet-verontreinigde
omgeving te zijn. Ik nam een douche en ging meteen naar bed. Ik
werd acht uur later wakker, toen Henry op het punt stond naar zijn
werk te gaan.

Toen ik in de keuken kwam, schonk hij een kop koffie voor me
in.

'Doe alsof je thuis bent,' zei Henry, al deed hij zo te zien zelf niet
alsof hij thuis was.

'Bedankt.'

'Ik heb één regel...'

'Weet je het zeker? Want het ziet eruit alsof je er heel veel hebt,'
zei ik.

'Als je nog één keer wordt gearresteerd, zet ik je eruit.'

'Oké,' antwoordde ik.

'En ik heb een paar verzoeken: bemoei je niet met mijn buren –
dat zijn brave, gezagsgetrouwe burgers – en, eh, probeer je gesnuf-
fel zo veel mogelijk te beperken. Ik heb geen duistere geheimen,

272

maar ik hou er niet van als mensen mijn spullen doorzoeken.'

'Hoe laat kom je thuis?' vroeg ik.

Stone glimlachte. Het was niet zo'n onschuldige vraag.

'Ik ga je verrassen,' zei hij, en vertrok.

Ik kon het niet laten om Stones huis te bezichtigen toen hij weg was; ik kan onbegeleide bezichtigingen zelden weerstaan. Een van mijn vorige bezoekjes aan zijn woning was een inbraak bijna twee jaar geleden. Ik dacht (om redenen waarop ik niet zal ingaan) dat hij betrokken was bij de 'vakantie' van mijn zusje en daarom was ik op zoek naar bewijzen. De overige bezoekjes, ongeveer zes, waren om Rae te verwijderen, wat af en toe gepaard ging met een drankje, maar ik had nooit echt de kans gehad om de woning werkelijk te doorzoeken.

Toen ik drie uur later het volgende had ontdekt: keurig opgevouwen linnengoed, professioneel in een lakmoestestvolgorde opgehangen pakken, een koelkast zonder schimmel (afgezien van een bepaalde soort kaas), een verzameling boeken die gelezen leken te zijn, een collectie cd's en lp's die varieerden van de Ramones en John Coltrane tot Outkast*, een kantoor met een gesloten archiefkast waar waarschijnlijk zeven jaar financiële administratie in zat, en een computer die na zorgvuldig onderzoek nimmer een pornosite bleek te hebben bezocht, maakte ik een lunch klaar. Ik deed zelfs de afwas en zette die in het afwasrekje.

Daarna las ik een uur lang de krant en vervolgens ging ik twee uur lang Stones beperkte zenderaanbod langs. Ik heb zoals je misschien al hebt geconcludeerd problemen met andere bezigheden dan onderzoekswerk, drinken en bizarre en gedoemde verkeringen. Ik negeer mijn zwakke punten doorgaans, want gewoonlijk leidt een of ander verdacht gedrag mijn aandacht af. Maar als alles verdacht is en ik geacht word mijn dagen net zo door te brengen als een normale werkloze, dan is er een probleem.

---

*Ik weet vrij zeker dat dit een geschenk van mijn zusje was, zodat ze iets had om naar te luisteren als ze bij hem was.

Doctor Wie?

Om halfvier werd er op de deur geklopt.

'Rae, wat doe jij hier?'

Rae duwde me opzij en zei: 'We hebben maar even.'

Toen liep ze recht op de tv af en trok een la eronder open die ik op een of andere manier had gemist toen ik eerder de woning uitkamde.

'Ga zitten,' beval Rae me, en aangezien ik toch niks anders te doen had, gehoorzaamde ik.

Ze deed een schijfje in de dvd-speler en ging naast me op de bank zitten.

'Waar kijken we naar?' vroeg ik.

'*Doctor Who*.'

'Keek je daar laatst niet ook naar?'

'Toen keek ik een oude. Ik wil juist de nieuwe zien.'

'Vanwaar de haast?'

'Henry komt zo thuis en ik mag van hem niet kijken.'

'Waarom niet?'

'Dat heb ik je al verteld. Omdat ik volgens hem pas naar de nieuwe *Doctor Who*-serie mag kijken als ik álle oude afleveringen heb gezien.'

'Dat klinkt wel vrij logisch,' zei ik, want ik zou zelf niet naar de vijfde (en helaas laatste) reeks van *Get Smart* willen kijken als ik de voorafgaande vier niet had gezien.

'Nee, het is gewoon wreed. Besef je wel dat de eerste *Doctor Who* in 1963 werd uitgezonden? Ze hebben tot nu toe al tien doctoren gehad en er zijn meer dan zevenhonderd afleveringen, waarvan de meeste stokoud zijn. De "klassieke" ' – Rae maakte sarcastisch aanhalingstekens met haar vingers – 'reeks is zo gedateerd. De special effects zijn bespottelijk. Je kunt het niet serieus nemen.'

'Wat is het uitgangspunt van het programma?' vroeg ik.

'Je hebt een doctor...'

'Wat voor doctor?'

'Het is gewoon *de doctor*.'

'Maar hij moet toch een doctor in iets zijn?'

'Als dat zo is, dan wordt het niet vermeld. Hoe dan ook, die doctor reist door de tijd om de vernietiging van de wereld te voorkomen.'

'En de special effects kun je niet serieus nemen?'

'Het is echt een sterke serie. Althans de nieuwe.'

'Waarom moet je bij Henry kijken? Waarom huur je de dvd's niet gewoon en kijk je thuis?'

'Dat heb ik wel geprobeerd, maar zodra papa de muziek hoort komt hij de kamer in en kijkt hij mee. En je weet hoe dat gaat.'

'Ik begrijp het.'*

'Daar komt bij dat alleen het eerste seizoen van de nieuwe reeks op dvd te krijgen is, maar Henry heeft bootlegs van het tweede seizoen.'

We hoorden tegelijkertijd een sleutel in de voordeur. Rae drukte meteen op de play-knop en gaf mij de afstandbediening. Ze concentreerde zich op de tv en negeerde Henry's komst.

Het refrein van de herkenningsmelodie klonk me eigenaardig bekend in de oren, maar ik werd afgeleid door de zijdelingse blik die Henry mijn zusje toewierp. Het was net alsof hij zich afvroeg of hij haar een standje moest geven. Ik bedacht dat bijna niets zo'n goed zoenoffer voor mijn moeder zou zijn als de Stone en Spellman-show en daarom pakte ik mijn digitale recorder en stopte die in mijn zak.

Rae en ik bekeken muisstil de eerste, drie kwartier durende aflevering van *Doctor Who*, terwijl Henry waarschijnlijk de onzichtbare

---

*Papa behoort tot die mensen die denken dat televisie interactief is. We hebben tevergeefs geprobeerd hem van deze vervelende gewoonte af te helpen.

rommel die ik had gemaakt opruimde. Toen de aflevering was af-gelopen, drukte Rae op de stop-knop en stak ik mijn hand in mijn zak en drukte op 'record'.

De Stone en Spellman-show

Het afschrift luidt als volgt:

RAE: Dat was zoveel beter dan de 'klassieke' afleveringen [weer met die lompe vingeraanhalingstekens]. De special effects in die oude afleveringen zijn zo waardeloos.

HENRY: Je moet je fantasie gebruiken.

ISABEL: Ik wil de volgende aflevering zien.
[Ik pak de afstandsbediening.]

RAE: Dat kan niet.

ISABEL: Ik denk het wel. Gewoon op 'play' drukken.
[Rae schudt bedroefd en teleurgesteld haar hoofd.]

RAE: Dat kan niet. Na elk uur tv-kijken in Henry's huis moet je een uur lezen.
[Rae loopt naar de boekenplank, pakt Charles Dickens' *Our Mutual Friend* en slaat het open bij de boekenlegger, ongeveer op de helft.]

ISABEL: Maak je een grapje?

RAE: Dat dacht ik eerst ook, maar nee. Je kunt maar beter zelf een boek kiezen, anders kiest hij er een voor je.

ISABEL: Rae, ik ben volwassen. Henry kan mij deze regel niet opleggen.

HENRY: Rae, weten je ouders dat je hier bent?

RAE: Dat hebben ze inmiddels waarschijnlijk wel bedacht.

HENRY: Bel ze op.
[Rae pakt de telefoon en belt op. Ik druk op 'play' op de afstandbediening. Henry pakt hem van me af en drukt op 'stop'.]

ISABEL: Dat meen je niet.

HENRY: Ik begrijp dat er weinig dingen zijn die een ongedisciplineerde geest als de jouwe beter afleiden dan televisie...

ISABEL: Dat was volgens mij een belediging.

HENRY: ...maar ik moet bepaalde regels in dit huis handhaven, anders gaat zij nooit weg.

[Henry pakt Dostojevski's Misdaad en Straf van de plank en geeft dat aan mij.]

HENRY: Een uurtje maar.

[Tien minuten later: Rae zit naast mij op de bank met haar boek terwijl Henry het eten klaarmaakt.]

RAE: [fluistert] Ik heb vandaag Mr. Peabody's snotla gecontroleerd en alle zakdoekjes waren weg. Maar tijdens de les snoot hij zijn neus weer en hij legde het zakdoekje in de la.

ISABEL: [hardop] Waarom fluister je?

RAE: [hard fluisterend] Ik kan met hem niet over het snot praten.

ISABEL: Waarom niet?

RAE: Omdat volgens hem elke vorm van verzamelen hetzelfde is.

ISABEL: Ik denk niet dat hij postzegels verzamelen hetzelfde vindt als snot hamsteren.

RAE: Sst. Maar hij vindt het hetzelfde of je nou extra cereals in huis hebt of dat je snot bewaart.

ISABEL: [luid] Henry, vind je nou werkelijk dat Mr. Peabody's smerige gewoonte om zijn eigen gebruikte zakdoekjes te bewaren echt hetzelfde is als bijzonder grote hoeveelheden cereals inslaan?

HENRY: Hou je daar nou nooit over op?

RAE: Wat ik doe en wat Mr. Peabody doet zijn totaal verschillende dingen.

HENRY: Ik beweer niet dat ze in precies hetzelfde klaslokaal van abnormaal gedrag vallen, maar volgens mij behoren ze wel tot dezelfde school.

RAE: [tegen Isabel] Zie je wel, ik kan er met hem niet over praten.

HENRY: Isabel, ben je dit aan het opnemen?

ISABEL: Ja.

HENRY: Ik ga die taperecorder confisqueren.

[Einde van de band.]

Na vijf bladzijden *Misdaad en Straf* drukte Rae op de 'play'-knop en bekeken we de tweede aflevering van de eerste reeks* van *Doctor Who* (2005, BBC), 'The End of the World'.**

Tijdens een korte stilte in het gesprek op tv zei ik: 'Door dit programma krijg ik zin om stoned te worden en alle afleveringen achter elkaar te bekijken.'

Henry kuchte bij de opmerking over 'stoned worden'. Hij pakte twee biertjes uit de koelkast en gaf er een aan mij.

'Misschien is dit ook goed.'

'Dankjewel.'

'Probeer de toespelingen op drugs zo veel mogelijk te beperken als je in gezelschap van een politieman en een minderjarige bent.'

'Sorry,' zei ik.

'Sst,' siste Rae, wier ogen als lasers op het scherm gericht waren.

Toen 'The End of the World' was afgelopen controleerde Rae of er berichten op haar mobiel waren binnengekomen.

'Ik knijp ertussenuit,' zei Rae.

'Waar ga je heen?' vroeg Henry.

'Naar Ashley. Ze gaan vanavond pizza eten.'

'Bel je moeder,' zei Henry.

'Ik vertel haar niet over de pizza,' antwoordde Rae.

'Die pizza kan me niks schelen. Vertel haar gewoon waar je heen gaat.'

'Oké.'

'Je moet nú bellen.'

'Jij bent zo prehistorisch,' zei Rae, terwijl ze het nummer intoetste.

Twee uur later, na een maaltje bestaande uit zalm, wilde rijst en boerenkool, deed ik de afwas terwijl Stone afdroogde en inspecteerde.

* Het eerste seizoen van de nieuwe reeks. Formeel niet de eerste.
** In deze aflevering reizen de doctor en zijn maat, Rose, naar het jaar vijf miljard om te zien hoe de zon de aarde verzwelgt. Maar het echte probleem is dat er een moordenaar rondwaart tussen de buitenaardse wezens die zich voor de grote gebeurtenis hebben verzameld.

'Je hebt een stukje laten zitten,' zei hij voor de derde keer oprij.

'Ik denk echt dat je baat kunt hebben bij medicijnen,' antwoordde ik.

'Jij misschien ook wel,' antwoordde hij.

'Je bent echt overdreven netjes.'

'Ik weet het,' zei hij, alsof dit zijn duistere geheim was.

'En geordend. Jouw sokkenla is een wonder.'

'Je hebt zeker rondgesnuffeld?'

'Je ruikt zelfs naar zeep.'

'Nietwaar.'

'Een heerlijke zeep, maar wel zeep. Echt.'

Ik werd een beetje draaierig toen ik Stones zeepachtige geur opsnoof. Ik gaf hem het laatste bord en maakte wat ruimte tussen ons.

'Ben je vandaag nog meer over me te weten gekomen?' vroeg hij.

'Voorzover ik kan inschatten, ben je niet zo'n grote pornoliefhebber.'

'Weet je dat wel zeker?' vroeg Stone sarcastisch. 'Mannen kunnen dat heel goed verstoppen.'

'Ik ken alle geheime bergplaatsen,' antwoordde ik.

'Wauw. Je hebt het druk gehad,' zei Stone, terwijl hij zijn woning afspeurde op bewijzen van indringing.

'Rustig maar,' zei ik. 'Zo goed heb ik niet gezocht. Jij bent gewoon het type niet.'

'Wat voor type ben ik dan?'

'Ik weet het werkelijk niet,' zei ik. 'Je bent net de een of andere buitenaardse levensvorm.'

Het noemen van buitenaardse wezens herinnerde Stone en mij eraan dat ons nog uren Doctor Who wachtten. Stone was als een onvoorbereide oppas blij met elke vorm van afleiding van mijn gebruikelijke afleidingsmiddelen en deed de dvd erin en hield niet de hand aan zijn regel van het lezen ter afwisseling.

Gespreksflarden klonken op te midden van een telkens weer op het nippertje ontweken einde van de beschaving.

Aflevering 3: 'The Unquiet Dead'*

'Ik wist helemaal niet dat jij zo'n slome was,' zei ik op gezaghebbende toon.

'Dan weet je het nu,' antwoordde hij.

'Slim hoe je Rae aan Dickens hebt gekregen.'

'Ja, hè?'

Aflevering 4: 'Aliens of London'**

'Ik zou je een gunst willen vragen,' zei ik.

'Iets anders dan een plaats om te pitten?'

'Ja,' zei ik, en ik draaide me naar Stone. 'De laatste keer dat ik John Brown volgde, stond zijn auto ongeveer een uur voor een bepaald huis. Er kwam een vrouw naar buiten om met hem te praten...'

'Ik dacht dat je daarmee opgehouden was,' zei Stone, en hij zette het buitenaardse wezen op het scherm op pauze.

'Ik ben ermee opgehouden. Maar jij niet.'

Ik gaf Stone een papiertje uit mijn zak. 'Dit is het adres waar hij stond. De vrouw in kwestie, Jennifer Davis, is sindsdien vermist.'

Stone nam het papiertje aan. 'Ik ben ervan overtuigd dat de politie deze zaak onderzoekt.'

'Zoek het voor mij uit,' zei ik.

'Waarom kun je dit niet gewoon loslaten?'

'Om dezelfde reden waarom jij geen vies bordje in de gootsteen kunt laten staan. Zo ben ik nou eenmaal.'

---

* De doctor en zijn maat, Rose, reizen terug in de tijd en ontmoeten Charles Dickens en een paar zombies.

** Tijdens de Tweede Wereldoorlog stort een ruimteschip neer op aarde, waardoor materie wordt verspreid die het menselijk D N A verandert en gasmaskers laat vastkleven aan gezichten van mensen, en daarna struinen die de straten van Londen af en zeggen ze: 'Ben jij mijn mammie?' Moeilijk uit te leggen. Je moet deze aflevering waarschijnlijk zelf zien. Waarschuwing: het is verrassend eng.

Het experiment

Zaterdag 1 april

Ik werd iets na tienen wakker en trof mijn gastheer, nog in pyjama, met de krant op de bank in zijn woonkamer.

'Gefeliciteerd,' zei Henry, die opkeek van zijn krant.* Daarna legde hij zijn blote voeten op de salontafel. Het was een onhandige beweging, alsof hij dat nooit eerder had gedaan. 'Ik heb een cake voor je gebakken,' vervolgde hij met een knik in de richting van de keuken.

'Hoe wist je dat ik jarig ben?' vroeg ik, terwijl ik zijn blik volgde.

Er stond een cake op de keukenaanrecht. Ernaast stond verse koffie. Daarnaast een kring waar eerst een koffiebeker stond. Daar weer naast een gootsteen vol met afwas, waarschijnlijk van de cakebereiding.

'Ik weet niet wie u bent, meneer. Maar vertel me wat u met Henry hebt gedaan,' zei ik zogenaamd wanhopig.

'Heel grappig,' antwoordde hij, zonder zijn ogen van de krant af te wenden. 'Eet die cake nou maar gewoon op.'

Ik schonk een kop koffie voor mezelf in, sneed een grote plak cake af en ging naast Henry op de bank zitten.

'Dit is écht lekker,' zei ik. 'Heb je die helemaal zelf gemaakt?'

'Uiteraard,' luidde zijn enige reactie.

'Hoe wist je dat ik vandaag jarig ben?'

'Je ouders belden vanochtend vroeg,' zei hij, terwijl hij mijn vork afpakte en een hapje cake nam.

Ik legde de achterkant van mijn hand tegen zijn voorhoofd.

---

* 1 April is inderdaad een ongelukkige dag om jarig te zijn. Ik bespaar je de historische details.

'Moet ik een dokter bellen?' vroeg ik.

'Mensen kunnen veranderen,' zei hij, en hij gaf me mijn vork terug.

'Waar ben je op uit?' vroeg ik achterdochtig.

'We spreken het volgende af,' zei Stone. 'Ik minder met de dingen die met schoonmaken en controle te maken hebben als jij afziet van elke vorm van observeren.'

'Hoelang?'

'Tot maandagochtend.'

'Dat is maar een weekend.'

'Dat is een begin.'

Net als mijn zusje ben ik dol op een stevige onderhandeling. Maar ik moest het offer van Stones kant vergroten.

'Het schoonmaken minderen is niet voldoende voor mij,' zei ik.

'Wat is je tegenbod?' antwoordde Stone.

'Een volledig moratorium op schoonmaken. Als de gootsteen te vol wordt, doe ik de afwas en droog ik af. Geen controle. Én je moet je pyjama tot in de middag dragen.'

'En als ik naar buiten moet?'

'Dat is mijn probleem niet. Én maar een keer per dag douchen. Niet scheren.'

'Wees redelijk, Isabel.'

'Het is mijn verjaardag,' zei ik.

Stone overwoog onze onderhandelingsvoorwaarden. 'Laat me mijn eisen verduidelijken,' zei hij, en hij somde zijn laatste tegenbod op. 'Je komt niet in de buurt van een computer. Je mag het huis niet uit, tenzij er een volwassene (of Rae) met je mee gaat en je mag je mobieltje niet gebruiken tenzij ik in de buurt ben.'

'Bestaat er nog zoiets als vertrouwen?'

'Nee.'

'Is dit dan zoiets als een weddenschap met een winnaar en een verliezer?'

'Nee,' antwoordde Stone. 'Het is gewoon een experiment.'

De terugkeer van het Verloren Weekend

Die ochtend brak er noodweer uit in de Bay Area. Buiten donderde het, gevolgd door bliksem. Stone en ik overlegden kortstondig wat we zouden kunnen doen, nu ons gebruikelijke vermaak onmogelijk was.

'We kunnen naar het museum gaan.'

'Mwah.'

'De bibliotheek.'

'Waarvoor?'

'Het aquarium.'

'Het aquarium? Probeer je me op te voeden?' vroeg ik.

'Het was maar een idee,' antwoordde Stone.

We kozen voor tv om onze geest te verdoven en besloten onze *Doctor Who*-marathon voort te zetten.

Een observatieverslag over Stone en mij zou er ongeveer zo uitzien:

Verloren Weekend – Dag 1

11.10 uur

Henry Stone (hieronder Subject #1 genoemd) en Isabel Spellman (hieronder Subject #2 genoemd) op een bank waargenomen. Subject #1 draagt een groen-donkerblauw geblokte pyjama. Subject #2 draagt een rood-groene pyjamabroek en een sweatshirt met een capuchon. Subject #1 doet een dvd in de dvd-speler. Subjecten leunen achterover en kijken naar het tv-scherm.

Subjecten blijven de vijf volgende uren op de bank zitten.

Een jonge vrouw, ongeveer vijftien jaar oud (Subject #3) met hoog-
blond haar, gekleed in een spijkerbroek, T-shirt, trui en regenjas,
belt aan bij Subject #1. Subject #3 wordt binnengelaten in de woning van Subject #1.

Het probleem van observatieverslagen is dat ze zelden de sound-
track geven. En onderstaande gebeurtenissen vereisen een sound-
track. Ik moet voor de details op mijn geheugen vertrouwen,
want zodra Rae arriveerde fouilleerde Henry me op een opname-
apparaat.

'Gefeliciteerd,' zei Rae bij binnenkomst. Toen gaf ze me een
plastic zak met een verjaarskaart en een pond Peanut M&M's. De
kaart was van het Hallmarkhumortype. 'Hé, die leeftijd had ik je
niet gegeven... ik dacht dat je ouder was.' Aan deze belediging was
ook nog eens een biljet van tien dollar toegevoegd.

'Bedankt,' zei ik. 'Die ga ik denk ik maar gebruiken voor een
kwart tank benzine.'

Maar Rae luisterde niet naar mijn reactie. Ze zag meteen de afwas in de gootsteen, merkte de cake op de aanrecht op en stond
versteld van Stone in zijn pyjama. Ik ben er vrij zeker van dat zij
hem nog nooit in iets gezien had dat niet werd dichtgeknoopt en
ingestopt.

'Heb je griep?' vroeg Rae aan Henry.

'Nee,' antwoordde Henry. 'Ik ga me aankleden.'

'Ik dacht het niet,' zei ik, en ik blokkeerde de weg naar de slaapkamer.

'Het is middag. De afspraak was dat ik de pyjama de hele ochtend zou dragen.'

'Nee, de afspraak was dat je die tot in de middag zou dragen.
Rae, wat betekent in de middag voor jou?'

'Drie uur,' zei Rae, en toen schoot ze op de televisie af en opende
ze de dvd-speler om te kijken bij welke aflevering we waren.

'Hebben jullie een stuk overgeslagen?' vroeg Rae met een blik
alsof ze verraden was.

'Nee,' antwoordde ik, en ik draaide Henry om en duwde hem terug naar de bank.

'Wanneer hebben jullie deze allemaal bekeken?' vroeg Rae, die in gedachten een paar berekeningen maakte.

'Gisteravond en vanochtend,' zei ik.

'Dan kun je onmogelijk ook gelezen hebben.'

'Je zus en ik voeren een experiment uit,' verklaarde Henry.

'Nou, als bij dat experiment een *Doctor Who*-marathon hoort, wil ik ook meedoen. Niet te geloven dat jullie dit zonder mij hebben gedaan.'

Rae wisselde met een grotere vastberadenheid dan ze ooit had vertoond de dvd's om, plofte neer op de bank en hield de kussens stevig vast om haar plaats veilig te stellen.

'Jullie zullen moeten wachten tot ik bij ben,' zei ze, nadat ze de afstandsbediening had gevonden en op de 'play'-knop had gedrukt. 'O ja, en ik lees vandaag géén boek,' zei ze resoluut.

'Hoe laat is het?' vroeg ik.

'Kwart voor twee,' antwoordde Stone.

Ik deed de koelkast open en pakte een biertje.

'Isabel, het is kwart voor twee,' zei Stone.

'Dat weet ik. Dat zei je net.'

Ik pakte nog een biertje uit de koelkast.

'Jij krijgt er ook een.'

Henry knikte in de richting van mijn zus en probeerde zwijgend duidelijk te maken dat hij een minderjarige niet het slechte voorbeeld wilde geven.

'Ontspan je, Henry. Ze heeft wel eerder iemand 's middags bier zien drinken.'

'Sst,' gebood Rae, die gegrepen was door de televisie.

'Heb je ook spelletjes?' fluisterde ik.

'Scrabble,' antwoordde Stone.

'Uiteraard heb jij scrabble,' zei ik sarcastisch. 'Ga het halen. We moeten de tijd doden.'

16.30 uur

Einduitslag van het scrabble: Henry: 14.876 punten; Isabel: 5234 punten.

Bieruitslag: Henry: 2; Isabel: 4.
Aantal door Rae bekeken afleveringen van Doctor Who: 5.

Rae, die eindelijk doorhad dat deze gelukzalige tijd haar niet in de nabije toekomst zou worden ontnomen, besloot een pauze te nemen van het kijkplezier en de grenzen van dit 'experiment' te testen. Ze stond op van de bank en liet weten dat ze naar de winkel ging.

'Ik ga met je mee,' zei ik. 'We moeten nog wat bier hebben.'

Ik trok een regenjas aan over mijn pyjama en schoot in Henry's laarzen, die bij de voordeur stonden. De dichtstbijzijnde kruidenier was zo'n twee straten verderop. Rae en ik besloten door de koude, vochtige buitenlucht te gaan lopen. Ik stak de broekspijpen van mijn pyjamabroek in de laarzen en stampte door de plassen op weg naar de winkel.

'Schei daar eens mee uit,' gebood Rae, terwijl ze de spetters die ik maakte ontweek.

Ik schee niet uit.

'Word eens volwassen, Isabel.'

Ik liep om de volgende plas heen en zei: 'Ik zal je een geheimpje verklappen: mensen worden niet volwassen zoals jij het je voorstelt.'

Rae zuchtte en zei: 'Wat bedoel je?'

'Dat hele gedoe rond volwassenheid is een mythe. Wat er nu aan je mankeert, mankeert je over twintig jaar waarschijnlijk nog steeds.'

'Mij mankeert nu niks,' antwoordde Rae.

'Als mensen echt volwassen werden, zouden er geen misdrijven zijn, geen scheidingen, geen mensen die de Amerikaanse Burgeroorlog naspelen. Denk er eens over na. Was oom Ray volwassen? Gedraagt papa zich altijd als een volwassene? Dat is allemaal onzin. Ik weet niet wat mama de laatste tijd allemaal gedaan heeft, maar dit weet ik wel, het was géén volwassen gedrag.'

'Ik mis oom Ray,' zei mijn zusje.

'Ik ook,' antwoordde ik.

Zijn naam was al een tijdje niet genoemd. De stilte overspoelde ons toen we de kruidenier bereikten. Ik probeerde oom Ray niet te zien als iemand die voorgoed verdwenen was. Ik stelde me hem liever voor alsof hij een echt heel erg lang Verloren Weekend hield. Ik was blij dat ik werd afgeleid door de vraag welk bier ik zou nemen.

Toen Rae en ik onze boodschappen hadden gedaan liepen we over de drijfnatte stoep terug naar Henry's huis. Ik trapte nog een keer in een plas om onze oom uit Raes gedachten te halen. Ik kon aan haar ernstige gezichtsuitdrukking zien dat er tranen boven zouden komen als ze die toeliet.

'Ik vroeg of je daarmee op wilde houden,' zei Rae, die de spatten te laat ontweek.

'Sorry, vergeten,' antwoordde ik luchtig.

'Henry is volwassen,' zei Rae na een lange stilte.

Ik had geen bewijs voor het tegendeel, dus deze liet ik glippen. 'Misschien,' zei ik. 'Maar wat ik bedoel is dit: het is niet wat je ervan verwacht, dat je op een dag opstaat en je realiseert dat je de dingen begrijpt. Je begrijpt het nooit. Nimmer.'

'Heeft ouder worden ook nog voordelen?' vroeg Rae.

'Zeker,' zei ik. 'Je mag je eigen bier kopen.'

Vijf minuten later waren we bij Henry thuis en deden we onze schoenen en regenjassen uit in de hal. Ik speurde de kamer af naar tekenen van orde, maar het leek erop dat Henry alles op zijn plaats had laten liggen, in wanorde. Maar hij had zich tijdens onze afwezigheid wel aangekleed. Stones kleding was helemaal niet uitzonderlijk formeel, maar het in de broek gestopte oxfordhemd onder een blauwe trui was mij iets te veel universitair docent.

'Geen schoenen,' zei ik tegen Henry, terwijl ik zijn instappers bekeek.

'Ik kan me niet herinneren dat onze afspraak een controle van de complete garderobe behelsde. Jij wel?'

'Trek die eruit,' zei ik, terwijl ik mijn handen onder zijn trui deed en de flappen van zijn overhemd uit zijn broek trok. Henry sloeg mijn handen weg.

'Begrepen,' zei hij, terwijl hij het karwei afmaakte.

'Dat ziet er beter uit.'

Rae pakte haar boodschappen uit en begon boter te smelten in een koekenpan.

'Rae, wat ga je doen?' vroeg Henry met een bezorgde blik.

'Uit deze drie ingrediënten valt maar een conclusie te trekken,' antwoordde mijn zus. 'Rice Krispies Treats.'

'Ben je van plan zelf op te ruimen?' vroeg Henry, die zich al voorstelde dat de potten en pannen als een soort buitenaardse invasie zijn keuken in bezit namen.

Mijn zusje, die de stemming in het vertrek juist inschatte, antwoordde: 'Uiteindelijk wel.'

Ik zal je niet vervelen met een nauwkeurige weergave van de volgende vierentwintig uur. Het volstaat hier te zeggen dat het meer van hetzelfde was. Hier volgen de hoogtepunten, die kunnen worden geïllustreerd aan de hand van kenmerkende gespreksflarden.

18.30 uur

RAE: Izzy, wil je nog een blokje [kort voor Rice Krispies Treats]?
ISABEL: Nee, maar Henry wel.
HENRY: Nee, dank je.
ISABEL: Het was geen vraag. Dat was een bevel.

19.30 uur

RAE: Ik heb zo'n hékel aan de Slitheens.* Echt een heel grote hekel. Ze zijn zo walgelijk. Ik heb eerlijk gezegd liever de Daleks.**
ISABEL: Maar de Slitheens zijn een minder grote bedreiging dan de Daleks.
RAE: De Daleks zijn heel eng, maar ik heb er niet op dezelfde manier een hekel aan. Henry, aan wie heb jij een grotere hekel?
HENRY: Het is fantasie. Ik heb aan geen van beide een hékel.
[Rae gooit per ongeluk een bakje pretzels om op de salontafel.

*Wormachtige schepsels die als vermomming in een menselijk pak passen en griezelig gasachtig zijn.
**Kwade buitenaardse schepsels die op een kruising tussen een bronzen R2-D2 en een vingerhoed lijken, met vanbinnen een slijmerige inktvissenkern. Zij schijnen het grootste gevaar voor het voortbestaan van de mensheid te vormen.

Henry wil het gaan opruimen.]
ISABEL: Laat toch liggen.
HENRY: Ga jij het opruimen?
ISABEL: Later.

21.00 uur

RAE: Dit is leuk. We zouden dit elk weekend moeten doen.
HENRY: Wanneer doe je dan je huiswerk?
RAE: Jij bent zo prehistorisch.
ISABEL: Ik denk dat ik nog een biertje neem.
HENRY: Ik ook.
ISABEL: Echt?
HENRY: Rae, hoe kom je thuis?
RAE: Ik wou de Tardis* nemen.
HENRY: Bel naar huis. Wij kunnen niet rijden.
RAE: Ik wil nog niet naar huis.
HENRY: Isabel, geef me de telefoon eens.
ISABEL: Dit is zo geweldig. Het experiment werkt. Jij bent, zeg
    maar, volkomen lui. [Ik geef Henry de telefoon. Hij belt huize
    Spellman.]
HENRY: [in de telefoon] Dag, Olivia. Met Henry. Rae moet op een
    zeker moment vanavond naar huis worden gebracht. Ik heb een
    paar biertjes op en kan niet rijden. Isabel kan evenmin rijden. Ja,
    ze is hier nog steeds. Je moeder heeft een boodschap ingespro-
    ken op je mobiel. Waarom heb je haar niet teruggebeld?
ISABEL: Omdat ze mij heeft laten arresteren wegens kapitale
    diefstal omdat ik haar auto geleend had.
HENRY: Hoorde je dat? Hoe dan ook, kun je Rae komen opha-
    len? Ze zit hier al zo'n twaalf uur. [stilte] We hebben tv zitten
    kijken en Rice Krispies Treats gegeten. Met mij gaat het prima.
    Tot strakjes.

* Een tijdmachine die er van buiten als een ouderwetse telefooncel uitziet.

Een uur later rinkelde Henry's deurbel. Ik deed open om Henry's vadsigheid aan te moedigen. Mijn vader en moeder stonden in de hal. Mama gaf me een kaart, die vermoedelijk een belediging over mijn leeftijd en een cheque voor een significant geldbedrag bevatte.

'Gefeliciteerd, schat. Hiermee zou je jezelf een tijdje uit de nesten moeten kunnen houden... hoop ik,' zei mama terwijl ze me een kus op mijn wang gaf.

Papa volgde met een omhelzing en stelde voor dat we volgende week een keer samen zouden eten.

Beide ouders gleden langs me heen en namen de aanblik van Henry's wanordelijke vertrek in zich op.

'Jullie weten toch wel dat er voor een Rae-verwijdering altijd maar één volwassene nodig is?' informeerde ik.

'We maakten ons zorgen,' antwoordde mijn vader.

'Ik maak het prima, pap.'

'Niet over jou,' zei mama. 'Over Henry.'

'Henry, alles goed?' vroeg mijn vader aan de nieuwe en verbeterde Henry.

'O, ja. Alles is prima. Isabel en ik hebben alleen maar een afspraak gemaakt.'

Rae verpakte haar Rice Krispies Treats in plasticfolie.

'Wat voor soort afspraak?' vroeg mama achterdochtig.

'Olivia, er is niets aan de hand. Het gaat prima met ons. Rae moest gewoon thuisgebracht worden.'

'Klaar?' vroeg papa aan Rae.

'Ja. Ik kom morgen terug. Tien uur,' zei Rae. 'Haal het niet in je hoofd om zonder mij te beginnen,' voegde ze er op een strenge waarschuwende toon aan toe.

Mama en papa wisselden een stille, verbijsterde blik van verstandhouding. Mama ging naast Henry op de bank zitten en fluisterde, maar hard genoeg dat ik het kon verstaan: 'We kunnen Isabel ook meenemen. Je hoeft het maar te zeggen.'

'Het gaat best met ons. Het gaat prima met Isabel. Het gaat prima met mij.'

'Je hebt mijn mobiele nummer,' zei mama. 'Je kunt altijd bellen. Wij staan altijd voor je klaar, Henry.'

De terugkeer van het Verloren Weekend

Zondag 2 april

Dag twee was een bijna exacte kopie van dag één, behalve dat Henry weigerde bier te drinken en Rae een uur eerder kwam. Toen Stone 's middags eindelijk toestemming kreeg om zich aan te kleden, zaten Rae en ik met zijn tweeën op de bank. Ons gesprek begon heel onschuldig, maar mijn Verloren Weekend was slechts een onbeduidende afleiding van mijn primaire oogmerk, dat ik niet uit mijn hoofd kon krijgen.

'Ik ben dól op de tiende doctor,' zei Rae, nadat we de zesde aflevering van *Doctor Who* van die dag hadden bekeken. De acteur die de doctor speelt was interessant genoeg tussen het eerste en het tweede seizoen gewisseld. De verandering verliep opmerkelijk soepel. Desondanks was ik minder overtuigd dan mijn zusje van de superioriteit van de tiende doctor in vergelijking met de negende.

'Je vindt de nieuwe doctor alleen maar leuk omdat je hem knapper vindt dan die andere,' zei ik.

'Hij is knapper.'

'Nee, dat is niet zo,' antwoordde ik. 'Dat vind jij. Maar het is geen absolute waarheid.'

'Vind jij de negende doctor leuker dan de tiende?' vroeg Rae geschokt.

'In alle opzichten,' antwoordde ik.

'Oké. Laat me de vraag anders stellen: vind je de negende doctor knapper dan de tiende?'

'Ja,' antwoordde ik.

'Dat kun je niet menen. Kijk eens naar die oren.'

'Wil je geen onzin kletsen over míjn doctor?' zei ik gemaakt boos.

'Je zegt het maar,' antwoordde Rae, terwijl ze haar blik weer op de televisie richtte. Ik drukte op de 'pauze'-knop en hoopte even op iets anders over te kunnen stappen, nu Henry het niet kon horen.

'Je moet iets voor me doen,' zei ik fluisterend.

'Wat?' fluisterde Rae terug.

'Worden onze gps-volgapparaten op het moment gebruikt?'

'Mama gebruikt er misschien eentje, maar het andere is beschikbaar,' zei Rae.

'Je moet er stiekem eentje aan Subjects auto bevestigen. Wees heel voorzichtig. Als iemand je betrapt, zit ik diep in de nesten.'

'Wat krijg ik ervoor?' vroeg Rae.

'Hoeveel wil je ervoor hebben?'

'Vijftig.'

'Veertig.'

'Akkoord.'

Henry kwam de kamer binnen en Rae speelde het als een professional. 'Ik kan niet begrijpen dat jij de negende doctor cooler vindt dan de tiende.'

Als je de tv en films mag geloven, wemelt het in het bestaan van een privédetective van de snufjes en hightech apparaten die geheime organisaties niet zouden misstaan. Wij helpen cliënten met dergelijke ideeën altijd uit de droom. Mijn werk is in werkelijkheid veel minder *Mission: Impossible* dan je misschien denkt, maar de moderne techniek heeft ons wel degelijk van enkele handige trucjes voorzien, en met het oog op mijn recente arrestaties moest ik wel mijn toevlucht tot trucs nemen.

Mijn ouders hadden onlangs twee gps-volginstrumenten aangeschaft. Je vraagt je waarschijnlijk af waarom ik die niet al eerder heb gebruikt. Het is wel leuk en aardig om te weten waar Subject heen gaat, maar wat ik eigenlijk wil weten is wat hij doet als hij daar is. Gps-systemen zijn geweldig om iemand te volgen, maar niet om diens handelingen in de gaten te houden.

The Philosopher's Club

Toen Henry en ik later die avond Rae veilig thuis hadden gebracht, stond ik erop dat we even naar The Philosopher's Club gingen. Henry en ik gingen aan de bar zitten. Milo knikte vriendelijk naar Henry.

'Wat zal het zijn?'

'Club soda,' antwoordde Henry.

'Voor mij een whisky. Is dit niet geweldig. Ik heb altijd al een bob willen hebben.'

Milo schonk de club soda en de whisky in en serveerde de drankjes. Toen leunde hij voor mij op de bar en keek hij me verveeld maar recht aan.

'Izzy, zeg eens,' zei Milo. 'Wat staat er op de voorkant?'

' "Wij behouden ons het recht voor bediening te weigeren..." '

'Nee, dat andere.'

' "Neem de andere deur." '

'Nee, Izzy, die enorme neonletters aan de voorkant.'

Ik keek Milo vragend aan, want ik wist niet zeker welke letters hij bedoelde.

'Bedoel je de letters van "The Philosopher's Club"?'

'Die,' zei Milo, terwijl hij mij aanwees alsof ik aan een spelprogramma meedeed.

'Er staat eigenlijk "he hilosop er's Clu",'corrigeerde ik, want ik had mijn vriend al vele malen op de haperende neonverlichting gewezen.

'Maar er staat niet "Amerikaans Postbedrijf", of wel soms, Izz?'

'De laatste keer dat ik keek niet,' antwoordde ik, terwijl ik eindelijk begreep waar Milo heen wilde.

Milo pakte een stapel post van achter de bar en liet die voor me neervallen.

'Je hebt je post naar hier laten doorsturen?' vroeg Milo, al was het antwoord zo helder als glas.

'Bedankt,' zei ik, terwijl ik de stapel doorkeek. 'Sorry, ik was vergeten het te vertellen.'

'Wat bezielt je om je post door te laten sturen naar een café?' vroeg Milo.

'Ik wilde niet terug naar Bernie en ik wist niet zeker waar ik zou slapen. Ik kom hier gewoonlijk eens in de paar dagen langs. Het was een logische keuze.'

Ik haalde de reclamefolders eruit terwijl Milo zich tot Henry wendde voor een praatje.

'Jij lijkt mij wel een aardige vent,' zei Milo. 'Deze hier zorgt voor onrust. Dat weet je toch?'

'Dat weet ik,' antwoordde Henry nonchalant.

'Wat is er met jou, Milo?' vroeg ik, net toen ik de onmiskenbare perzikkleur van een uitnodiging voor een bruiloft zag.

'Niks,' antwoordde Milo. 'Ik maak gewoon een babbeltje. Dat doen wij barkeepers. O ja, en post bezorgen.'

Milo's slechte humeur maakte dat we vroeg weggingen. Op weg naar 'huis' frummelde ik wat aan de uitnodiging en bedacht dat die handig 'zoek' kon raken in de post.

'Is die barkeeper van jou altijd zo vijandig?' vroeg Henry.

'Nee,' antwoordde ik afwezig. Milo was welbeschouwd al weken zichzelf niet meer. Ik nam me voor om hem daar binnenkort eens naar te vragen.

Het 'advocatenkantoor' van Mort Schilling

Maandag 24 april
13.05 uur

'Mijn bloedsuikerspiegel zakt,' zei Morty, terwijl hij de garage af-speurde op etenswaren.

Twintig minuten later zaten we in een restaurantje. Om zijn spijsvertering te bevorderen wilde Morty niet meer over werk pra-ten en daarom neigden zijn opmerkingen naar een meer persoon-lijke onderwerpkeuze.

'Weet je wie een mensch is?' vroeg Morty.

'Jíj bent een mensch,' antwoordde ik, omdat ik dacht dat hij zat te hengelen.

'Nee, die politieman, degene bij wie je mag logeren. Hij is een mensch.'

'Ik denk het wel.'

'Hem moet je je telefoonnummer geven.'

'Hij heeft mijn telefoonnummer.'

'Je weet best wat ik bedoel.'

'Jawel, maar ik doe alsof dat niet zo is. Ander onderwerp graag?'

'Je bent de jongste niet meer. En niet elke man voelt zich op zijn gemak bij een vrouw met een strafblad. Sla deze aan de haak, nu je de kans hebt.'

'Morty, ander onderwerp.'

Morty lepelde ijsklontjes in zijn warme chocolademelk.

'Nu is het genoeg,' zei ik, anticiperend op wat zou volgen.

Morty keek alsof er een of ander idee door zijn hoofd speelde.

'Waarom was die barman boos op je?'

'Hij is niet boos op mij; hij is de laatste tijd gewoon chagrijnig.'

'Hoelang al?'

'Een maand of twee.'

'Heeft hij al eerder een chagrijnige fase doorgemaakt?'

'Niet dat ik me kan herinneren.'

'Waarom zou hij dat nu dan hebben?'

'Ik weet het niet. Hij wordt oud. Hij is moe.'

'Dacht je dat we zingend en blij door het leven gaan en dan van de ene op de andere dag onbeleefd worden omdat we oud zijn?' vroeg Morty.

'Ik weet het niet. Ik heb er niet echt over nagedacht.'

'Denk erom, Izz, de wereld draait door, ook al ben jij er geen getuige van.'

'Wat wil je daar nou weer mee zeggen?'

Paasbiljart

Het Verloren Weekend van Henry en mij liep af op maandagmorgen toen hij een stoppelbaard van twee dagen afschoor, afwaste, afdroogde en elk bord voorzichtig in de juiste kast zette, en keurig gekamd, het hemd netjes in de broek, het pand verliet nadat hij mij op het hart had gedrukt me die dag niet te laten arresteren.

Er ging nog een week voorbij in Henry's woning zonder dat er iets gebeurde. Sterker nog, we belandden in een vorm van dagelijks leven die me wel aanstond. Henry vertrok 's ochtends terwijl ik de krant las, zogenaamd op zoek naar een huurwoning. Ik sloeg me met allerlei vrijetijdsbestedingen door de dag heen: een uitje naar een eethuis, een wandeling in het Golden Gate-park, een paar uur onderzoek naar John Brown op de computer en zelfs het uitlezen van dat boek waaraan ik een paar weken eerder was begonnen.* 's Avonds na zijn werk kookte Henry voor me en ruimde hij vervolgens op. Ik droogde symbolisch wat af, maar mijn methode beviel hem niet en hij stelde met klem voor dat ik niet meer zou proberen om te helpen. Geen enkel moment wekte Henry de indruk dat ik te lang bleef hangen. Dus bleef ik.

Dinsdag 11 april

Op grond van de anekdotische gegevens zouden de na-aapvandalen ergens tussen de avond waarop Mrs. Chandler haar tableau installeerde en de datum van de betreffende feestdag kunnen toeslaan.

---

* *Misdaad en Straf* van Fjodor Dostojevski (Beoordeling: vier sterren op een schaal van vijf – moeilijk om alle personages uit elkaar te houden.)

Mrs Chandler belde me dinsdagmiddag op om te zeggen dat zij klaar was met haar nieuwste installatie en dat de bewaking die avond moest starten.

Rae kwam later die middag bij Henry.

'Is hij thuis?' vroeg Rae op samenzweerderige toon.

'Nee,' antwoordde ik.

'Ik heb nog geen kans gehad om te regelen wat je me gevraagd had te regelen.'

'Hij is er niet, Rae. Je kunt gewoon praten.'

'Mam en pap gebruiken beide gps-instrumenten bij een klus. Eentje is vanaf morgen vrij. Ik zal het apparaat zo snel mogelijk aan Subjects auto bevestigen,' zei Rae.

'Hoe eerder hoe beter,' antwoordde ik.

'Ik moet je iets vertellen en het is geheim.'

'Zeg op.'

'Ik controleer zijn vuilnis,' zei Rae.

'Hoe lang al?'

'Sinds die eerste avond dat wij zijn vuilnis inpikten. Ik heb het bij elke kans die ik kreeg meegegrist, want ik dacht dat hij de zaken misschien niet altijd zo goed in de gaten zou houden.'

'Weten pap en mam ervan?'

'Nee; ik doorzoek het, gewoon voor de zekerheid, en vervolgens doe ik het meeste ervan de volgende dag bij ons vuilnis. Hij is meestal heel voorzichtig, maar gisteravond vond ik dit.'

Rae haalde een plastic zak uit haar rugzak. Er zat een damesblouse in. Maat medium. Blauw, met een geplooide kraag. Een van de knopen ontbrak.

'Dit is vreemd,' zei ik, maar wat ik dácht was dat het vreemd was dat Subject maandenlang voorzichtig en dan opeens zo onvoorzichtig was.

De vondst van mijn zusje was zeker intrigerend, maar dat gold ook voor haar timing. Ik moest er rekening mee houden dat ik werd belazerd.

'Dit heb je gisteravond gevonden tussen zijn gewone vuilnis?'

'Ja. Gisteravond,' antwoordde Rae, die haar schoenen bestudeerde. 'Volgens mij zul je de jacht op hem moeten hervatten,' vervolgde zij.

Het is bevredigend om mijn zusje op een leugen te betrappen, maar deze leugen zou me naar andere leugens leiden, en ik moest voorzichtig te werk gaan zodat ik haar niet zou alarmeren.

'Jij moet vanavond Subject in de gaten houden. Bel me als hij naar buiten gaat.'

'Waar zit jij?' vroeg Rae.

'Een paar straten verderop maar, bij Mrs. Chandler, dus ik zou hem te pakken moeten kunnen krijgen als hij beweegt.'

De volgende vraag zou een van de vele mysteries oplossen die me de laatste weken hadden gekweld.

'Rae, heeft jouw vriendje een motor?'

'Hoe weet je dat?'

'Dus het antwoord is ja?'

'Nou ja, min of meer. Hij heeft er wel een, maar iemand zit er steeds mee te klooien, zodat ie het nooit doet.'

Ik vertrok om elf uur 's avonds bij Henry, reed naar Mrs. Chandler en wachtte anderhalf uur tot Rae zoals verwacht opbelde.

'Hij is vertrokken,' zei ze.

'Welke richting?'

'Hij ging linksaf op Polk Street.'

'Ik ga,' antwoordde ik, al verzette ik geen stap en ik zou er een flinke som om durven verwedden dat Subject dat evenmin deed.

Tien minuten later kwamen verscheidene jonge mannen aanrijden in een Oldsmobile van eind jaren tachtig. Ze speurden de omgeving af of er getuigen waren en verruilden vervolgens Mrs. Chandlers mandje met paaseieren voor biljartballen die ze in een oude kussensloop hadden gestopt.

De biljartballenruil was de simpelste en minst tijdrovende van alle streken uit mijn curriculum vitae. De jongens waren in vijf minuten klaar, en ik volgde hun auto toen twee leden van de driemansbende thuis werden afgezet. Het laatste lid, Jason Rivers (Raes geheime vriendje), reed naar zijn huis in Noe Valley. Rivers keek verlangend naar de motor die het nooit zou doen en ging naar binnen.

Mysterie!

Ik besloot om mijn bevindingen bekend te maken op de manier waarop ze in oude detectives worden onthuld. Ik riep de avond erop de hoofdrolspelers bij elkaar in Henry Stones huis, liet ze allemaal op de bank plaatsnemen en liet een pregnante stilte vallen in het vertrek terwijl ik op en neer liep.

'Isabel, wat is er aan de hand?' vroeg mijn vader ongeduldig.

'Ik heb de zaak van de na-aapvandalen opgelost,' zei ik.

'Wie heeft het gedaan?' vroeg mama verlangend.

'Zo pakken we het niet aan,' antwoordde ik. 'Laat me met het bewijsmateriaal beginnen. Op Groundhog Day van dit jaar begon een reeks aanpassingen aan Mrs. Chandlers feestversieringen. De werkwijze bij die aanpassingen kwam overeen met een reeks vandalistische daden uit het seizoen 1992-1993.

Hoewel veel mensen op de hoogte waren van deze streken, kenden alleen leden van deze familie en mogelijk Henry de details ervan, waarmee er slechts zeven echte verdachten zijn. Aangezien ik weet dat ik het niet heb gedaan en, laten we eerlijk wezen, we ook weten dat Henry het niet heeft gedaan, blijven er maar vijf verdachten over. Petra is al weken de stad uit, wat gecontroleerd kan worden, dus ik weet dat zij het niet heeft gedaan. Zo houd ik vier verdachten over: mam, pap, David en Rae. Laten we bij papa beginnen...'

'Isabel, dit is bespottelijk. Ik was met St. Patrick's Day de stad uit.'

'Dat is precies wat ik wilde gaan zeggen, al was ik van plan daar wat ruimer de tijd voor te nemen.'

'Kunnen we verdergaan?' vroeg mijn moeder.

'Nee,' zei ik streng. 'We pakken dit op mijn manier aan.' Ik ging verder. 'Aangezien papa de stad uit was met St. Patrick's Day en mama ook de stad uit was, vielen die twee voor mij af. David was natuurlijk als geen ander op de hoogte van de oorspronkelijke wandaden. Maar David was te neerslachtig om de benodigde energie voor deze misdrijven op te kunnen brengen. Hij had weliswaar geen alibi, maar ik moest hem voor onschuldig houden. De enige verdachte die overbleef was Rae.'

'Ik heb ook een alibi,' zei Rae.

'Dat klopt,' antwoordde ik. 'Ik ben jouw alibi. Jij was in huize Spellman op de avond van de aanval op de kabouters. Maar jij bent veel slimmer, hè, Rae?'

'Ik heb geen idee waar je het over hebt,' antwoordde Rae nonchalant.

Ik keek mijn moeder doordringend aan. 'Iedereen in deze kamer heeft iets te verbergen,' zei ik sluw. 'Volgens mij wordt het tijd dat we een paar van die geheimen onthullen, want dan kunnen wij misschien allemaal verdergaan met ons leven.'

'Waar heb je het over, Isabel?' vroeg papa nerveus.

'Alles op zijn tijd,' zei ik, genietend van het moment. 'Ik moest namelijk een ander mysterie oplossen om de zaak van de na-aapvandalen op te lossen.'

'Dit is stom,' zei Rae. 'Mag ik tv-kijken?'

'Nee,' zei ik. 'Eens kijken, waar moet ik beginnen? Ik begin denk ik maar met de bewijzen...

Een tijdje geleden viel het me op dat mama er vreemde werktijden op na hield. Op een nacht besloot ik haar te schaduwen, en toen ik dat deed zag ik mama iets heel geks doen. Ze reed naar Noe Valley en vernielde een motor.'

Raes mond viel open toen ze het ineens begreep. 'O, mijn God!' riep ze.

Mijn vader keek mijn moeder verward aan, en Henry Stone hield zijn hoofd in zijn handen en zuchtte.

'Papa, aangezien jij de enige in deze kamer bent die niet weet wat er aan de hand is, laat ik je een hint geven. Rae heeft een vriendje...'

'Wat?' zei mijn vader vol ongeloof.

'Laat me mijn verhaal afmaken. Rae heeft een vriendje, Jason Rivers genaamd. Ze heeft Henry vier maanden geleden over dit vriendje verteld toen ze iets met elkaar kregen. Ze vertelt Henry alles, zoals je weet. Henry vond het maar niks om als enige over zulke belangrijke informatie te beschikken en vertelde het aan mama, omdat hij vond dat een moeder zulke dingen hoorde te weten. Maar hij vroeg mam met klem niet te vertellen dat hij Raes vertrouwen had geschonden.

Mama, die nu op de hoogte was van de naam van dit vriendje, kreeg het adres van de schooldirectie en begon de jongeman informeel te schaduwen. Toen zij ontdekte dat deze jongeman een motor had, en jongeman niet ter sprake kon brengen bij dochter om dochter in niet mis te verstane woorden te vertellen dat zij niet op genoemde motor mocht rijden, liet moeder de banden leeglopen, hevelde de benzine eruit, stopte kauwgum in het contact en deed alles wat ze kon bedenken om die motor niet te laten rijden.

Ik heb het mysterie van de na-aapvandalen ongeveer twee weken geleden opgelost. Maar gisteren werd het bevestigd. Degene die verantwoordelijk is voor het na-aapvandalisme is Rae Spellman.'

Ik pauzeerde voor het theatrale effect en wees vervolgens naar mijn zusje.

'Maar jij bent mijn alibi,' zei Rae wanhopig.

'Ik zeg niet dat jij het ook echt deed, maar jij was het brein erachter.'

Ik wendde me tot mijn vader en moeder en zette alle feiten uiteen die mijn conclusies voor de hand liggend maakten.

'Ik heb gisteravond drie jongens op heterdaad betrapt, van wie eentje Raes vriendje was. Rae is jarenlang doodgegooid over die aanpassingen. We mogen gerust aannemen dat ze de details ervan in haar oren had geknoopt. De enige moeilijkheid was dat Rae, toen ik die klus kreeg, een tijdstip moest vinden om haar pionnen te laten toeslaan, op een moment dat ik er niet mee bezig was.

Op St. Patrick's Day wachtte ze tot ik met een gebroken rib in bed lag. En dan gisteravond. Ik zal niet op de details ingaan, maar Rae probeerde me met een andere klus af te leiden. Ik hapte niet. Ik bleef bij het huis van Chandler en toen betrapte ik de jongens op heterdaad.

Zaak gesloten,' zei ik, terwijl mijn familie en Henry me ongelovig aankeken.

Rae stond op en stak haar hand uit. 'Goed gedaan,' erkende ze.

Mijn moeder wendde zich tot mijn zusje en stelde de voor de hand liggende vraag: 'Waarom?'

'Ik weet het niet. Jason stelde voor wc-papier op haar gazon te gooien toen hij haar kerstversieringen had gezien, maar dat vond ik zo flauw en saai. En toen vertelde ik hem over Isabels aanpassingen...'

'Ik heb geen idee waar je het over hebt,' zei ik.

'Schei daar nou eens mee uit,' zei mijn vader bits.

'Hoe vaker ik erover praatte, hoe gaver het idee leek,' ging Rae verder. 'Het was een soort van hommage.'

'Mooi woord,' zei Henry, 'al keur ik het níét goed.'

Papa wendde zich tot Rae. 'Schatje, dit misdrijf blijft niet onbestraft.'

'Ik had niet anders verwacht,' antwoordde Rae stoïcijns.

'Zijn we nu klaar?' vroeg mijn moeder.

'Nee, antwoordde ik kortaf. 'Ik heb nog iets dat me van het hart moet.

Pap en mam, jullie hebben beiden een hekel aan vakantie. Als jullie het voor elkaar doen, hou er dan mee op. Ik heb de e-mails die bewijzen dat jullie geen van beiden plezier hebben gehad op die reizen.'

Rae kreunde alsof ze het slachtoffer van een steekpartij was, omdat ze besefte dat haar weekends zonder ouders nu misschien tot het verleden zouden behoren.

Als met stomheid geslagen verliet mijn verbijsterde familie in ganzenpas Henry's appartement.

Toen Rae vlak langs me liep, fluisterde ik: 'Heb je die blouse echt tussen Subjects vuilnis gevonden?'

Rae schudde haar hoofd en keek naar haar voeten. 'Sorry,' zei ze. 'Je liet me geen keus.'

Omdat papa als laatste vertrok, nam ik hem even apart.

'Je hebt vierentwintig uur om aan mama te vertellen wat ik in het dashboardkastje van je auto heb gevonden. Daarna vertel ik het aan haar.'

Ik heb bovenstaande aflevering van *Mysterie!* in geuren en kleuren gepresenteerd omdat het een zaak of een reeks zaken was die ik echt oploste. Ik gebruik bovenstaande aflevering om te laten zien dat ik wel degelijk over, misschien wel bovengemiddelde, deductievaardigheden beschik. Soms komen de bewijzen te snel of denk je dat je het mysterie heb opgelost voor je al het bewijsmateriaal hebt verzameld. Dan kun je – dat wil zeggen, dan kan ik – die nieuwe stukjes informatie in een theorie passen die ik al in mijn hoofd heb zitten. Dat wil niet zeggen dat ik mijn werk waardeloos doe, het betekent gewoon dat ik zelfs als ik alle relevante feiten heb verzameld, zou kunnen proberen deze met geweld in een puzzel te passen die op het eerste gezicht lijkt te kloppen, maar waarvan nog een paar stukjes in de doos zitten.

De dag erna

Rae klopte op de deur van Henry Stones appartement. Toen ik hem van het nachtslot haalde, liep Rae ruw langs me, pakte de dvd van het tweede seizoen onder Stones tv-meubel vandaan en deed die in de dvd-speler. Voor ze op de 'play'-knop drukte, zei ze: 'Ik heb gedaan wat je me gevraagd had te doen.'

'Heb je het zendertje aan Subjects auto bevestigd?' vroeg ik.

'Ja,' antwoordde ze. 'Je kunt mijn loon in het buitenvakje van mijn rugzak stoppen.'

'Weten pap en mam dat je hier bent?'

'Sst.'

'Heb je je vriendje al verteld dat het spel uit is?'

'Sst.'

'Ben je van plan het voor Mrs. Chandler op te biechten of moet ik dat voor je doen?'

'Sst.'

Rae wenste duidelijk niet meer te praten. Alleen 'wil je een snack' ontlokte haar een reactie.

'In de voorraadkast zitten Cheeto's verstopt achter de zak met vijf pond zilvervliesrijst. En ik wil een glas sinaasappelsap.'

Drie afleveringen en twee uur en een kwartier later kwam Henry thuis. Rae negeerde hem en keek naar de aftiteling op het scherm. Henry had zoals je je zult herinneren aan mama verteld dat Rae een vriendje had – een feit dat hem in vertrouwen was doorgegeven. Door Raes kilte werd het hele vertrek ijskoud.

Henry ging naast Rae op de bank zitten. Ze probeerde de zak Cheeto's of de feloranje kruimellaag die op zijn bank en salontafel ontstond, niet eens te verbergen. Hun korte gesprek ging zo.

'Rae.'

'Henry.'

'Ik zie dat je boos bent.'

'Je hebt mijn vertrouwen geschonden,' zei Rae, en ze keek hem eindelijk aan.

'Jij hebt mij aangereden,' antwoordde Henry.

'O, juist,' zei Rae. 'Zand erover?'

'Afgesproken,' zei Henry, en toen gaven ze elkaar een hand.

Later legde Henry aan Rae uit dat er bepaalde informatie was waarvan hij liever niet de enige ontvanger was. De volgende keer zou hij het haar laten weten als hij van plan was vertrouwelijke mededelingen naar buiten te brengen.

Ik vond de eenvoud van hun overeenkomst prachtig. Ik ging al mijn relaties na en geen ervan was zo volmaakt als deze. Henry versoepelde zijn reeds versoepelde kijk-leesregel en Rae keek het tweede seizoen van Doctor Who af.

'Waar zou jij heen gaan als je door de tijd kon reizen?' vroeg Rae aan mij.

'Ik zou de toekomst in gaan om te kijken wat Subject van plan was. Daarna zou ik teruggaan om hem tegen te houden.'

'Jij bent zo voorspelbaar,' zei Rae.

'Dat weet ik,' antwoordde ik.

Op de terugweg naar huize Spellman bevestigde Rae dat onze vader eindelijk mama over zijn medische toestand had verteld.

'Hoe reageerde ze?' vroeg ik.

'Ze zei dat ze een scheiding zou aanvragen als hij zelfs maar schuin naar een patatje zou kijken.'

Nu dat incident naar tevredenheid was geregeld, besloot ik Rae informatie te ontfutselen die wat minder gemakkelijk te achterhalen was.

'Weet je nog, toen je Henry ruimte gaf?'

'Dat weet ik nog heel goed,' zei Rae, alsof het om een traumatische gebeurtenis ging waar zij niet aan herinnerd wilde worden.

'Vlak voor ik je zei dat je hem met rust moest laten, kwam ik hem een keer in mijn kroeg tegen. Hij was ergens ontdaan over, maar hij wilde me niet vertellen wat het was. Weet jij het?'

'Ja,' zei Rae.

'Vertel op.'

'Ik heb wat aanmoediging nodig,' antwoordde Rae.

'Wat wil je?' vroeg ik.

'Vrije beschikking over Henry's dvd-verzameling...'

'Akkoord.'

'En,' vervolgde Rae, 'zorg dat er snacks zijn voor mijn bezoekjes na school. Je kunt ze verstoppen op de onderste plank in de linnenkast. Daar kijkt hij niet.'

'Wel als hij mieren krijgt.'

'Dat zijn mijn voorwaarden,' antwoordde Rae toen ik stopte voor huize Spellman.

Rae en ik gaven elkaar een hand en toen onthulde Rae haar informatie: 'Dit is er gebeurd. Henry's vrouw is ongeveer twee jaar geleden bij hem weggelopen. Ze is naar Boston of zoiets verhuisd. Een paar maanden geleden kwam ze terug omdat ze hoopte op een verzoening. Henry had wat ruimte nodig om een besluit te nemen. Hoe dan ook, hij besloot dat hij wilde scheiden. Wat echt heel mooi is, want ik haat haar.'

'Heb je haar ontmoet?'

'Nee.'

'Heeft Henry je dat allemaal verteld?'

'Natuurlijk niet,' antwoordde Rae. 'Henry vertelt mij helemaal niets.'

'Hoe kom je dan aan die informatie?' vroeg ik.

'Via mijn scherpe deductievermogen en een grondig onderzoek van zijn appartement,' was Raes terughoudende antwoord. 'Bedankt voor de lift.'

Papa kwam naar buiten toen Rae uit de auto stapte. Hij liep op het chauffeursraampje af, waarbij hij me iets te ernstig keek.

'Isabel.'

'Pap.'

'Ik heb John Brown de inbraakaanklacht laten intrekken.'

'Hoe?'

'Ik heb hem aangeraden in plaats daarvan een contactverbod te eisen.'

'Briljant. Dat ik daar zelf niet op gekomen ben.'
'Nu heb je een tweede kans. Stel me níét teleur.'
Papa gaf me een envelop. 'Je boft,' zei hij.

Het stipje

Dinsdag 18 april

Het contactverbod was beslist een grote belemmering voor mijn onderzoek naar Subject. Ik kon hem alleen nog maar op grote afstand schaduwen, als een stipje op mijn computerscherm. Vier dagen lang volgde ik Subjects omzwervingen in de hoop op een doorbreking van zijn patroon waardoor ik naar de waarheid zou worden geleid. Maar zijn patroon bleef voorspelbaar. Afgezien van zijn melkwegstelsel aan volkstuintjes en tuinarchitectuurcliënten bleef Subject op zijn gewone verblijfplaats. Maar er was één adres aan de overkant van de Golden Gate-brug dat ik verdacht vond. Toen ik er de dag nadat ik het stipje had geobserveerd aankwam, leek het duidelijk het huis van een cliënt te zijn, gezien de kwaliteit van de tuin eromheen.

Die middag ging ik terug naar Henry's woning en probeerde ik omgekeerd naar de bewoners van het adres te zoeken. Het eigendomverloop was lastig te volgen en het leek haast wel alsof de gegevens met opzet waren geordend om te verwarren. Mijn mobieltje onderbrak mijn interne gewik en geweeg.

'Isabel?'

'Ja.'

'Waarom heb je niet ge-r.s.v.p.'t op mijn huwelijksaankondiging?'

'Met wie spreek ik?' vroeg ik, ook al vertelde de nummerherkenning me precies wie het was. Ik zei het om tijd te winnen.

'Daniel.'

'O, Daniel. Juist. Nou, het komt gewoon doordat ik deze maand zoveel huwelijksaankondigingen heb gekregen. Het is lastig om het allemaal bij te houden.'

'Sophia denkt dat je geen manieren hebt.'

'Dat is toch ook zo?'

'Ja,' antwoordde Daniel. 'Maar dat hoeft zij nog niet te weten. Stuur de kaart alsjeblieft terug. Neem je iemand mee?'

'Dat weet ik nog niet.'

'Zo niet, dan heb ik een paar vrienden die ik aan je wil voorstellen...'

'Ja.'

'Wat ja?' zei Daniel.

'Ja. Ik neem iemand mee.'

Verdwijning #3

Mijn zusje bleef bij mijn ouders doordrammen over verdwijningen, zelfs nadat haar leugenachtige e-mails aan het licht waren gekomen. Ze zette niet in op kop of munt, maar ging voor beide en stelde voor dat ze iets eenvoudigers zouden proberen. Rae vond via internet een viersterrenresort in Big Sur, Californië. Er was geen vliegtuig, boot of lange autoreis voor nodig. Ze konden binnen twee uur op de plaats van bestemming aankomen en zich drie dagen in luxe wentelen. Mijn ouders stemden ermee in en Rae reserveerde voor dat weekend een kamer.

Mijn ouders lieten zich niet beetnemen door hun dochter van bijna zestien en zorgden er wel voor dat hun verdwijning voor Rae niet het gunstige neveneffect van een weekend zonder volwassenen had. Toen mijn moeder ontdekte dat David weer in de stad was, eiste ze dat hij het weekend bij zijn jongste zusje zou blijven. David, die nog steeds gekweld werd door wat hij ook gedaan mocht hebben, was blij met de ontsnapping aan zijn eigen huis.

Ik belde nog een keer naar Petra, en twee dagen later had zij nog steeds niet teruggebeld. Toen stuurde ik haar nog een e-mail, waarop automatisch werd geantwoord dat zij de komende week niet bereikbaar was. Als er geen andere mysteries op mijn agenda stonden, was ik naar Arizona gevlogen om haar op te sporen. David beweerde toen ik hem ernaar vroeg dat hij geen idee had waar ze uithing. Hij keek me recht maar droevig aan, wat erop wees dat hij de waarheid sprak.

Meer spitwerk

Misschien waren het alle losse eindjes die de volgende fase van mijn onderzoek in gang zetten, maar ik bedacht dat Subject dankzij zijn beroep de ultieme dekmantel had. Het zou met tientallen tuinen, aarde, spaden en lappen grond in zijn kwade maar vaardige handen vast niet zo moeilijk zijn om van de stoffelijke overschotten af te komen. Dacht ik echt dat Subject een moordenaar was? Ik wist helemaal niets zeker, maar ik wist wel dat er vrouwen waren verdwenen. Die moesten toch ergens zijn.

De voorgaande week was ik achter Subject aangegaan en kwam ik 's avonds laat bij zijn tuinen met een zaklamp en een spade. Ik zocht naar stukken verse aarde die op de een of andere manier niet in het landschap leken te passen. Het zou waarschijnlijk gemakkelijker voor me zijn geweest om afwijkingen te herkennen als ik iets van tuinieren had afgeweten. Niettemin groef ik die week minstens tien kuilen in de helft zoveel tuinen.

Als ik terugging naar Henry, trok ik op de achterbank van mijn auto andere kleren aan, een handeling waarin ik gek genoeg heel bedreven ben. Henry zou achterdochtig worden als hij de modder zag. Helaas kwam Henry op een avond thuis terwijl ik midden in zo'n verkleedpartij zat. Hij naderde de auto terwijl ik mijn broek dichtknoopte. Ik zette het portier op een kiertje.

'Kan ik wat privacy krijgen, alsjeblieft?' riep ik.

Henry deinsde terug. Ik zag aan zijn gezicht dat hij een verklaring zou eisen. In dit soort gevallen is het eenvoudigste antwoord soms het beste, ook al slaat het nergens op.

'Waarom zat je op je achterbank?' vroeg Henry, nadat ik uit de auto was gestapt.

'Ik trok iets anders aan.'

'Waarom?'

'Wat ik aanhad beviel me niet.'

Een zucht, gevolgd door stilte. Henry maakte de voordeur open.

'Wil je me een lol doen?' vroeg hij.

'Natuurlijk,' antwoordde ik, blij dat hij niet doorging over die kleren.

'Zeg alsjeblieft niet meer tegen de buren dat je mijn *lifecoach* bent.'

'Ik moest toch iets tegen ze zeggen. Ze keken me gek aan.'

'Nu kijken ze mij gek aan,' zei Henry. 'Waarom zeg je ze niet gewoon dat je een kennis van me bent?'

'Dat kwam niet in me op,' antwoordde ik. De eenvoudigste waarheden ontgaan me soms. Zoals het telefoontje dat ik de volgende dag kreeg. Als ik goed had opgelet, had ik beseft dat het geen vriendschappelijke uitnodiging was.

Vrijdag 21 april
18.00 uur

'Hallo,' zei ik nadat ik de telefoon drie keer had laten overgaan.

'Kom over veertig minuten naar Twin Peaks.'

'Met wie spreek ik?' vroeg ik.

'Dat weet je vast wel,' antwoordde Subject.

Een half uur later reed ik de mistige weg naar het hoogste punt van de stad op. Ik stond op de plaats waar je op een heldere avond normaal gesproken het indrukwekkendste uitzicht had op San Francisco en de baai. Maar het was geen heldere avond. De dichte mist was al vroeg binnen komen drijven en het zicht vanaf het uitzichtpunt bedroeg op zijn hoogst zes meter.

Ik was alleen in het donker. Achter me zag ik groene heuvels en voor me zag ik grijze massa, die elk uitzicht op de lichtjes van de stad blokkeerde. Het geluid van leven was ver weg. Toen Subject naar het leek uit een wolk tevoorschijnkwam, ging er een golf van angst door me heen.

'Ik heb heel veel ontevreden klanten,' zei Subject. Zijn toon was nonchalant. Te nonchalant om te worden gevolgd door bijvoorbeeld moord, zodat mijn zenuwen kalmeerden.

'Waarom zijn ze ontevreden?' vroeg ik.

'Iemand spit midden in de nacht hun tuin om.'

'Weet je zeker dat het geen wasberen zijn?'

'Ja.'

'Misschien een ander beest. Ik ben niet echt een expert op dat gebied.'

'Waar ben je naar op zoek?'

'De lichamen.'

'Isabel, je begaat een kolossale blunder.'

'Ik dacht het niet,' antwoordde ik.

'Wat moet ik doen?'

'Huh?' zei ik.

'Wat moet ik doen om te zorgen dat jij me met rust laat?'

Ik hoorde de motor van een auto die op een parkeerplaats in de buurt stopte. De lichten doorsneden de mist. Ik was dankbaar voor het gezelschap, wie het ook mocht zijn.

'De waarheid. Meer hoef ik niet te weten. En jij moet natuurlijk naar de gevangenis om te boeten voor je misdaden.'

'Isabel, je beseft niet waar je mee bezig bent.'

'Ík ben nergens mee bezig. Ik probeer er alleen maar achter te komen waar jíj mee bezig bent.'

'Je vader zei dat je zou kappen als ik een contactverbod aanvroeg.'

'Mijn vader kent me minder goed dan hij denkt.'

'Wat wil je van me?' vroeg Subject.

'Je sofi-nummer.'

Subject nam zijn mobieltje en belde. 'Oké,' zei hij in de telefoon.

Ik keek hem even aan, terwijl ik probeerde te bedenken wat hij van plan was. Maar het was al te laat. Twee mannen in pak kwamen uit het niets tevoorschijn. Burgerkleding, mijn reet. Een politieagent herken je meteen.

'Ik zal zorgen dat je moet boeten voor wat je hebt gedaan,' zei ik, terwijl ik voor de vierde keer in twee maanden in de boeien werd geslagen.

'Isabel Spellman, je staat onder arrest wegens schending van het contactverbod dat is ingediend door Mr. John Brown.'

'Zo heet hij niet.'

Subject bedankte de agenten en vertrok zonder nog iets te zeggen. De handboeien waren kil door de avondlucht. De dikkere agent wees me op mijn rechten terwijl hij me naar zijn anonieme auto begeleidde.

'U heeft het recht om te zwijgen. Alles wat u zegt kan en zal tegen u gebruikt worden in een rechtszaal. U heeft recht op een advocaat...'

In het midden...

Arrestatie #2 (of 4)

MAMA: We zijn al op weg, lieverd. Ik ga onze verdwijning niet opgeven om jou uit de bak te halen.

IK: Ik was die verdwijning even vergeten.

MAMA: Je staat er alleen voor, schatje.

IK: Nee, mam! Je moet iemand bellen die me hier uithaalt. Ik wil hier niet de hele nacht blijven.

MAMA: Dat lijkt me anders een goed idee. Weet je *Scared Straight!* nog?

IK: Natuurlijk herinner ik me die. Ik heb daar van jou minstens tien keer naar moeten kijken toen ik op de middelbare school zat.

MAMA: Dat heeft nogal geholpen, zeg.

IK: Luister, bel Morty nog een keer. Blijf bellen tot hij de telefoon opneemt. Hij is thuis. Hij kan hem alleen niet horen.

MAMA: Hij kan 's avonds beter niet achter het stuur kruipen.

IK: Toe nou, mam.

MAMA: Overdag trouwens ook niet.

AGENT LINDLEY: Schiet eens op, Spellman.

IK: Ik moet ophangen. Zorg nou maar dat iemand me hieruit haalt.

MAMA: Ik zal mijn best doen, Isabel. Tot maandag.

IK: Geniet van de verdwijning.

23.00 uur

Morty bracht me naar Henry's huis, waar ik niet meer welkom zou zijn, dacht ik. We hadden een afspraak gemaakt en ik had me er niet aan gehouden. Ik veronderstelde ook terecht dat mijn moeder hem het nieuws over mijn vierde arrestatie al had doorgegeven.

Ik drukte Morty op het hart voorzichtig te rijden en we spraken af elkaar maandag bij de rechtbank te zien voor de aanklacht tegen mij. Toen ik de auto uit stapte, zei Morty: 'Izzele, laten we afspreken dat dit je laatste arrestatie van het jaar is.'

'Waarom niet?' antwoordde ik weinig overtuigend.

Ik klopte op de deur en bereidde me voor op een uitbarsting van beledigingen en verwijten. Hij kwam naar buiten toen hij me zag en mompelde in mijn oor: 'Laat mij het woord doen.'

'Goed,' antwoordde ik.

Henry nam me bij de arm en duwde me zachtjes naar binnen.

'Isabel, waar was je?' zei hij als een acteur in een sitcom.

'In de bak,' antwoordde ik, en toen zag ik haar. Op Henry's bank zat mijn totale tegenpool, die ongetwijfeld een kopje kruidenthee dronk.

Zij was keurig verzorgd en mooi op de manier waarop extreem goed verzorgd zijn je mooi kan maken. Ze had precies uitgedokterd wat ze aan zichzelf moest doen om aantrekkelijk te zijn. Gezien de highlights in haar haar en de onmiskenbare kleur van bruin uit een spuitbus hing er een flink prijskaartje aan. Ze glimlachte weinig overtuigend, stond op en gaf me een hand, terwijl Henry ons gebrekkig aan elkaar voorstelde.

'Isabel, mijn ex-vrouw, Helen.'

'Officieel zijn we nog getrouwd,' antwoordde zij.

'Ik heb net de papieren getekend,' wierp Henry tegen.

'Maar ze zijn nog niet ingediend,' kaatste zij terug.

'Willen jullie even onder vier ogen praten?' vroeg ik.

'Nee,' antwoordden zij in koor.

Helen nam me van top tot teen op, een taxatie die goed was voor haar ego. Het was een lange dag geweest en een paar uur in een arrestantencel kunnen je kleren al met het vuil van een week besmeuren. Ik weet wel zeker dat het haar ego erg goed deed.

'En, Isabel, hoe kennen jij en Henry elkaar?'

Ik was Henry's 'laat mij het woord voeren'-waarschuwing niet vergeten, maar die negeerde ik. 'Ik ben Henry's lifecoach,' zei ik.

Henry sloeg zijn arm om mijn middel en kneep vrij hard. 'Altijd zo'n grappenmaker.'

Pas toen, toen Henry zijn arm om mijn middel sloeg, besefte ik dat hij me voor zijn vriendin wilde laten doorgaan.

'Ik moet iets drinken,' zei ik, terwijl ik naar de koelkast liep.

'Fijn dat je even langskwam, Helen. Neem me niet kwalijk, maar Isabel heeft een zware dag achter de rug, waar ik graag met haar over wil praten.'

'Natuurlijk, het is al laat,' antwoordde Helen. Ze wierp me een gekunsteld lachje toe en zei: 'Isabel, het was me een genoegen.'

'Wil je echt niet nog iets drinken?' vroeg ik, want ik besefte dat haar vertrek Henry de gelegenheid zou geven om vrijuit te praten.

'Nee,' kwam Henry tussenbeide. 'Zij moet gaan.'

Helen gaf Henry een kus op zijn wang en liet haar hand suggestief op de zijne rusten.

'Het ga je goed,' zei ze theatraal. Toen ze eindelijk de deur uit was, liet Henry zijn nepglimlach varen en keek mij dreigend aan.

'Wat was dat, je vierde arrestatie?' vroeg hij.

'Ik tel nummer twee en drie niet mee.'

'We hadden iets afgesproken.'

'Ik drink even dit biertje op en dan zal ik je niet langer ergeren.'

'Waar ga je heen?'

'Om de hoek staat een bushokje dat me wel geschikt lijkt.'

'Dat meen je niet.'

'Nee. Ik kan misschien in het huis van mijn ouders binnenglippen, want die zijn de stad uit. Dan kan ik Rae in de gaten houden.'

'David logeert daar.'

'O, juist,' antwoordde ik, terwijl ik inwendig een ander plan uitdokterde.

'Ik moet je er van je moeder aan herinneren dat je weg moet blijven uit de buurt en bij de buurman.'

'Hij heeft me in de val laten lopen.'

'Wat?'

'Die laatste arrestatie was een hinderlaag. Hij vroeg me naar Twin Peaks te komen. Hij vroeg wat hij moest doen om ervoor te zorgen dat ik hem met rust liet. De agenten stonden paraat voor het geval mijn antwoord hem niet beviel. Mijn antwoord beviel hem niet.'

'Waarom kun je er niet mee ophouden?'

'Omdat onschuldige mensen niet zulke geheimen hebben. Dat is gewoon zo. Ik pak mijn spullen.'

'Nee.'

'Ik heb ingestemd met jouw voorwaarden. Daar komt bij dat ik al te lang ben gebleven.'

'Laat die voorwaarden van mij maar zitten. Ik wist trouwens toch dat je je er niet aan zou houden. Blijf. Als je hier bent, kan ik tenminste een beetje in de gaten houden wat je uitspookt.'

Ik installeerde me op zijn bank en bracht het gesprek op iets anders dan mezelf. 'Dus dat was je vrouw,' zei ik.

'Ex,' antwoordde Henry op een toon waaraan ik kon horen dat de discussie gesloten was.

Ik viel lang na middernacht in slaap, de gebeurtenissen van de dag tolden door mijn hoofd. Met een vast voornemen dommelde ik in. Deze zaak was nog niet voorbij. Ik zou me alleen niet weer laten pakken.

Het geval David Spellman

'Waar ga je heen?' vroeg ik.

'Rae belde net. Er is een of ander noodgeval in het huis van je ouders.'

'Een noodgeval van het alarmnummertype?'

'Dat betwijfel ik,' zei Henry knorrig. 'Het heeft iets met David te maken.'

'Klinkt goed. Mag ik mee?'

Ik vatte Henry's uitblijvende antwoord op als ja en vergezelde hem tijdens het ritje.

Het 'noodgeval' waar mijn zus het over had, zou in een ander gezie nooit zo zijn genoemd. Maar alle Spellmans bezitten een zekere mate van voorspelbaarheid en als een van ons volkomen afwijkt van dat patroon, kan dat reden tot zorg zijn. David, waarschijnlijk de meest voorspelbare van ons allemaal, is in wezen nooit afgeweken van zijn vaste gewoonte. Dat wil zeggen, tot voor kort.

Vierentwintig uur nadat David was aangekomen op Clay Street 1799, zogenaamd om zijn jongste zusje 'in de gaten te houden', belde Rae in paniek Henry op. Mijn broer bleek zich die hele dag in pyjama en kamerjas te hebben gehuld, was voor de tv gaan zitten en had zich niet meer bewogen, behalve voor korte sanitaire onderbrekingen en bezoekjes aan de provisiekast. Rae, die dit gedrag op zichzelf verdacht vond, hield haar tweeëndertigjarige broer scherp in de gaten en belde uiteindelijk Henry op nadat David een hele zak Cheeto's, een half pond M&M's en twee pakjes Twizzlers had opgegeten, daarmee haar noodvoorraad snacks halverend.

Het telefoongesprek tussen Rae en Henry ging ongeveer zo:

RAE: [fluisterend] Henry?

HENRY: Rae, waarom fluister je?

RAE: Je moet komen. Er is wat met David.

HENRY: Ademt hij nog?

RAE: Als hij niet zou ademen zou ik een ambulance bellen en reanimeren, makker.

HENRY: Ik word liever geen 'makker' genoemd.

RAE: Er is echt iets mis met David.

HENRY: Kun je dat specificeren, Rae?

RAE: Hij zit al de hele dag voor de tv.

HENRY: Nou en?

RAE: Hij eet alleen maar junkfood. Hoe laat is het?

HENRY: Eén uur ongeveer.

RAE: Hij heeft net een biertje genomen.

HENRY: Ik geloof werkelijk niet dat dit een noodgeval is, Rae.

RAE: Sinds hij hier is heeft hij me bijna driehonderd dollar gegeven. Telkens als ik geld vraag, vergeet hij dat hij me net wat heeft gegeven. Henry, schiet alsjeblieft op! Voor het te laat is!

De overdreven reactie van mijn zusje op Davids gedrag berustte op een aantal factoren: haar oprechte angst, gebaseerd op ernstig atypisch gedrag; haar verlangen om de afstandsbediening weer in handen te krijgen; haar wens niet haar hele voorraad junkfood te zien verdwijnen; en op de allereerste plaats haar verlangen naar meer qualitytime met Henry.

Henry, Rae en ik keken door het sleutelgat van de zitkamerdeur naar David. We bestudeerden hem zoals primatologen gorilla's observeren. Een voor een gaven we een weloverwogen oordeel.

'Volgens mij houdt hij een Verloren Weekend,' zei Rae.

'Nee,' reageerde Henry. 'Daar is hij niet dronken genoeg voor.'

'Misschien heeft hij een MILWA,' opperde Rae.

'Daar is hij te jong voor,' antwoordde Henry.

'Wat is er dan met hem? Hij doucht niet en hij gaat niet naar zijn werk. Hij kwam hier aan in zijn badjas. Had ik dat al gezegd?'

'Volgens mij is hij gewoon depressief,' zei Henry.

'Misschien heeft hij nog nooit lang tv-gekeken en realiseert hij zich nu hoe leuk dat is,' opperde Rae.

'Nee. Hij voelt zich schuldig,' kwam ik tussenbeide, en ik trapte de deur open. Ik liep de kamer in en ging voor de televisie staan.

'Ga weg,' was Davids enige reactie.

'Zie maar dat je me weg krijgt,' antwoordde ik.

'Komt voor elkaar,' zei David, wiens pafferige, uitdrukkingsloze gezicht ineens rood werd van woede.

Ik sloeg met mijn hand op de knop van de tv. David zette hem aan met de afstandsbediening. Ik gaf opnieuw een klap op de knop. David reageerde daar weer identiek op. Ik liep naar de achterkant van de tv en trok de stekker eruit.

'Waarom ben je zo'n klerewijf?' vroeg David.

'Omdat jij een klootzak bent,' antwoordde ik. 'Dacht je dat ik jouw kant zou kiezen omdat je mijn broer bent?'

'Je weet niet waar je het over hebt,' zei David razend.

Tot hij iets terug begon te zeggen, besefte ik niet hoe boos ik was. Ik wilde schuldgevoel, wanhoop zien. Maar hij wilde ruzie. En ik was er klaar voor.

'Ik had haar moeten waarschuwen voor jou.'

'Als je verstandig bent, Isabel, hou je verder je bek.'

Ik pakte de schaal met pretzels van de salontafel en begon de krullen een voor een naar David te gooien, om mijn woorden kracht bij te zetten.

'Is dít een dreigement?' Zoef, pretzel.

'Hou daar mee op.'

'Nee.' Zoef, pretzel.

'Ik waarschuw je, Isabel.'

'Jij waarschuwt mij?' Zoef, pretzel.

'Maak dat je wegkomt. Meteen.'

'Nee.' Zoef, pretzel.

'Henry, grijp alsjeblieft in?'

'Isabel, hou op met pretzels naar je broer te gooien,' zei Henry, die aarzelde of hij zich er wel mee moest bemoeien.

Ik wil graag officieel laten vastleggen dat David de eerste klap gaf. Het was eigenlijk geen klap. Het was een sprong over de salontafel en een aanval op de pretzelschaal, die hij uit mijn stevige greep losmaakte en door de kamer gooide.

'Rustig, allemaal,' zei Henry als een dierenverzorger in het safaripark. Maar de pretzelbeschietingen hadden Davids woede gewekt. Hij duwde me weg toen ik zijn bier wilde pakken (ik wilde deze ruzie beperken tot een zuiver voedselgevecht). Door die duw viel ik plat op mijn rug. Ik voelde een doffe pijn aan mijn gebleseerde rib, maar dat schakelde me niet uit. Ik draaide me om en haalde met mijn scheenbeen uit naar Davids knieholte. David stortte ineen op de grond.

In de verte hoorde ik Rae tegen Henry zeggen: 'Tien dollar op Isabel.'

David nam me in een losse wurggreep. Ik beet in zijn arm (niet hard, net hard genoeg om zijn greep te doen verslappen) en wurmde mezelf los.

'Psychopaat!' schreeuwde David nadat ik hem had gebeten.

'Oké, zo is het genoeg!' zei Henry wat harder.

'Tien dollar op Isabel,' zei Rae met nadruk. 'Je moet nu meedoen of de weddenschap geldt niet meer.'

'Om te beginnen, Rae, is dat een idiote weddenschap. Zij is een meisje en hij is zo'n vijftien kilo in het voordeel.'

'Eerder twintig!' riep ik terwijl ik Davids arm achter zijn rug probeerde te draaien.

'Zij vecht anders dan hij,' zei Rae bedaard tegen Henry bij wijze van verklaring.

'Maar hij is groter en sterker,' antwoordde Henry. 'Jullie twee! Zo is het welletjes.'

'Je komt er nog wel achter,' vervolgde mijn zus vrijwel meteen.

'Isabel, je ribben! De dokter heeft gezegd dat je je zes weken niet mag inspannen!'*

'Hou je mond, Henry!' riep ik. Hij verraadde mijn achilleshiel.

David gaf me onmiddellijk een elleboogje in mijn ribben.

'Au!' riep ik, terwijl ik nog steeds probeerde zijn arm achter zijn rug te draaien.

Rae vervolgde haar levendige commentaar: 'Izzy's blessure

---

* Er waren nog maar vier weken verstreken; maar ik was vrijwel genezen.

maakt het gevecht boeiender, maar zal volgens mij de uitslag niet doorslaggevend beïnvloeden.'

David tegen Isabel: de drie grote partijen

1987
Het gevecht begon nadat David me had verraden aan het hoofd van de school wegens spijbelen. Ik wachtte hem op bij de 7-Eleven waar hij na school altijd Slurpee nam.* David won het kampioenschap in het bantamgewicht met een hoofdgreep waar ik me niet uit los kon wurmen.

1990
David sloot het raam van het kantoor op de benedenverdieping af, zodat ik niet na de avondklok naar binnen kon glippen. Ik belde aan, maakte mijn vader wakker en kreeg twee weken huisarrest. De volgende ochtend viel ik mijn broer aan in de keuken toen hij zijn ontbijt aan het klaarmaken was. Onze amateurworstelpartij duurde ongeveer vijf minuten, tot ik me uit zijn greep losmaakte en hem verblindde met de ontbijtvruchtendrank van mijn moeder. David erkende zijn nederlaag en ik kreeg nog een week huisarrest extra.

1992
David vond mijn marihuanavoorraadje en spoelde dat door het toilet. Ik sloeg terug door het warme water uit de draaien toen hij onder de douche stond. Daarna deed hij kauwgum** in mijn haar terwijl ik sliep. De volgende ochtend maakte ik hem wakker door hem te bestoken met zijn complete bibliotheek aan geschiedenisboeken (David was een beetje een Tweede Wereldoorlog-fanaat). Toen David zijn bed uit sprong om een eind te maken aan mijn aanval,

* Een gewoonte waar twee jaar later een einde aan kwam toen hij een artikel las over fructoserijke maïssiroop.
** Maar een klein stukje kauwgom, want een vuile streek is niks voor David. Hij vocht alleen maar terug om geen terrein prijs te geven. Hij legde er niet zijn hele ziel en zaligheid in.

pakte ik zijn wijsvinger en trok die achter zijn rug hard naar achteren.

De toen negentienjarige David, die door de pijn niet kon bewegen, was in mijn macht.

'Geef je over,' zei ik.

'Ik geef me over.'

Stand: Isabel – 2; David – 1.

Wat me bij onze laatste partij brengt. Ik vertrouwde op het feit dat David nog moest inschatten hoe smerig ik zou vechten. Ik liet hem geloven dat ik tot alles in staat was, wat mij een psychologisch voordeel gaf. Raes gok was verstandig. David was lichamelijk sterker, maar ik vocht zonder enig fatsoen. Mijn broer had echter een goed geheugen. Hij kende mijn tactiek en hield zijn vingers zo lang mogelijk buiten mijn bereik.

Ik trok in plaats daarvan aan zijn oor. Toen hij mijn hand wilde wegtrekken, draaide ik zijn arm achter zijn rug en trok zijn wijsvinger naar achteren tot hij om hulp riep.

'Geef je over.'

'Help me!' zei David, ik denk tegen Henry.

'Isabel, zo is het mooi geweest,' riep Henry, die snel op ons afkwam.

'Bemoei je er niet mee,' reageerde ik, met een Dirty Harry-fluisterstem.

'Bied je verontschuldigingen aan,' zei ik tegen David, terwijl ik zijn gewrichten tot het uiterste oprekte.

'Au! Ze breekt mijn vinger.'

Henry greep mijn pols en kneep er hard in. 'Laat los,' zei hij op zijn unieke, gezaghebbende toon. Hij is per slot van rekening een politieman. Ik liet mijn broer los en zag hoe David zich op zijn rug rolde en van de pijn zijn hand vastgreep. Hij keek me woedend aan.

'Petra heeft míj bedrogen,' zei hij, terwijl hij langzaam opstond. Toen ging hij op de bank zitten en dronk zijn bier in één gigantische teug op.

Mijn woede veranderde eerst in medelijden en vervolgens in totale onthutsende schaamte. Iedereen in de kamer keek me met een totale afkeer aan. Mijn broers gezichtsuitdrukking was er een van kille minachting, die van Henry verraadde teleurstelling, Rae leek ineens te beseffen hoe ernstig ik eigenlijk tekortschoot.

Ik liep de kamer uit en ging naar de koelkast. Ik pakte twee biertjes en liep terug naar de woonkamer, maakte er een open en bood die als een onbenullig zoenoffer aan mijn broer aan. Ik ging naast hem op de bank zitten en liet de stilte in de lucht hangen. Een verontschuldiging was op zijn plaats, maar ik kon de juiste woorden niet vinden. Ik bracht het in de vorm van een vraag onder woorden.

'Ik ben verschrikkelijk, hè?'

'Ja,' antwoordde David, en we dronken zwijgend.

Henry stelde Rae voor ons rustig te laten praten. Zij slopen naar de keuken, waar Rae werd vergast op weer een onwelkom educatief moment, dit keer een schaakles. Ik vermoed dat Henry hoopte dat David en ik een eind zouden maken aan onze onenigheid. Maar dit conflict was zo ingewikkeld dat we geen van tweeën wisten hoe we het het beste konden aanpakken. Dus sloot ik de televisie weer aan en keken we naar het scherm, terwijl we zwijgend dronken.

Tien minuten later ging mijn mobieltje.

'Hallo?... Kennen wij elkaar?... Praat wat harder, ik versta u niet... Wie?'

David griste de telefoon uit mijn handen. 'Dag, mam,' zei hij. 'O, sorry,' vervolgde hij en hij gaf me de telefoon terug. 'Dat was mama niet.'

'Dat zei ik ook niet,' antwoordde ik. 'Hallo. De verbinding is slecht. Ik versta u nauwelijks. Dat is beter. O, Mrs. Chandler. Dag. Ik heb inderdaad wat informatie voor u. Ik kan over een kwartier bij u zijn. Oké. Dank u wel. Tot straks.'

Ik hing op en wendde me tot mijn broer. Nu pas zag ik hoe kapot deze nieuwe in badjas gehulde, kaaskoekjesetende David echt was. Als ik er toen rekening mee had gehouden hoe ik me had vergist, had ik misschien de volgende verkeerde interpretatie van het bewijsmateriaal, die kort hierop zou volgen, kunnen voorkomen. Maar op dat moment probeerde ik het gewoon goed te maken met een stel ondersteunende, zusterlijke opmerkingen.

'Jij bent mijn lievelingsbroer. Dat weet je toch?'

'Hou je mond,' antwoordde hij.

'Ik sta voor je klaar als je bijvoorbeeld moet uithuilen of zoiets.'

'Hou je mond.'

'Wil je dat ik met haar ga praten?'

In een flits greep David me bij de kraag van mijn jas en trok me naar zich toe.

'Als je één woord tegen haar zegt, doe ik je wat aan.'

'Je wilt dus niet dat ik met haar ga praten,' antwoordde ik nonchalant.

'Nee,' zei David vastberaden.

'Je mag mijn kraag nu loslaten.'

Opnieuw stilte.

'Waarom was mama eigenlijk boos op je?'

'Omdat zij hetzelfde dacht als jij. Ik had mijn vermoedens, en daarom nam ik iemand in de arm om haar te schaduwen. Mama zag mij op een dag samen met die vrouw. Zij veronderstelde het ergste en ik heb haar nooit verteld dat het niet zo was.'

'Waarom niet?'

'Omdat ik niet wilde dat mama het aan jou zou vertellen; ik wilde niet dat jij erbij betrokken zou raken.'

Opnieuw stilte.

'Wat moet ik doen?' vroeg ik, in de hoop dat David me zou vertellen wat een normale zus zou doen onder precies dezelfde omstandigheden.

'Ik weet het niet. Laten we het ergens anders over hebben.'

Aangezien ik nog een gespreksonderwerp had, vond ik dat een goed idee. 'Goed,' zei ik. 'Is je nog afwijkend gedrag opgevallen bij de buren?'

'Ik heb niet opgelet.'

'Heeft hij nog visite gehad? 's Avonds laat vuilnis buitengezet? Op vreemde tijden staan tuinieren?'

'Je bent een hopeloos geval, wist je dat, Isabel?'

'Ik noem het verantwoord achterdochtig. Als jij het hopeloos wilt noemen, moet je dat zelf weten.'

David gaf zich weer over aan zijn mistroostige bierconsumptie. Ik dacht dat ik hem met de nieuwste familieroddel misschien weer op kon vrolijken.

'Heb je Raes vriendje al ontmoet?'

'Heeft ze een vriendje?'

'Ja, heb je dat niet gehoord?'

'Wat is het voor iemand?' vroeg David.

'Hij lijkt vreselijk op Snuffleupagus.'

'Wat betekent?'

'Dat hij zelden wordt waargenomen.'

'Wie had je net aan de telefoon?' vroeg David.

'Mrs. Chandler.'

'Die vrouw met de kerststalletjes die jij altijd molesteerde?'

'Ik heb geen idee waar je het over hebt.'

'Waarom belde ze jou?'

'Ze wordt sinds het begin van het jaar bestookt door na-aapvan-dalen. Dezelfde werkwijze als in het seizoen 1992-1993.'

'Doe jij het onderzoek?'

'Heb ik gedaan. Zaak is opgelost. Rae was het brein.'

Op dat moment kwam Rae binnen in het kielzog van Henry.

'Rae, ik wil niet met je dammen.'

'Alsjeblieeeft.'

'Nee. Als je nog een schaakles wilt, prima. Maar ik ga níét dam-men.'

'Monopoly.'

'Nee.'

'Jenga.'

'Nee!'

'Jij bent zo prehistorisch.'

Ik onderbrak hun vertrouwde gekibbel om Rae voor te bereiden op haar biecht.

'Trek een leuke blouse aan,' zei ik.

'Waarom?' zei Rae, die op haar hoede was.

'Omdat Mrs. Chandler je misschien mild behandelt als ze je geen slons vindt.'

'Moet het nu?' vroeg Rae assertief.

'Ja,' antwoordde ik. 'Ik wil deze zaak voorgoed afsluiten.'

De bekentenis

Een kwartier later somde Rae voor Mrs. Chandler expliciet de misdrijven op waaraan zij schuldig was en nam op indrukwekkende wijze de volledige verantwoordelijkheid op zich. Helaas geloofde Mrs. Chandler niet dat Rae de eenzame vandaal was.

'Wil je mij wijsmaken,' vroeg Mrs. Chandler, 'dat jij er in je eentje in bent geslaagd vijftig biljartballen te stelen, kopen of lenen, dat jij meer dan honderd gebruikte blikjes Guinness hebt bemachtigd, dat jij helemaal alleen dat misdaadtafereel met die engelen hebt gemaakt?'

'Inderdaad,' antwoordde Rae, die er niet instonk.

'Dat kan ik nauwelijks geloven, liefje,' zei Mrs. Chandler, terwijl ze mijn zus streng aankeek.

'Misschien kunt u over een paar dagen wel uit de voeten met dat idee.'

'Ik betwijfel het,' antwoordde Mrs. Chandler koeltjes.

'Ik ben klaar voor mijn straf,' zei Rae, als een boetvaardige bankrover in een rechtszaal.

'Pardon?' antwoordde Mrs. Chandler.

'Ze wil graag weten hoe ze het goed kan maken,' kwam ik tussenbeide.

'Ik wil graag weten waaróm ze het deed,' zei Mrs. Chandler, terwijl ze mijn zusje zorgvuldig opnam.

Rae haalde haar schouders op en herhaalde de verklaring van de avond ervoor. 'Het was een hommage.'

'Aha,' zei Mrs. Chandler, enigszins tevreden. 'Ik zou het op prijs stellen als je je hommages voortaan buiten mijn tuin hield.'

'Natuurlijk,' antwoordde Rae.

'En nu wil ik de namen van de jongens die je hebben geholpen,' zei Mrs. Chandler, 'want die brachten geen hommage. Die molesteerden gewoon iets.'

'Ik ben bereid om een paar maanden uw auto te wassen,' zei Rae.

'Namen,' herhaalde Mrs. Chandler.

'Met alle liefde lap ik uw ramen...'

Mrs. Chandler pakte een pen en een schrijfblok van haar secretaire en legde die op de eetkamertafel.

'Namen,' herhaalde ze op beslistere toon. Ik bedacht dat Mrs. Chandler geen slecht figuur had geslagen bij de politie als ze in een andere tijd was opgegroeid.

'Ik laat met alle plezier uw hond uit,' zei Rae.

'Ik dacht het niet, liefje.'

'Het zou geen probleem zijn.'

'Namen,' herhaalde Mrs. Chandler nog een keer. Maar Rae verklikte niemand.

Maar ik wel. 'Ik geef u de naam,' zei ik. 'Ik ken er maar een van, maar hij zal ongetwijfeld doorslaan en u de andere geven.'

'Nee!' riep Rae tegen mij.

'Hou je mond,' snauwde ik, en ik schreef Jason Rivers' adres en telefoonnummer op. Die had ik meegenomen, want ik wist dat Mrs. Chandler niet alleen de naam van het brein maar ook die van de pionnen achter deze misdaad zou willen weten.

We vertrokken met de afspraak dat Mrs. Chandler zou nadenken over gepaste strafmaatregelen en dat zij ons zou bellen.

Rae was wreed stil tijdens de korte rit naar huis. Haar vijandigheid liet zich niet verzachten en daarom negeerde ik haar en liet ik haar zieden. We kwamen terug in huize Spellman, waar Henry en mijn broer een openhartig gesprek leken te voeren. Ik probeerde ze af te luisteren, in de hoop iets te horen over gepast medeleven, maar David hoorde mijn voetstappen buiten de woonkamer en brak het gesprek af.

Op de terugweg naar Stones huis onderwierp ik Henry aan een kruisverhoor om meer inlichtingen over mijn broer te krijgen en advies over hoe ik met mijn eigen tegenstrijdige belangen moest omgaan.

'Wees gewoon menselijk,' zei Henry, toen hij moe begon te worden van mijn vragen.

'Kun je dat nader preciseren?'

Op maandagochtend werd ik voorgeleid in het gebouw van de rechtbank voor strafzaken van San Francisco. De voorlopige behandeling werd op de rol gezet voor de week erop. Morty en ik bespraken gedurende de rest van de ochtend mijn verdediging.

Het 'advocatenkantoor' van Mort Schilling

Maandag 24 april
13.35 uur

'Dan zijn we nu bij vandaag aangekomen,' zei Morty.

Bij onze gebruikelijke deli-kost herinnerde Morty me eraan wat er op het spel stond.

'Je baan, je reputatie.'

'Er worden vrouwen vermist door toedoen van deze man.'

'Je hebt geen bewijs.'

'Ik heb een beetje bewijs.'

Morty lepelde ijsblokjes uit zijn water en liet ze in zijn koffie glijden.

'Tot nu toe heb je geluk gehad, Izz. De eerste drie arrestaties zijn van tafel. Maar nu zou het voor de rechter kunnen komen. Als zij een schikking voorstellen, neem je die aan.'

'We zullen zien.'

'Luister goed, Izz. Je aanvaardt de schikking of je gaat op zoek naar een andere advocaat.'

De Philosopher's Club

Er was bijna een week verstreken sinds mijn ouders terug waren van hun verdwijning. Onder normale omstandigheden zou mama me een paar uur na terugkeer hebben gebeld om me alle details te vertellen, maar ik vermoed dat ze me vanwege arrestatie #4 negeerde. Net toen ik op het punt stond om door de knieën te gaan en haar zelf op te bellen, ging mijn mobiel. Het was Milo.

'Je zus is weer aan de drank,' zei hij, en hij hing snel weer op.

Het was zes weken na Raes vorige misstap. Haar café-etiquette is gewoonlijk melancholiek en naar binnen gekeerd. Deze keer ging er woede onder schuil. Ik kwam mijn stamkroeg binnen op het moment dat Rae een gingerale achteroversloeg en de kroes met een klap op de toog zette.

'Geef me er nog zo een,' zei ze, in een imitatiepoging van een vaste klant van een clandestiene bar.

'Wat zeggen we dan?' antwoordde Milo, die weigerde mee te spelen.

Rae rolde met haar ogen en zei: 'Alsjeblieeeft.'

Milo schonk nog een gingerale in en maakte oogcontact met mij terwijl ik in de richting van de bar slenterde.

'Kijk eens aan, daar hebben we onze verloren gewaande Olympiër,' merkte Milo sarcastisch op.

'Hou je daar nou nooit eens mee op?' snauwde ik.

Ik ging op de barkruk naast Rae zitten en keek rond in het vertrek, dat leger was dan gebruikelijk.

Rae nam een minislokje van haar whiskykleurige drankje en zei botweg: 'Ik ga nergens heen voor mijn glas leeg is.'

De kroeg was verlaten, ik had behoefte aan een biertje en het leek erop dat de sinds kort onbeschofte Milo wel wat klandizie kon gebruiken. Ik wachtte zijn goedkeuring af.

'Je vertrekt zodra er een andere klant komt, begrepen?'

'Begrepen,' antwoordde ik.

'Wat wil je drinken?' vroeg Milo.

'Guinness,' antwoordde ik, maar toen besloot ik zijn geduld niet op de proef te stellen. 'Red Hook.'

Terwijl Milo mijn bier inschonk verlegde ik mijn aandacht weer naar Rae. Ze staarde in haar drankje alsof er misschien iets interessants op de bodem van het glas zat.

'Wat moet een aardig, minderjarig meisje in een oord als dit?' vroeg ik haar.

'Waarom doe je dat?' vroeg Rae somber.

'Doe ik wat?'

'Met flauwe humor alle echt menselijke interactie af te wenden.'

'Van welke volwassene heb je die uitspraak geleerd?'

'Laat maar.'

'Ik wil een naam horen. Nu.'

'Niet alles draait om jou,' zei Rae.

Milo zette me mijn bier voor en viel haar bij: 'Zij heeft gelijk, hoor.'

'Als ik had geweten dat ik hier zo beledigd zou worden, was ik dronken geworden vóór ik hierheen kwam.'

Doodse stilte.

'Wat is er aan de hand?' vroeg ik aan mijn ongelukkige zus en mijn onbeleefde barkeeper.

'Niks,' zei Rae, die nog altijd de diepten van haar alcoholvrije drankje bestudeerde.

Milo vulde Raes drankje aan en zei: 'Praat met haar. Je moet je hart luchten.' Toen wendde Milo zich tot mij en zei: 'Waarom pak je het niet wat fijngevoeliger aan?'

'Ik eis dat je me vertelt wat er is,' zei ik tegen mijn zus.

'Je bent niet zo grappig als je denkt,' antwoordde Rae.

'Jij drinkt te veel gingerale.'

Nog een diepzinnige stilte. Ik besloot niet bij haar aan te dringen. 'Ik zit hier, voor het geval je wilt praten,' zei ik.

'Ik ben niet blind,' antwoordde Rae.

Tien minuten later mompelde Rae binnensmonds. 'Wat een rat.'

'Pardon?' zei ik.

'Wat een rat.'

'Wie?'

'Jason Rivers.'

'Je vriendje?'

'Ex.'

'Wat heeft hij gedaan?' vroeg ik.

Hij heeft mij laten opdraaien voor het Chandler-zaakje. Hij heeft tegen zijn moeder gezegd dat het allemaal mijn idee was...'

'Het wás ook allemaal jouw idee.'

'Het was eigenlijk jouw idee.'

'Ik weet niet waar je het over hebt.'

'Wat je wilt,' reageerde Rae. 'Wat ik bedoel is dat hij mij ervoor op laat draaien. Hij weigert iets van de verantwoordelijkheid op zich te nemen. Ja, ik bedacht de plannen, maar hij was mijn rechterhand. We deden het samen en vervolgens gaat hij praten als een vis.'

'Je metaforen moeten een afspraak met de dokter maken.'

Hij heeft me erbij gelapt tegen zijn moeder. Ik zou het misschien nog kunnen begrijpen als we in de gevangenis zaten en hij gemarteld werd, maar zijn móéder... Ik moet nog wat drinken.'

Rae sloeg nog een gingerale achterover alsof het een whisky was. De gehaaste slok en de grimas erna kwamen regelrecht uit een western. Ik begon me af te vragen naar wat voor tv-programma's zij 's nachts keek.

Ik gooide wat geld op de bar. 'Bedankt, Milo,' zei ik. Milo knikte ons somber en zwijgend gedag.

'Laten we gaan,' zei ik tegen mijn zus. 'Ik weet iets waardoor je je waarschijnlijk beter zult voelen.'

Een uur later keek ik toe hoe mijn zus zes dozijn eieren op Jasons net aangeschafte tweedehands vierdeurs Datsun gooide. Rae voltooide onze auto-omelet met een halve zak Cheeto's, naar eigen zeggen haar 'visitekaartje'. Op de terugweg had ik even spijt van deze kinderlijke reactie. Maar toen keek ik naar Rae en op haar gezicht zag ik een uitdrukking van serene rust.

'Voel je je al wat beter?' vroeg ik.

'Ja,' antwoordde zij glimlachend, terwijl zij naar de einder staarde.

Ik stopte voor Clay Street 1799.

'En, hebben pap en mam van hun verdwijning genoten?'

Rae keek me met een tevreden glimlach aan. 'Ze zeiden dat het de beste van hun leven was. Ze gaan van de zomer nog een keer minstens een week op de vlucht.'

'Goed gedaan,' zei ik terug.

'Kom je binnen om ze gedag te zeggen?'

'Nee,' zei ik. 'Ik zie ze morgen in de rechtbank wel.'

'Tot ziens, Isabel,' zei Rae, terwijl ze de auto uitstapte. 'O ja, je moet misschien maar teruggaan naar de Philosopher's Club om te kijken hoe het met Milo is.'

'Hoe bedoel je "hoe het met hem is"?' vroeg ik.

'Hij is depressief.'

'Hoe weet jij dat?'

'Ik neem aan dat hij depressief is.'

'Waarom neem je aan dat hij neerslachtig is?'

'Omdat hij zijn huis kwijt is.'

'Hoezo kwijtgeraakt?'

'Dat is een uitdrukking, Isabel. Hij weet precies waar het staat. Maar het is zijn eigendom niet meer.'

'Ik snap wat je bedoelt. Hoe is hij figuurlijk zijn huis kwijtgeraakt?'

'Ik denk dat hij de hypotheekrente niet meer kon betalen.'

'Waarom niet?'

'Omdat het slecht gaat met de zaken.'

'Hoe weet jij dat het slecht gaat met zijn zaken?' vroeg ik.

'Nou, kijk om te beginnen eens om je heen,' zei Rae. 'En bovendien heb ik hem gevraagd hoe de zaken gingen en hij zei dat ze waardeloos gingen.'

'Hoe weet je dat hij zijn huis kwijt is?'

'Omdat hij op een stretcher in zijn kantoortje slaapt.'

'Ik kom daar veel vaker dan jij. Hoe kan het dat jij dit wel hebt opgemerkt en ik niet?'

'Ik ben opmerkzaam,' zei Rae.

'Ik ook,' snauwde ik.

'Jij ziet niet altijd het hele plaatje,' antwoordde Rae. 'Althans, dat zegt Henry.'

Een kwartier later ging ik de Philosopher's Club binnen, stormde door de bijna lege kroeg en liep zo Milo's kantoortje in. De verrassing was dat er geen verrassing was. Rae had helemaal gelijk. Verspreid over het kantoortje lagen kleren. Zijn platenverzameling en draaitafel stonden in de hoek. Langs de wanden lag bagage, naast een overhellende piramide van kartonnen dozen. Milo snelde achter me aan in een poging mijn ontdekking van zijn niet zo geheime geheim te voorkomen.

'Kun je niet lezen?' zei Milo, die op het 'niet storen'-bordje aan de deur wees.

'Waarom heb je het niet aan mij verteld?' zei ik, me realiserend dat ik me dieper gekwetst voelde dan ik had gedacht.

'Je vroeg er niet naar,' antwoordde hij.

De rest van de avond dronk ik aan de bar, deels om Milo wat klandizie te bezorgen, maar vooral om mijn zenuwen voor de komende dag in de rechtbank tot bedaren te brengen. De voorlopige zitting stond gepland voor negen uur 's ochtends. Na drie bier stelde ik Milo voor dat we samen naar een woning zouden zoeken. Hij keek me drie volle seconden aan en zei: 'Jij neemt een taxi naar huis.' Ik nam nog een biertje en vroeg hem of hij me zou komen opzoeken in de gevangenis, als het zo ver kwam. Toen belde hij zonder dat ik het wist Henry. Henry had hem kennelijk zijn kaartje gegeven. Nog een biertje later kwam Henry me ophalen.

'Moet jij morgen niet voor de rechter verschijnen?' vroeg Henry, ook al kende hij het antwoord al.

'Inderdaad,' zei ik. 'Daarom zit ik te drinken.'

'Je wilt toch zeker niet met een kater tegen de rechter praten, Isabel?'

'Wat weet jij daarvan?'

'Laten we gaan. Ik ben moe.'

Op de terugweg naar Henry's huis begon ik te denken aan alle levenslessen, uren van onderricht en etiquettecolleges die Henry over mijn zusje had uitgestort en drong het tot me door dat dat allemaal een duidelijk doel diende.

'Ik ben erachter,' zei ik.

'De zin van het leven?' reageerde Henry.

'Nee,' zei ik, een beetje brabbelend. 'Wat jij Rae bijbrengt.'

'Ik geeft een paar oerbasale levenslessen.'

'Dat is het niet.'

'Wat dan wel?' zei Henry, alsof hij me een plezier wilde doen.

'Je leert haar hoe ze voorkomt dat ze op mij gaat lijken.'

Doodse stilte. Ik concludeerde dat Henry er nog nooit zo tegenaan had gekeken. Maar daarop moest hij terugkomen.

'Wil je dat zij net als jij wordt?'

'Nee,' antwoordde ik. 'Maar ik had liever dat het niet zo overduidelijk iets negatiefs was.'

Mijn dag in de rechtbank

Maandag 1 mei
8.45 uur

Morty en ik troffen elkaar in de hal van de rechtbank in Bryant Street. Mijn stokoude advocaat drukte me op het hart dat hij het woord zou voeren. Ik drukte Morty op het hart zijn gehoorapparaat te dragen. Toen Morty mijn kleren zag – een tweedrok en -jasje met een bijna helemaal dichtgeknoopte witte blouse (een overblijfsel uit de tijd dat ik een schooljuf* speelde) – gaf hij een goedkeurend knikje.

'Waarom zie je er niet altijd zo uit? Je bent nu zo'n dame.'

'Wil je zeggen dat ik er anders altijd uitzie als een kerel?'

'Die gevatte opmerkingen kun je misschien beter voor de gevangenis bewaren.'

'Dat is niet grappig.'

'Je hebt gelijk. Dat is het niet.'

Mijn moeder en vader kwamen een paar minuten later. Hun aanwezigheid was puur voor de show. We dachten dat een ex-politieman als mijn vader en een gezagsgetrouwe/verrassend aantrekkelijke moeder het oordeel van de rechter flink in mijn voordeel zouden beïnvloeden.

'Zo, jullie hebben dus een prettige verdwijning gehad,' zei ik, in een poging hen door over ditjes en datjes te praten af te leiden van het feit dat ik moest terechtstaan.

'Dat vertellen we je later allemaal wel,' zei mama afkeurend. Toen trok ze mijn kraag recht en zei. 'Dit is een dag waar elke moeder van droomt, toezien hoe haar dochter terechtstaat wegens

---

* Zie voor nadere informatie het eerste document. (Nu als paperback!)

schending van een tijdelijk contactverbod. We zijn zo ontzettend trots,' zei ze overdreven sarcastisch.

'Je hebt je roeping als comédienne gemist,' antwoordde ik.

'Als je straks je mond maar houdt,' zei papa, die niets humoristisch aan de situatie kon ontdekken.

Het geluk lachte me die dag toe – dat zei mijn vader tenminste. Morty kende de openbare aanklager. Sterker nog, Morty bezorgde de openbare aanklager dertig jaar geleden zijn eerste baan.

Morty, mijn eigen persoonlijke advocaat in een twintig jaar oud pak, overlegde met de advocaat van de tegenpartij en zette het bewijsmateriaal uiteen dat wij aan de rechtbank wilden voorleggen. Morty kwam met een beëdigde verklaring van mijn broer, waarin de aanhouding wegens inbraak werd uitgelegd, en nog een attest, onder ede, van mijn vader, die uitlegde dat de melding bij het alarmnummer toen ik de auto 'leende' een misplaatste poging was om mij enkele basale gedragsregels bij te brengen. Papa rechtvaardigde mijn grillige gedrag vervolgens met de verklaring dat ik pas dertig jaar was maar al de helft van mijn leven voor het familiebedrijf werkte. Achterdocht was mij met de paplepel ingegoten, verklaarde hij; ik kon er niets aan doen. Morty stelde, zonder mij te raadplegen, geen proeftijd of gevangenisstraf voor, maar psychiatrische hulp.

Mijn advocaat liep terug naar de hoek waar mijn ouders en ik zaten te wachten en legde het pleidooi uit: drie maanden therapie op last van de rechter. Als ik het contactverbod niet nog eens schond, zou de veroordeling uit mijn dossier worden verwijderd. Als ik contact maakte met Subject of me niet hield aan mijn therapieverplichtingen, twee maanden cel.

'Je bedoelt dat ik naar een psychiater moet?' vroeg ik.

'Ze doet het,' zei mijn vader.

'Wacht eens even,' kwam ik tussenbeide, want ik wilde goed begrijpen wat ik mezelf aandeed.

'Twaalf sessies,' zei Morty.

'Ze doet het,' zei mijn moeder.

'Moet ik dat niet zelf beslissen?' vroeg ik.

'Inderdaad,' antwoordde Morty, 'maar je doet het.'

Mijn advocaat gaf me een tikje op mijn wang en sloop terug naar de tegenpartij om het aanbod af te ronden.

Het ongelukkigste aspect van die ochtend was dat ik nauwelijks opmerkte hoe nipt ik aan een echte gevangenisstraf ontsnapte. Ik kon alleen maar aan Subject denken en waar zijn stipje zich op dat moment bevond.

Mijn laatste verdedigingslinie

Mijn ouders stelden voor, alsof ze mijn gedachten konden lezen, dat ik voorlopig geen veldwerk meer zou doen. Zij gaven me klussen die met behulp van mijn laptop in het appartement van Henry Stone konden worden uitgevoerd. Daarnaast droegen ze me op een nieuw appartement te zoeken, met als argument dat ik niet langer welkom was.

Ik had nog één truc achter de hand om Bernies vertrek te bevorderen voor ik alles op alles zou zetten om een nieuw appartement te vinden. Ik drukte een flyer voor een feest en maakte bij Kinko's vijfhonderd kopieën. Ik haalde Rae op na school en gaf haar dertig dollar om me te helpen de flyers op de campussen van San Francisco State, UC Berkeley en University of San Francisco aan te plakken. We legden ook nog stapeltjes flyers in verscheidene cafés in het Mission District.

Op vrijdagavond ging ik bij Bernie langs om het resultaat van mijn werk te zien. Bernie, biertje in de hand en omringd door minstens veertig twintigers, zwaaide opgewekt naar me toen ik de feestzone binnenkwam.

'Wat is er aan de hand, Bernie?' vroeg ik, al was de ergernis in mijn stem moeilijk te verhullen.

'Een of andere mafkees heeft flyers gemaakt voor zijn feest, maar het verkeerde adres erop gezet.'

Toen nam Bernie me mee naar de koelkast. 'Moet je al dat bier zien,' zei hij. 'Ik kan mijn geluk niet op.'

Op dat moment realiseerde ik me dat het BYOB-acroniem* op

---

* Bring your own booze.

de flyer mijn fatale blunder was geweest. Die avond legde ik me bij mijn nederlaag neer. Bernies woning was niet meer van mij. De volgende dag slenterde ik door de straten van San Francisco, sprak huisbazen en speurde naar 'te huur'-bordjes.

Mijn hok

Ik had altijd op de zolderkamer van mijn ouderlijk huis gewoond, afgezien van Bernie Petersons appartement en een korte periode in een studentenflat voor ik zakte voor mijn tentamens. Het werd overduidelijk dat ik, gezien mijn beperkte mogelijkheden om geld te verdienen*, weldra mijn intrek in een hok zou moeten nemen. Het hok dat ik vond bevond zich in een flat van vijf verdiepingen in Larkin Street in Tenderloin. Ruim dertig vierkante meter met een ruig kleed dat naar ik aanneem ooit crèmekleurig was, maar nu ongelijkmatig grijs door jaren van voetenverkeer en sigarettenas.

Ik kocht een bed en een tweedehands ladekast en bureau (dat daarnaast zou dienstdoen als keukentafel). Mijn moeder nodigde zichzelf uit om me te komen helpen 'uitpakken' en 'inrichten'. Ze wierp één blik op de kamer en zei: 'Ik hoop dat je tegen alles bent ingeënt.'

Mijn moeders manier van inrichten ging gepaard met het van boven tot onder schoonpoetsen van het appartement. Ergens tussen het ontluizen (haar term) van de douche en het ontsmetten van de koelkast kwam zij omhoog uit haar op-handen-en-voeten-positie en hielp ze me het bed te verplaatsen om een opstelling te creëren waardoor de deur helemaal open zou kunnen.

'Isabel, je moet eerlijk antwoorden,' zei mama, terwijl we het bed over het kleed rolden.

'Wat?'

'Ben je verliefd op Henry?'

De vraag kwam onverwacht en mijn antwoord, dat ik er zonder

---

* Tenzij ik de baas van Spellman Investigations was, hoefde ik er niet op te rekenen meer dan tegen de veertigduizend per jaar te verdienen. En dat was in een goed jaar.

mijn gebruikelijke censuur uitflapte, ook.

'Eh, ja.'

'En hij weet het niet?' vroeg zij.

Ik rechtte mijn rug na de bedverplaatsing en keek mijn moeder aan. 'Het leek me beter tweeënhalf jaar te wachten, tot hij Rae naar de universiteit heeft geloodst. Dan sla ik mijn slag.'

Het was echt heel eenvoudig. Rae had Henry harder nodig dan ik. Mijn moeder begreep het ogenblikkelijk. Haar uitdrukking werd meteen zachter. Volgens mij keek ze zorgelijk. Dat beviel me niet.

'Kijk niet zo naar me.'

'Sorry, maar ik wil dit moment koesteren,' antwoordde mama.

'Welk moment?' vroeg ik.

'Je staat bovenaan,' zei ze, waarna ze de ramen ging lappen.

Het stipje gaat verder...

Ik overtuigde mezelf ervan dat de voorwaarden van mijn strafvermindering alleen betrekking hadden op mijn fysieke afstand tot Subject. Hij vormde naar mijn mening nog steeds een gevaar voor de samenleving en ik hem wilde pakken op wat voor misdadigs hij ook gedaan mocht hebben, vooral om de samenleving te beschermen maar ook om mijzelf vrij te pleiten.

Ik hield dagelijks precies in de gaten waar Subject verbleef zonder echt met hem in contact te komen. Hij week nooit af van zijn gebruikelijke route. Ik besloot dat ik pas zou toeslaan als hij zich buiten zijn vertrouwde terrein begaf. In de tussentijd was er nog een deel van het onderzoek dat ik kon doen zonder mijn schikkingsbeperkingen te schenden.

Ik ging terug naar de woning van Davis om een kijkje te nemen en te vragen of er nog nieuwe ontwikkelingen waren in de verdwijningzaak van Jennifer Davis. Deze keer pakte ik het anders aan. Ik besloot dat Mr. Davis en ik in theorie hetzelfde doel zouden moeten nastreven.

Mr. Davis herkende me zodra hij de deur opendeed.

'Zoekt u een boekenclub?' vroeg hij mat.

'Nee,' antwoordde ik. 'Dat was een list, moet ik tot mijn spijt bekennen. Ik ben privédetective,' zei ik, en ik haalde mijn visitekaartje uit mijn zak. Niet het echte, maar dat met IZZY ELLMANSPAY, PI erop en het adres en telefoonnummer van de Philosopher's Club als contactgegevens. Visitekaartjes lijken over het algemeen te functioneren als een politiepenning. Mr. Davis opende zijn deur en stelde ook zijn huis voor me open. Ik nam me voor hem aan te raden voortaan niet meer zo goed van vertrouwen te zijn. Een visitekaartje is net zo gemakkelijk te krijgen als een broodje.

Het was een bende in huis, zoals je zou verwachten in het huis van een man wiens vrouw vermist wordt. Na een korte uitleg over mijn belangstelling voor de zaak (ik deed onderzoek naar iemand die van belang was voor de verdwijning van zijn vrouw) ging ik over op mijn prangende onderzoeksvragen.

'Nog nieuws over uw vrouw? Zijn er nog ontwikkelingen in de zaak?' vroeg ik.

'Niks,' antwoordde Mr. Davis. 'De politie is het nagegaan. Er is niets gedaan met haar creditcard, niks met haar mobieltje, ze heeft geen contact gehad met vriendinnen of familie.'

'Is u voorafgaand aan haar verdwijning iets opgevallen aan uw vrouw? Veranderde er iets aan haar gewoonten? Sloot ze nieuwe vriendschappen of kreeg ze belangstelling voor andere dingen?'

'Ze ging wel eens naar die volkstuintjes.'

'Weet u ook welke?'

'Volgens mij die in de East Bay.'

'Heeft u wel eens een zekere John Brown ontmoet?' vroeg ik.

'Mogelijk,' antwoordde Mr. Davis. 'Dat is een veelvoorkomende naam.'

'Ik bedoel onlangs. Heeft u onlangs een zekere John Brown ontmoet?'

'Niet dat ik me kan herinneren. Waar gaat het om?'

'Vertoonde uw vrouw voorafgaand aan de verdwijning wel eens afwijkend gedrag?' vroeg ik.

'Weet u iets van de verdwijning van mijn vrouw?' vroeg Mr. Davis, die zich terecht begon op te winden.

'Waarschijnlijk niet,' antwoordde ik. 'Maar uw vrouw had kort voor haar verdwijning contact met een man. Ik heb onderzoek gedaan naar die man.'

'Denkt u dat ze er met een ander vandoor is?' vroeg Mr. Davis.

'O, nee. Niets in die richting,' zei ik, waarna ik me realiseerde dat ik al veel te veel had gezegd. 'Het is waarschijnlijk toeval. Misschien vroeg ze hem wel de weg. Maar ik controleer het liefst alle aanwijzingspunten.'

'Wie is die man?' vroeg Mr. Davis op agressievere toon.

'Niemand,' antwoordde ik, me intussen afvragend hoe ik de situatie moest aanpakken. Ik was zo in de ban van mijn onderzoek naar Subject dat ik er niet bij had stilgestaan hoe een man wiens

348

vrouw net was verdwenen, zou reageren op iemand die met een mogelijke aanwijzing kwam aanzetten.

'Als hij vlak voor haar verdwijning contact had met mijn vrouw, is hij toch zeker iemand.'

'Laten we niet te hard van stapel lopen.'

'Waarom deed u überhaupt onderzoek naar hem?'

Dat was het moment waarop de vindingrijkheid uit mijn puberteit van pas kwam. Voor bedrog moet je een alternatief plan hebben, een verhaal waar je in geval van nood op over kunt stappen.

'Ik vrees dat ik u een slechte dienst heb bewezen, Mr. Davis. Ik wil geen verwachtingen bij u wekken terwijl mijn onderzoek misschien helemaal niets met de verdwijning van uw vrouw te maken heeft.'

'Als u iets weet, moet u het nu zeggen,' zei Mr. Davis met klem.

'Ik weet dit,' zei ik, en formuleerde mijn leugen. 'Ik ben door twee mannen in de arm genomen om een man die zich John Brown noemt vierentwintig uur per dag in de gaten te houden.'

'Is "John Brown" een schuilnaam?' vroeg Mr. Davis.

'Dat denk ik wel, maar ik weet het niet zeker. Ik heb de mannen die me inhuurden nooit ontmoet. Ze communiceren met me via de post of e-mail en ik word betaald door middel van een overschrijving vanaf een bankrekening die ik niet kan achterhalen. Mijn opdracht is doodeenvoudig: volg Mr. Brown, leg zijn activiteiten vast en doe een vluchtig onderzoek naar iedereen met wie hij in contact komt. Dat is alles. Toen ik Mr. Brown op een dag volgde, stond hij in deze straat geparkeerd en sprak hij een minuutje met uw vrouw. Ik denk dat uw vrouw deze man niet kende, dat hun korte ontmoeting gewoon toeval was. Maar u begrijpt natuurlijk wel dat ik het moest nagaan.'

'Ik begrijp er helemaal niets van,' antwoordde Mr. Davis.

Ik stond op om weg te gaan, want ik besloot dat het tijd werd om een vertrekstrategie toe te passen. Ik overhandigde Mr. Davis mijn nepkaartje.

'Mocht u nog iets te binnen schieten,' zei ik.

'Wacht,' zei Mr. Davis, 'u moet me uitleggen wie die Mr. Brown is.'

'Dat is helaas de moeilijkheid. Dat weet ik niet,' antwoordde ik, in een poging raadselachtig in plaats van verdacht over te komen. Het was verkeerd om een buitenstaander bij mijn eigen gebrekkige onderzoek te betrekken. Het was verkeerd om een man zonder aanwijzingen een aanwijzing te geven die waarschijnlijk tot niets zou leiden, een aanwijzing die mij, door mijn onderzoek ernaar, een proeftijd had opgeleverd.

'Ik houd u op de hoogte,' zei ik, terwijl ik naar de deur liep. 'Ik beloof u dat ik contact met u opneem als er nieuwe ontwikkelingen zijn,' voegde ik eraan toe, waarna ik zonder om te kijken vertrok. Ik voelde Mr. Davis' blik in mijn rug terwijl ik naar mijn auto liep. Ik hoopte dat hij mijn nummerbord niet zou kunnen lezen. Bovendien hoopte ik dat hij de politie niet zou bellen om mijn kenteken door te geven. Deze hele actie zou lastig uit te leggen zijn.

Niet-zo-sweet sixteen

Zaterdag 20 mei
12.00 uur

Henry Stone hield zich aan zijn woord na 'het incident', zoals Rae het noemde, of 'de bijna-voertuiglijke doodslag', zoals Henry het noemde: hij gaf mijn zusje nooit meer rijles. Door de recente verdwijningen van mijn ouders, en het inhalen van de werkachterstand na hun verdwijningen, bleef er weinig tijd over voor meer rij-instructies. Bovendien vroegen ze mij géén rijlessen te geven aan Rae, want ze 'wilden niet dat ik haar slechte gewoonten zou bijbrengen'. Dus afgezien van de rijlessen via school en heel af en toe een extra les van mijn ouders, oefende Rae alleen maar gedurende de depressie van mijn broer, toen hij haar in zijn B M W lieten rijden.

We ontdekten later dat David niets aan onderricht deed als Rae hem als zijn persoonlijke minichauffeur rondreed om boodschappen te doen. Hij keek zwaarmoedig uit het raam en merkte niet op dat Rae bij een stopbord alleen maar afremde of vergat haar richtingaanwijzer aan te zetten of te hard reed in de buurt van een school. Hij zei niets over de meter afstand tussen auto en stoep als Rae probeerde in te parkeren. Soms deed hij het zelf over, maar meestal parkeerde Rae op opritten, wat zij, dat moet gezegd, goed kon.

Mijn ouders stemden er niettemin mee in dat Rae op haar zestiende verjaardag rijexamen deed, ook al werd zij er op school van verdacht het woord 'verrader' op Jason Rivers' kluisje te hebben gespoten. Zij organiseerden een bescheiden feestje na het examen, waar de vaste club bij aanwezig zou zijn – Henry Stone, mama, papa, ik en Raes enige schoolvriendin van haar eigen leeftijd: Ashley Pierce.

De feestelijke stemming verdween op het moment dat Rae vol minachting over haar rijexaminator het huis in stormde.

'Schoft.'

'Rustig, schatje,' onderbrak mijn vader haar, die haar had vergezeld naar het CBR.

'Rattige verrader.'

'Rae, hou daarmee op.'

'Stinkende rattige verrader.'

'Genoeg!' zei mijn vader, terwijl hij Rae naar de sofa bracht voor een kort onderhoud.

'Als je zakt,' begon mijn vader, 'is dat alleen jouw fout, niet die van iemand anders.'

'Wij hebben een oprit. Inparkeren hoef ik niet te doen.'

'Dat moet je wel, want er is niet altijd een oprit waar je kunt parkeren.'

'Dat leer ik later wel.'

'Je moet ook stoppen bij een stopteken. Daarom staat er "stop" op.'

'Ik stopte.'

'Je remde af.'

'Genoeg om te zien dat er niemand aankwam.'

'Er staat "stop" op het bord.'

'Het maakt niet uit,' zei Rae, die zich vervolgens naar en tegen Henry keerde. 'Dit zou niet zijn gebeurd als jij me rijlessen was blijven geven.'

'Je hebt waarschijnlijk gelijk,' antwoordde Henry. 'En ik was ook doorgegaan met je rijles te geven als je me niet had aangereden.'

'Ik weet niet hoe vaak ik moet zeggen dat het me spijt,' antwoordde Rae.

'Ik heb het je vergeven, Rae. Maar, in alle ernst, je moet de verantwoordelijkheid voor je daden op je nemen. Je bent vandaag jarig; zet dat rijexamen uit je hoofd. Je kunt het nog een keertje doen als je beter bent voorbereid. Er is cake en er zijn cadeautjes. *Zet het van je af,*' zei Henry met klem. Wat zij wonder boven wonder deed.

Mijn moeder wendde zich tot mijn vader en fluisterde: 'Misschien moeten we haar de komende jaren gewoon bij hem laten wonen. Als ze helemaal tot rust gekomen is, kunnen we haar terugnemen.'

'Ik vind het best,' antwoordde mijn vader.

Ashley Pierce kwam modieus laat, samen met haar moeder. De recente capriolen van mijn zusje waren kennelijk de hele school en zelfs de oudercommissie ter ore gekomen. Moeder Pierce had daarom besloten dat dit een visite onder toezicht moest worden. Rae stelde 'Henry' voor aan de moeder van haar schoolvriendin als een vriend van de familie, want ze voelde wel aan dat die moeder van het veroordelende type was. De aanwezigen merkten het op en beschouwden de verbetering van Raes sociale antenne als een gunstig voorteken.

David, gehuld in een gekreukt hemd, zat in een hoekje een plakje cake te eten en een biertje te drinken, waterdicht bewijs dat hij nog steeds in zak en as zat. Ik ging naast hem zitten en probeerde de lieve en open zus te spelen.

'Hoe gaat het met je?' vroeg ik in een poging het gesprek informeel en ongedwongen te houden. De avond ervoor had ik Henry gebeld en om een lijst ongevaarlijke gespreksopeningen gevraagd voor met mijn broer (zie het Aanhangsel voor een volledige opsomming). Ik probeerde voor de rest niet op mijn spiekbriefje te kijken. Gelukkig bracht David het gesprek op iets heel anders. Hij keek toe hoe Rae haar eerste cadeautje pakte en de verpakking openscheurde zonder eerst op het kaartje te kijken. Henry corrigeerde haar en Rae herstelde zich meteen. Zij graaide naar het kaartje, sloeg het in een flits open, glimlachte beleefd en heropende de aanval op haar cadeautje.

David sloeg het tafereel met een gevoel van afstandelijke verwarring gade. 'Ik kan geen hoogte van die twee krijgen,' zei hij. 'Ik heb haar er onlangs over uitgehoord. Ik vroeg haar wat ze zo leuk aan hem vond.'

'Wat antwoordde ze?'

'Ze zei iets heel raars. Ze zei: "Omdat hij beter is dan wij." Wat betekent dat?'

'Dat weet ik niet,' antwoordde ik, 'maar ze heeft gelijk.'

Er volgde weer een stilte. Ik herinnerde me nog een paar gespreksopeners die waren goedgekeurd door Henry en besloot het erop te wagen.

'Onlangs nog een goede film gezien?'

'Nee.'

'Hoe gaat het met je werk?'

'Ik ben er niet meer geweest sinds ik naar het yogacentrum ging.'

'Hoe was dat trouwens?'

'Ik ben er maar twee dagen geweest.'

'Hoezo?'

'Omdat ze daar gaan piepen als je in bed bourbon ligt te drinken.'

'Ik snap het,' antwoordde ik, zonder vinnig commentaar, zoals je misschien opvalt. 'Je was een week weg. Waar zat je?'

'Ik ben naar een vijfsterrenhotel een paar kilometer hiervandaan gegaan.'

'Wat heb je daar gedaan?' vroeg ik.

'In bed bourbon liggen drinken,' antwoordde David, alsof dat het normaalste antwoord van de wereld was.

Opnieuw stilte, en toen gaf David de informatie waar ik onbewust naar zat te hengelen.

'Ze komt terug.'

'Wanneer?'

'Vandaag of morgen.'

'Ga je proberen er samen uit te komen?'

'Ik weet het niet,' antwoordde hij.

'Je zou naar huis moeten gaan en in bad en douchen en zo, zodat je er niet zo verlopen uitziet.'

'Dank je voor het advies.'

'Het spijt me,' zei ik. 'Ik weet niks anders te zeggen.'

'Eindelijk,' antwoordde David.

Ik bracht David nog een plak cake en een biertje en liet hem zwelgen in zijn leed, want dat had hij duidelijk nodig.

Terwijl Rae haar cadeautjes uitpakte, lukte het me de kamer uit te sluipen en naar de zolderkamer te glippen. De verrekijker lag nog waar ik hem had achtergelaten: onder het bed. Ik haalde hem tevoorschijn, schoof de gordijnen een stukje open en keek of er tekenen van leven of dood waren in Subjects woning. Ik vermoed dat Subject tijdens mijn afwezigheid weer een beetje in zijn privacy was gaan geloven. De rolgordijnen waren open, er stonden een paar ramen open, en er waren geen aanwijzingen dat hij zich voor mij of iemand anders probeerde te verschuilen.

Het leek erop dat Subject aan het inpakken was. Ik trok die conclusie nadat ik hem dozen had zien volstoppen met spullen uit zijn appartement, die hij vervolgens dichtplakte. Gedurende vijf à tien minuten zag ik Subject zijn handelingen herhalen. Toen zag ik hoe hij – *dit geloof je niet* – een opgerold tapijt naar zijn pick-up droeg. Hij legde het voorzichtig in de bak, keek zenuwachtig om zich heen, stapte in en reed weg. Ik ging zo op in Subjects bezigheden dat ik niet hoorde dat er achter me een deur werd geopend en gesloten.

'Soms is een opgerold tapijt gewoon een opgerold tapijt,' zei Henry.

'Maar soms is een opgerold tapijt een plaats delict,' antwoordde ik.

'Als je ook maar de minste aanstalten maakt om weg te gaan,' zei Henry, 'licht ik je ouders in.'

'Jij bent zo prehistorisch,' zei ik, terwijl ik op mijn horloge keek. Eerlijk gezegd was ik ook niet van plan om weg te gaan. Dankzij mijn zendertje op de auto kon ik Subjects verblijfplaats berekenen en schatten waar hij het tapijt en/of lijk had gedumpt.

Ik ging weer naar beneden, met Henry achter me aan.

Rae was haar laatste cadeau wild aan het uitpakken. (Zij behoort niet tot die meisjes die cadeauverpakking bewaren.) Haar laatste aanwinst, na maanden van ongegeneerd drammen, kwam van Henry. De complete Dr. *Who*-verzameling op dvd. Alle nieuwere nog niet uitgebrachte afleveringen gebrand op schijf, wat, zoals ik Henry duidelijk maakte, als illegaal kan worden bestempeld.

'Hoe wist je dat ik juist dit wilde hebben?' vroeg Rae, die de rol van verraste jarige speelde.

'Als jij maar ietsje minder subtiel was,' antwoordde Henry, 'zou ik nog steeds in het ziekenhuis liggen.'

Ik vertrok terwijl papa Rae ervan probeerde te overtuigen dat hij wel degelijk tv kon kijken zonder ertegen te praten. Mijn moeder hield me achterdochtig in de gaten toen ik wegging. Ik ging terug naar mijn hok om op mijn computerscherm Subjects gangen na te gaan.

De truc met het tapijt

Subject reed van het buurhuis in Clay Street naar de kruising van Van Ness, Market en Eleventh Street, waar hij tien minuten bleef. Daarna reed Subject naar het kruispunt van Market en Castro en om precies 15.30 uur was hij weer thuis, waar hij de rest van de dag leek te blijven. Toen ik kon aannemen dat Subject thuis was, stapte ik in mijn auto, om de plaatsen waar hij eerder die dag was geweest na te lopen. De locatie op Eleventh Street was een kringloopwinkel. Had hij zijn tapijt misschien weggegeven om van het bewijsmateriaal af te komen? Een vuilstortplaats zou veiliger, maar misschien ook verdachter zijn. Op de tweede locatie zaten te veel zaken om te kunnen zeggen waar Subject naar binnen was gegaan.

Ik reed terug naar de kringloopwinkel, die zich op een onhandige plaats tussen Market, Van Ness en Eleventh Street bevond. Ik keek in de winkel of er een opgerold oosters tapijt lag, maar het lag voor de hand dat het nog niet was verwerkt. Ik trof de voorman, die de aangeboden waar aanneemt, achter in de winkel en gaf hem een eenvoudige verklaring voor mijn vraag: 'Mijn vriend en ik zijn net uit elkaar en hij nam dat tapijt – maar hij wilde het helemaal niet echt, hij wilde alleen maar dat ik het niet zou krijgen. Maar goed, ik ben er vrij zeker van dat hij het vanmorgen bij jullie heeft afgegeven. Kun je kijken of het er is? Ik wil er best een prijsje voor betalen dat jullie redelijk lijkt, maar ik wil dat tapijt echt terug. Het heeft heel veel emotionele waarde.'

Twintig minuten later hielp de voorman me, met enig tegensputteren, het tapijt in mijn auto tillen.

'Dat past er nooit in,' zei hij.

Maar ik zou dit bewijsmateriaal nooit onbewaakt achterlaten, en daarom propten we het tapijt via de achterklep van de Buick over de ingeklapte achterbank en de stoel voorin door het rechterraampje.

'Je moet wel erg dol zijn op dat kleed,' zei de voorman, toen ik in de auto stapte om te vertrekken.

'Je hebt geen idee,' antwoordde ik overtuigend.

Zodra ik de parkeerplaats van de kringloopwinkel af reed, besefte ik dat de maat van het tapijt en het experiment dat ik moest uitvoeren een moeilijkheid opwierpen.

Eerst het belangrijkste; ik belde Henry. 'Waar kan ik Luminol krijgen op een zaterdagmiddag?'

Zucht.

'Henry, ben je daar nog?'

'Waar heb jij Luminol voor nodig?' vroeg hij.

Ik loog, want hij vroeg er gewoon om. 'Er zit een vlek op mijn vloerbedekking. Ik zou hier heel wat rustiger wonen als ik zeker wist dat het geen bloed is.'

'Je hebt dat tapijt zeker meegenomen?'

'Nee. Ik moet die vlek op mijn vloerbedekking controleren, zoals ik zei. Kun je iets voor me regelen?'

'Nee, Isabel.'

'Wel als je het zou willen.'

'Ik ga er niet over bakkeleien.'

'Dus je weet niet hoe ik eraan kan komen?'

'Ik kan je niet helpen,' antwoordde Stone, en ik hing op.

Je vindt het misschien gek dat een privédetective geen middel kan vinden dat in elke politieserie op tv wordt gebruikt. Maar een plaats delict wordt in werkelijkheid onderzocht door politiemensen, niet door privédetectives. We krijgen er op zijn hoogst een foto van te zien of zijn getuige van een reconstructie in de rechtszaal, maar we onderzoeken geen moorden. Ik heb in mijn hele loopbaan nooit eerder een reden gehad om Luminol te gebruiken. Daarom had ik geen idee hoe ik eraan moest komen.

Ik belde de enige persoon die het zou kunnen weten en die niets over dit gesprek zou doorkleppen.

'Rae Spellmans telefoon,' zei Rae, toen ze haar eigen telefoon opnam.

'Waarom zeg je niet gewoon hallo?' zei ik.

'Als ik gewoon hallo zeg, betekent dat dat de ander mij te pakken heeft en ik niet onder een gesprek met hem/haar/het uit kan.'

'Maar je hebt toch nummerweergave?'

'Sommige mensen blokkeren hun nummer.'

'Ik niet.'

'Belde je met een speciale reden?'

'Weet jij waar ik Luminol kan krijgen?'

'O, mijn god, je hebt een misdaadlocatie gevonden. Die wil ik zien,' zei Rae als een vijfjarige die om een ijsje zeurt.

'Nee.'

'Alsjeblieft.'

'Hoe kom ik aan Luminol?'

'Er zijn duizenden winkels voor laboratoriumspullen op het internet.'

'Dat duurt te lang.'

'Je kunt de Spy Shop proberen.'

'Daar heb ik zo'n hekel aan. Die is zo ranzig.'

'Je moet je waardigheid afwegen tegen je verlangen naar de waarheid,' zei Rae, en ik hing weer op.

Tien minuten later zat ik in het financiële centrum en reed ik rond het Metreon Center. Ik zette mijn auto op een plaats voor laden en lossen en ging de Spy Shop binnen. Zoals voorspeld was hier Luminol te koop in te dure metalen blikken die er glad en tv-geniek uitzagen. De transactie kostte minder dan drie minuten. Ik ging de winkel uit en reed de brug op met mijn uit de kluiten gewassen metgezel, het oosters tapijt.

Toen ik bij het appartement van Len en Christopher aankwam, overdacht ik hoe ik mijn toneelstukje zou brengen. Onderweg was het nog mijn plan geweest om het geschenk aan te bieden, het naar binnen te brengen en de Luminol erop te spuiten terwijl ik mijn beleefde gastheren thee en scones liet klaarmaken. Maar er zat iets buitengewoon lomps aan dit scenario en aangezien ik toch al niet meer op zo'n goede voet stond met mijn acterende maatjes, besloot ik open kaart te spelen.

'Ik moet een experiment uitvoeren op jullie zolder,' legde ik uit toen Len de deur opendeed.

'Dat is een nieuwe,' antwoordde Len vermoeid.

Na een vluchtige uitleg over mijn 'zaak' en de moeilijkheden die deze me onlangs had bezorgd, besloten mijn vrienden te helpen, want zij weten hoe het zit met mijn zeer persoonlijke vorm van tunnelvisie.

Len, Christopher en ik sleepten het vijfenveertig kilo wegende tapijt naar hun ruime zolder en spreidden het uit over het grote oppervlak van de vloer van zes bij negen meter.

'Als ik er geen bloed op vind, mogen jullie hem hebben,' zei ik, want ik hoopte dat het aanbod van een mogelijk geschenk mijn gastheren een beetje zou opvrolijken.

Het tapijt, dat op verscheidene plaatsen versleten was, vertoonde voor het blote oog geen tekenen van een misdrijf, maar daar diende de Luminol voor. Hoe graag ik ook de spray zelf wilde opbrengen, mijn vrienden de acteurs wilden hun csi-fantasieën botvieren en stonden erop dat ik hen het onderzoek liet doen. Aangezien ik hun huis was binnengedrongen met een voorwerp dat mogelijk vol met bloed zat, vond ik dat de fatsoensregels me dwongen om hun een pleziertje te gunnen.

Christopher sproeide, gehurkt op het tapijt, als eerste de Luminol erop en bestudeerde het alsof het zijn dagelijkse werk het was.

'Mijn beurt,' zei Len, die zijn hand uitstrekte naar de spuitbus.

'Ik ben nog niet klaar,' antwoordde Christopher, als een schooljongen die nog geen afstand wil doen van zijn speelgoed.

'Nog een keer en dan mag ik.'

'Oké.'

Christopher spoot nog een keer, en nog eens. Len keek naar mij om me te laten ingrijpen. 'Isabel, zeg dat hij hem aan mij geeft.'

'Christopher, volgens mij is Len aan de beurt,' zei ik diplomatiek, al realiseerde ik me al dat we geen bloed op het tapijt zouden ontdekken.

Len pakte de Luminol-spray en doordrenkte de rest van het tapijt met het middel. Er was niets te zien. Toen verliet Christopher het vertrek en kwam terug met een heel andere spray.

'Hiermee kun je urine en sperma zien,' zei hij.

'Jakkes. Dat is walgelijk.'

'Ik heb het gekocht toen we die keer op een hond moesten passen, weet je nog, Len?'

'Of ik me dat herinner,' zei Len, die zijn ogen liet rollen.

Christopher besproeide het tapijt en volgde het groen oplichtende spoor naar de hoek, waar nog een vlek zichtbaar werd.

'Denk je dat hij op zijn eigen tapijt heeft gepiest?' vroeg Christopher.

'Nee, ik denk dat iemands hond of kat erop gepiest heeft en hij de stank er niet uit kreeg. Daarom ben ík de detective. En, willen jullie het tapijt hebben?'

Een kwartier later reden het tapijt en ik terug de brug over. Ik reed weer naar de kringloopwinkel om het terug te geven.

De voorman stond natuurlijk versteld.

'Je neemt me weer in de maling,' zei hij.

'Het spijt me,' zei ik. 'Ik realiseerde me dat het gezonder zou zijn als ik gewoon verderga. Moet niet vasthouden aan het verleden, en zo. Schone lei, nieuw tapijt.'

Op de terugweg naar mijn hok ging mijn telefoon.

'Izzy, met je grote vriend Bernie.'

'Ik zie jou toch meer als een vijand,' antwoordde ik.

'Grapjas, toch.'

'Bloedserieus.'

'Ik heb geweldig nieuws, meid.'

'Vertel op.'

'Daisy en ik zijn weer bij elkaar.'

'Dat is echt geweldig nieuws voor jou en Daisy. Ik zie niet in hoe de rest van de wereld daarvan profiteert.'

'Meid, het appartement. Je mag het weer hebben. Ik heb het van boven tot onder laten boenen en ik heb zelfs nog wat kastruimte vrijgemaakt.'

'Ik heb al een appartement, Bernie.'

'Ik dacht dat je bij je ouders zat.'

'Ik moest weg vanwege het contactverbod.'*

---

* Opmerking voor mezelf: stop met die terloopse vermelding van het contactverbod.

'Dus je hebt mijn woning niet meer nodig?'

'Nee,' zei ik, maar toen bedacht ik opeens iets. 'Bernie, ik bel je over een halfuur terug.'

De Philosopher's Club

De kroeg was zoals gewoonlijk leeg, op een 'op de lat'-bezoeker na die achterin eindeloos over zijn drankje zat te doen en een krant las. Milo wreef voor de show glazen op. Niet dat er veel glazen schoongemaakt hoeven worden.

Ik ging aan de bar zitten en wachtte op een chagrijnig welkomstwoord.

'Wat zal het zijn?' vroeg Milo, niet al te onaardig.

'Kun je een huur van zevenhonderd dollar opbrengen?'

'Een maand vooruit, borg?'

'Nee. Gewoon zevenhonderd. Deze maand naar evenredigheid.'

'Ja, dat kan ik wel ophoesten,' antwoordde Milo.

Ik haalde de sleutel van de ketting en schreef het adres op.

'Het is onderhuur. Die vent, Bernie, zit er nu. Ik houd de bar in de gaten tot je terug bent.'

'Weet je zeker dat je het aankunt?' vroeg Milo.

Ik keek het lege vertrek rond en zei: 'Dwing me niet tot een botte opmerking.'

Milo vertrok en ik haalde mijn computer uit de tas en hield Subject in de gaten. Ik trakteerde mezelf bovendien op de duurste scotch van het café. Terwijl ik naar het stipje op het scherm keek, dat bij Clay Street 1797 geparkeerd bleef staan, kwam mijn zusje binnen.

'Wat doe jij hier?' vroeg ze, al leek ze niet echt verbaasd te zijn.

'Ik ben boven de eenentwintig,' antwoordde ik, 'dus de echte vraag is, wat doe jíj hier?'

'Ik ben nog steeds jarig, dus ik dacht ik trakteer mezelf op een drankje. Bovendien moest ik even weg bij de Eenheid. Waar is Milo?'

362

'Op kamerjacht,' antwoordde ik vaag.

'Het bekende recept,' zei Rae, wijzend op de tap voor de ginger-ale.

Aangezien ze inderdaad jarig was en de kroeg vrijwel leeg was, besloot ik de teugels een dagje te laten vieren. Ik schonk voor Rae haar lievelingsdrankje in en probeerde informatie uit haar los te weken.

'Heb je nog ongebruikelijk gedrag van Subject opgemerkt?'

'Ik hoorde hem tegen Mr. Freeman praten. Hij gaat zeker verhuizen, maar ik kan je niet vertellen waarheen. Maar volgens mij vertrekt hij aan het eind van de maand.'

'Dat is minder dan twee weken,' zei ik, in gedachten verzonken.

'Trouwens, je kunt maar beter zorgen dat je dat volgsysteem terug hebt voor hij vertrekt. Mama is ernaar op zoek. Ze houdt je in de gaten.'

'Bedankt voor de info,' zei ik.

'Wat ga je doen?'

'Ik weet het niet,' antwoordde ik, al ging ik in gedachten enkele interessante ideeën langs.

'Nog eentje om het af te leren?' vroeg Rae, op haar drankje wijzend.

Ik tapte nog een glas gingerale en vroeg Rae het snel op te drinken. Ik wilde dat ze zou zijn vertrokken als Milo terugkwam. Rae slokte haar drank op en legde twee dollar op de toog, die ik terugschoof.

'Ik trakteer. Gefeliciteerd.'

'Tot ziens, Izzy.'

Milo kwam een uur later in een iets betere stemming terug.

'Je bent een beste meid,' zei Milo, terwijl hij me zachtjes in mijn wang kneep. 'Diep vanbinnen,' vervolgde hij. 'Heel diep vanbinnen.'

De volgende avond verrichtte ik de – zo nam ik me voor – laatste daad van vandalisme in mijn volwassen leven, toen ik hoorde dat Petra inderdaad was teruggekeerd. Ik reed naar Davids huis, zag Petra's auto op de oprit staan en liet al haar banden leeglopen.

Daarna sprak ik een boodschap in op haar voicemail: 'Voor het geval je het je afvroeg, ik heb het gedaan.'

Ik ging terug naar mijn hok en dronk twee glazen whisky terwijl ik naar het John Brown-stipje op mijn computerscherm keek. Ik geloof niet dat ik me in dertig jaar ooit zo sneu heb gevoeld.

Terwijl ik die avond een laatste plan bedacht om Subject te ontmaskeren, belde mijn moeder op.

'Isabel, heb je enig idee hoe duur die gps-volgsystemen zijn?'

'Eh, ja.'*

'Als je ze** niet binnen achtenveertig uur teruggeeft, houd ik je salaris in voor de kosten van de vervanging.'

'Ik heb geen idee waar je het over hebt,' antwoordde ik, en ik hing op.

Er was duidelijk nog een geheim onderzoek aan de gang in de familie. Maar daar kon ik me niet druk over maken. Ik had het al druk genoeg met het stipje, en het stipje bewoog.

---

*Zo'n 400 dollar in de winkel.
**Ik had er maar een gepakt. Waar was het andere?

Het stipje verlaat Clay Street 1797...

Zaterdag 27 mei
11.40 uur

Subject bleef de hele ochtend op Clay Street 1797. Ik hield in de gaten of het stipje bewoog. Als hij zijn auto wilde wegdoen, was dit het geschikte moment. Als ik mijn jacht wilde voortzetten, was dit het punt waarop ik niet meer terug kon.

12.05 uur

De telefoon ging. Milo, die net in de kroeg was aangekomen, had zijn boodschappen beluisterd.
'Isabel.'
'Milo.'
'Heb jij visitekaartjes met het telefoonnummer van deze kroeg erop?'
'Een stuk of tien.'
'Onder de naam Izzy Ellmanspay?'
'Ik geef ze vrijwel nooit weg.'
'Is Ellmanspay potjeslatijn voor Spellman?'
'Jij bent zo slim.'
'Dat is zó puberaal.'
'Heb je een boodschap voor me?'
'Een zekere Davis zoekt je.'
'Bedankt.'
'Misschien zit ik te muggenziften, Izzy, maar als je deze kroeg als je persoonlijke etalage gaat gebruiken, wil je me dan voortaan inlichten?'

'Sorry, Milo. Je weet dat ik wat minder begaafd ben qua omgangsvormen.'

'Er ligt hier ook post voor je.'

'Ik kom later langs. Bedankt, Milo,' zei ik, beleefder dan gewoonlijk.

12.30 uur

Rae belde op.

'Subject is vertrokken,' zei ze, en ze hing op. Mijn zusje houdt soms erg van de cryptische communicatie zoals gebruikt in spionagefilms.

Het Stipje ging over de Bay Bridge en nam de I-80 naar de 580 oostwaarts. Ik concludeerde dat het Stipje de I-5 nam. Vanaf de I-5 kon het Stipje overal heen. Ik moest het Stipje nu achterna gaan of aanvaarden dat ik de waarheid nooit zou achterhalen, en bovendien moest ik die volgzender terughebben voor het Stipje de staat zou verlaten. Maar het Stipje kent mijn auto, en daarom besloot ik de hulp in te roepen van degene voor wie er meer op het spel stond dan voor mij.

12.45 uur

Ik kwam aan bij het huis van Mr. Davis; het leek alsof hij me verwachtte. Ik legde hem snel, alleen in grote lijnen mijn plannen uit, zodat we konden vertrekken en de achterstand konden goedmaken. Subject had een uur voorsprong, maar hij overschreed de snelheidslimiet niet, dus konden we op hem inlopen.

13.00 uur

Het interieur van Mr. Davis' Range Rover met vierwielaandrijving was smetteloos. Ik zat op de bijrijderstoel met mijn geopende computer, waarbij ik mijn aandacht afwisselend op het Stipje op het scherm en op de snelheidsmeter van de SUV richtte. Ik bestreed wagenziekte door uit het raampje te hangen en met tussenpozen teugen koude, frisse lucht op te zuigen.

'Als u honderdtwintig kilometer per uur aanhoudt, moeten we hem binnen een uur kunnen inhalen.'

'Laat me horen wat je weet, nu ik een en al oor ben,' zei Mr. Davis. Zijn rationele toon van hiervoor leek de afgelopen paar minuten meer verontrust te zijn geworden.

'Ik moet in het belang van een volledige onthulling eerlijk zijn. Volgens mij weet Subject – Mr. Brown, bedoel ik – iets over de verdwijning van uw vrouw, maar ik heb geen harde bewijzen en ik kan u niet beloven dat we iets zullen ontdekken.'

'Waarom denk je dat hij iets te maken heeft met de verdwijning van mijn vrouw?'

'Het is een ingeving, meer niet. Ik moet eerlijk zijn. Maar hij heeft haar even gesproken voor zij verdween en ik weet dat hij in verband kan worden gebracht met minstens één andere vermiste vrouw in de afgelopen vijf jaar. Iedereen kan u vertellen dat mijn theorie zwak is, maar meer hebben we niet.'

Mijn mobieltje ging.

'Hallo.'

'Isabel, met Henry.'

'O, hallo,' zei ik in een poging luchtig en niet schuldbewust te klinken.

'Zeg niets. Luister naar me en antwoord met ja of nee. Begrijp je wat ik zeg?'

'Ja.'

'Heb je een oortje?'

'Huh?'

'Het oordopje voor je mobiele telefoon. Heb je dat bij je?'

'Ja.'

'Doe dat in, zodat niemand me kan horen.'

'Ogenblikje,' zei ik, en ik zocht het oortje in mijn tas. Ik sloot het aan.

'Heb je hem in?'

'Ja.'

'Zit je op dit moment in de Range Rover van Mr. Davis?'

'Eh, hoe weet jij dat?'

'Wat zei ik nou? Antwoord alleen met ja of nee. Gesnopen?'

'Ja.'

'Isabel, nu moet je zeggen "Ogenblikje, dat moet ik opzoeken".'

'Huh?'

'Zeg het.'

'Maar dat klopt niet met wat je net zei.'

'Laat het me geen twee keer hoeven vragen,' zei Henry met zo veel irritatie in zijn stem dat ik wel moest gehoorzamen.

'Ogenblikje. Dat moet ik opzoeken,' zei ik.

'Is de volgzender actief op je computerscherm?' vroeg Henry.

'Ja.'

'Sluit hem af en tover een rekening te voorschijn en lees me voor wat het saldo van de rekening is.'

'Ik snap het niet.'

'Doe gewoon wat ik zeg. Alsjeblieft, Isabel.'

Ik deed wat Henry zei, hoewel ik er geleidelijk van overtuigd raakte dat hij door het onafgebroken contact met de Spellman-clan van de laatste tijd zijn verstand had verloren.

'Het saldo is veertienhonderd dollar en elf cent.'

'Zorg dat de rekening op het scherm blijft staan. Goed?'

'Ja.'

'Ik moet het allemaal zo bondig mogelijk uitleggen, zodat Mr. Davis niet achterdochtig wordt. Je hebt geen tijd om vragen te stellen. Je moet me vertrouwen. Vertrouw je me, Isabel?'

'Natuurlijk,' antwoordde ik.

'Mooi. De man die je aan het achtervolgen bent. John Brown. Hij is iemand anders dan je denkt.'

'Dat weet ik. Daar gaat het nou net om.'

'*Alleen ja of nee!*'

Ik besloot dat zwijgen de beste reactie was.

'John Brown is goed, niet slecht,' zei Henry, en daarop volgde weer een stilte want ja of nee zou niet voldoende zijn als antwoord.

'Heb je me verstaan?' vroeg Henry.

'Ja.'

'Wat betreft Mr. Davis, de man met wie je momenteel in de auto zit...'

'Ja?'

'Hij is slecht. Niet goed.'

Ik keerde me naar mijn chauffeur om, en hoopte dat ik me niet had verraden. 'Lastige cliënt,' vormde ik met mijn lippen.

'Ik moet meer hebben,' zei ik tegen Henry.

'Later. Nu moet je Mr. Davis in zuidwaartse richting leiden, terug naar de stad. Doe alsof je ophangt, maar houd de lijn open. Ik leg het wel uit tijdens het rijden. Hou me op de hoogte van je positie. Begrepen?'

'Ja.'

'Zeg nu "tot ziens". Maar verbreek de verbinding niet.'

'Het was me een genoegen, zoals altijd, Mr. Peabody,' zei ik om Henry een beetje te pesten.

Ik volgde Henry's aanwijzingen volkomen verbijsterd op. Ik keek zo min mogelijk naar opzij en concentreerde me op het computerscherm. Ik toverde een kaart van de stad tevoorschijn die de plaats van het eerdere gps-volgprogramma kon innemen.

'Hij keert om,' zei ik tegen Mr. Davis. 'Hij komt nu onze kant op.'

'Waarom zou hij dat doen?' vroeg Mr. Davis.

'Ik weet het niet,' antwoordde ik. 'Laten we doorrijden tot hij ons passeert. Daarna keren we om.'

14.00 uur

Davis begon iets te vermoeden, vermoedde ik. Zijn geduld met mij raakte op.

'En, hoe was uw huwelijk? Had u problemen?' vroeg ik.

'Stel geen vragen,' zei Henry aan de andere kant van de lijn.

'We hadden wel eens wat problemen, net als iedereen, maar we pakten ze aan,' antwoordde Davis.

'Ik wou dat ik wist wat er aan de hand is,' zei ik.

'Ik ook,' zei Davis.

'Waarom kun je dit niet gewoon op de simpele manier aanpakken?' vroeg Henry.

'Het is een raadsel,' antwoordde ik.

Davis dacht waarschijnlijk dat ik zat te ratelen zoals mensen doen die niet tegen lange stiltes kunnen. Hij negeerde me, hoewel ik voelde dat zijn onrust toenam. Ik wilde dat Henry me de details gaf. Ik wilde weten wie de man was met wie ik in een auto zat, de man die kennelijk slecht was.

Henry besloot me in te lichten: 'Je hebt voortdurend aanwijzingen over je onderzoek achtergelaten. Ik bespaar je nu de details, maar ik had voldoende bewijsmateriaal om er met een frisse blik naar te kijken. Rae vertelde me over het gps-volgsysteem. Ik bedacht dat je Brown volgde, omdat het te riskant was geworden om hem te schaduwen. Rae vertelde me ook van de man in het district Excelsior die je een bezoek bracht. Mag ik je eraan herinneren dat het onverantwoordelijk en in potentie levensgevaarlijk is om een minderjarige te betrekken bij een niet-goedgekeurde opdracht die met zich meebrengt dat je aanklopt bij een wildvreemde?'

Ik schraapte mijn keel om mijn fout te erkennen.

'Ik controleerde de zaak,' vervolgde Henry. 'De hele zaak. Niet alleen maar het feit dat Brown een vrouw ontmoette die later verdween; ik onderzocht haar achtergrond, de achtergrond van haar man. Jij noteerde een adres van een plaats waar Brown meer dan eens kwam. Dat liet je achter op een post-it bij mij thuis. Dat adres kwam me bekend voor en daarom verrichtte ik wat speurwerk. Het is een opvanghuis voor mishandelde vrouwen. Mrs. Davis is in de afgelopen tien jaar meer dan tien keer opgenomen in een ziekenhuis wegens ernstige mishandeling. Zij heeft haar man twee keer aangegeven, om de aanklacht vervolgens weer in te trekken. Nu vraag je je waarschijnlijk af wat John Brown hier allemaal mee te maken heeft. Zeg iets onschuldigs tegen Mr. Davis, zodat hij niet achterdochtig wordt.'

'Ik krijg een beetje trek. U niet?'

Mr. Davis keek me vorsend aan. Ik geef toe dat het niet zo'n sterke vondst was. Ik besefte dat ik waarschijnlijk verbleekte terwijl ik mijn metgezel aankeek, die ik nu in een heel ander licht zag. Terwijl mijn hartslag versnelde, vervolgde Henry zijn verhaal.

'Dit moet je weten over John Brown. Zo heet hij echt, maar hij werkt onder een ander sofi-nummer, niet om zijn verleden te verbergen maar om degenen die contact met hem opnemen te beschermen. Hij heeft je ongetwijfeld een valse geboortedatum gegeven. Hij levert een nieuwe identiteit aan vrouwen die proberen te ontkomen aan relaties waarin ze worden mishandeld. Het is de laatste toevlucht voor sommige vrouwen die niet beschermd worden door de wet. Ze verdwijnen gewoon en beginnen elders een nieuw bestaan. Brown heeft connecties ontwikkeld met de politie en de Sociale Dienst om te voorkomen dat er bewijzen van het vorige leven van de vrouwen in kwestie zijn. Jennifer Davis is springlevend en woont duizenden kilometer hiervandaan. Zeg tegen Mr. Davis dat hij de volgende afslag moet nemen en naar het zuiden terug moet rijden. Zeg tegen hem dat Browns auto jullie net in tegengestelde richting voorbij is gekomen.'

'We moeten omkeren,' zei ik. 'Subject is ons net in tegengestelde richting voorbij gereden.'

'Dat is snel,' merkte Davis op.

'Volgens mij zat mijn scherm even vast. Het apparaat hapert soms een beetje. Hij lijkt weer te bewegen. We moeten omkeren.'

'Wat is hij van plan, denk je?' vroeg Davis.

'Ik weet het niet,' antwoordde ik, terwijl ik Henry's plan probeerde te begrijpen.

'Dit lijkt onlogisch,' zei Henry in mijn oor, 'maar je moet over geld beginnen. Je moet hoe dan ook aankaarten dat je hem een rekening zult sturen voor je diensten. Vertel hem wat je per dag kost.'

Stilte. Ik wist niet zeker waar Henry op uit was.

'Isabel, zeg hem nu dat je diensten vierhonderd dollar per dag plus eventuele extra uitgaven kosten.' Henry klonk erg onvermurwbaar en dus gehoorzaamde ik hem.

'Mr. Davis, ik vind het erg vervelend om hier nu over te beginnen, maar ik denk dat ik moet vermelden dat ik – eh – mijn diensten vierhonderd dollar per dag kosten, plus extra uitgaven. We kunnen uiteraard een betalingsregeling afspreken, maar ik vond dat ik dit in het belang van volledige openheid moest zeggen.'

'Als ik mijn vrouw ermee terugkrijg, kan het me niet schelen wat het kost.'

'Mooi,' antwoordde Henry. 'Bedenk nu iets om me achteloos je huidige locatie door te geven.'

'Subject zit momenteel op de 580 in westelijke richting en nadert het knooppunt met de 680. We zitten ongeveer vijf kilometer achter hem,' zei ik, nadat ik de naderende borden had gelezen.

'Mooi,' antwoordde Henry. 'Die Range Rover is toch zwart, hè?'

'Ja,' zei ik. 'We zitten bijna vijf kilometer achter Subject,' voegde ik eraan toe om achterdocht te vermijden.

'We kunnen in ongeveer een kwartier bij je zijn. Je kent mij niet,' zei Henry. 'En laat mij het woord voeren. En deze keer meen ik het.'

'Ja. Als u deze snelheid aanhoudt, Mr. Davis, halen we hem zo in.'

'Ik weet dat je bang bent,' zei Henry. 'Maar het komt allemaal goed. Ik ga nu ophangen,' zei Henry, en de verbinding werd verbroken.

In de tussenliggende tien minuten tolde de nieuwe kijk op de feiten van de zaak door mijn hoofd, feiten die ik verkeerd had geïnterpreteerd of genegeerd, onvergeeflijke vergissingen bij een onderzoek. Het was nooit in me opgekomen om nader onderzoek te doen naar de echtgenoot van de vermiste vrouw. Het was nooit in me opgekomen dat Subject zo op zijn privacy had gehamerd om een onschuldige in plaats van een schuldige te beschermen. Door mijn inschattingsfout zat ik nu alleen in een auto met een man die waarschijnlijk tot moord in staat was, en ik stond op het punt hem naar zijn volgende slachtoffer te brengen. Over blunders gesproken. Deze zou ik mijn leven lang niet vergeten.

14.15 uur

Achter de Range Rover flitste een zwaailicht. Davis keek me aan en zei: 'Reed ik te hard?'

'Iedereen rijdt te hard,' antwoordde ik. 'Maar u kunt maar beter stoppen.'

Davis zette de auto stil op de vluchtstrook. De anonieme politieauto stopte pal achter ons. Henry Stone stapte uit de auto en liep naar de bijrijderskant van het voertuig. Davis deed het raampje open.

'Is er iets aan de hand, agent?' zei hij op zijn hoede.

Henry negeerde de vraag en deed het rechterportier open. 'Izzy Ellmanspay, ik heb hier een arrestatiebevel voor u. Zorgt u alstublieft dat ik uw handen kan zien en stap uit de auto.'

Ik volgde Henry's bevelen op en stapte de auto uit. Toen draaide hij me om en beval me mijn handen op de motorkap te leggen. Hij fouilleerde me en sloeg me in de boeien.

Mr. Davis stapte uit de auto en liep eromheen.

'Wat is er aan de hand?' vroeg Mr. Davis.

'Ms. Ellmanspay,' zei Henry, 'staat onder arrest wegens fraude.'

'Fraude?' vroeg Mr. Davis, wiens gezicht een groot vraagteken was.

'Inderdaad,' vervolgde Henry op precies de juiste toon. 'We houden haar al een hele poos in de gaten. Zij doet zich gewoonlijk voor als een onderzoeker en de familie van vermiste personen is haar gebruikelijke doelwit. Zij beweert dat de persoon in kwestie kort voor zijn of haar verdwijning is gezien met een man. Ze neemt haar slachtoffer mee op een schijnachtervolging, waarbij zij uiteindelijk het spoor kwijtraken. Als zij hun vertouwen heeft gewonnen en hun verwachtingen heeft opgeschroefd, begint zij over haar beloning. 'Ik moet dit vragen,' zei Henry tegen Mr. Davis. 'Heeft u haar geld gegeven?'

'Nee. Nog niet,' antwoordde de verbijsterde Mr. Davis.

'Mooi zo,' zei Henry. 'U bent een van de gelukkigen. Ik raad u aan naar huis te gaan en dit uit uw hoofd te zetten, meneer. Ik heb begrepen dat uw vrouw onlangs is verdwenen. Dat vind ik heel erg voor u. Maar deze vrouw weet helemaal niets over haar huidige verblijfplaats.'

'Zat ze mij te belazeren?' vroeg Davis, die er nu uitzag alsof hij het spoor volledig bijster was.

'Dat doet zij nu eenmaal. Het spijt me,' zei Henry. 'Gaat u naar huis. Wacht op een telefoontje. Ik ben er zeker van dat de politie doet wat zij kan. Maar deze vrouw, zij kan u niet helpen.'

Mr. Davis bekeek me in een nieuw licht. Er was niet genoeg tijd om woede op te laten wellen. Hij bleef verbijsterd. 'Ik vond al dat ze iets wispelturigs had,' zei hij.

Henry vervolgde zijn toneelstukje: 'Uw intuïtie was juist. Pas goed op uzelf, Mr. Davis,' antwoordde hij, waarna hij mij naar zijn auto begeleidde. 'U heeft het recht om te zwijgen. Alles wat u zegt kan en zal tegen u gebruikt worden in een rechtszaal...'

Naspel

Nadat Henry mij op de achterbank van zijn auto had gezet, wachtte hij tot Mr. Davis weer de weg was opgegaan. Mijn zusje dook op vanuit haar schuilplaats op de voorbank en kroop achterin naast me.

'Dat was supergaaf,' zei Rae, die de sleutel pakte om de handboeien los te maken.

'Wat doet zij hier?' vroeg ik aan Henry.

'Zij houdt jouw onderzoek al de hele tijd in de gaten. Zij heeft een gps-apparaat aan je auto bevestigd om je onderzoek te volgen.'

'Ik vroeg me al af wie dat andere apparaat had meegenomen.'

'Zit er maar niet over in,' zei Rae. 'Ik dacht ook dat Subject slecht was tot ik Mr. Davis nader ging onderzoeken.'

'Wat doet zij híer?' vroeg ik opnieuw, maar nu met een andere klemtoon.

'Gisteren pas,' zei Henry, 'kon ik nader onderzoek doen naar Brown en Davis. Ik ken iemand bij het vrouwenopvanghuis die John Brown toevallig kent. Zijn oudere zus was jarenlang slachtoffer van misbruik door haar man. Eerst probeerde hij haar binnen de wet te beschermen, maar dat gaf hij op en hij hielp haar aan een nieuwe identiteit. Hij heeft er in de loop der jaren steeds meer contacten voor aangeknoopt en nu is dat gewoon zijn werk – dat en tuinarchitectuur, natuurlijk. Denk aan al je bewijsmateriaal – de creditcards, de uitrusting om valse identiteitsbewijzen te maken. Het klopt allemaal.'

'Waarom heeft hij dat niet gewoon tegen me gezegd?'

'Hij houdt dit alleen maar zo lang vol omdat maar een paar mensen ervan weten. Jij hebt een paar keer met hem afgesproken en was bijna de hele tijd zijn appartement aan het doorzoeken. Ik kan me nauwelijks voorstellen dat daardoor een vertrouwensband ontstaat.'

'Ik moet iets drinken,' zei ik.

'Ik wilde net naar jouw etage gaan,' vervolgde Henry, 'toen Rae kwam en me vertelde dat je naar de woning van Davis was gegaan.'

'Maar waarom heb je haar meegenomen voor deze undercoveroperatie?' vroeg ik.

'Omdat,' zei Henry met grote vijandigheid, 'zij mijn autosleutels inpikte en toen weigerde de auto uit te gaan. Ik had al genoeg tijd verloren. Ik moest ervandoor om jou in te halen.'

'Dat was niet meer dan eerlijk,' zei Rae. 'Ik was degene die ontdekte dat Mr. Davis slecht was. Een simpele controle van het strafregister, Izzy. Ik kan niet begrijpen dat je dat niet hebt gedaan,' zei Rae, zout in de wond strooiend. 'Volgens mama heb je last van tunnelvisie.'

'Die neparrestatie. Waar was dat voor nodig?' vroeg ik.

'Dat was Henry's geniale idee,' zei Rae.

'We moesten hem ervan overtuigen dat jij niks wist,' legde Henry uit. 'Anders was hij achter jou aan gegaan en hij was niet opgehouden voor hij alle informatie had die hij wilde hebben. Hij moest jou als een doodlopende weg beschouwen. Dit was het enige wat ik kon bedenken.'

Ik had mijn digitale recorder al in Davis' auto aangezet, vlak nadat Henry belde. Als het echt helemaal mis zou gaan, dan zou de politie op mijn stoffelijk overschot tenminste wat bewijsmateriaal vinden om Mr. Davis als de schuldige aan te wijzen. Zover kwam het gelukkig niet. Maar ik laat u, dames en heren, nu kennismaken met de voor zover bekend laatste opname van *The Stone and Spellman Show*. Na alles wat deze man voor mij had gedaan, besloot ik dat ik maar moest voldoen aan zijn ene terugkerende verzoek.

De Stone en Spellman-show

AFLEVERING 48

'De afscheidsaflevering'

Achtergrond: Davis trekt op en verdwijnt in de verte. Rae klimt op de voorbank.

RAE: Voorin!

HENRY: Doe je riem om.

[Henry rijdt de weg op en we gaan terug, richting de stad.]

RAE: Jouw plannetje om Davis op een dwaalspoor te brengen, was geniaal.

HENRY: Dank je.

ISABEL: Ja. Dank je wel.

RAE: Weet je wat, Henry?

HENRY: Wat?

RAE: Als ik later groot ben, wil ik precies zoals jij worden.

HENRY: Je bent te goed.

RAE: Zonder al die regeltjes.

HENRY: Vanzelfsprekend.

RAE: En je angst voor junkfood.

HENRY: Het is geen fobie, of zo.

RAE: En ik laat anderen waarschijnlijk ook niet lezen voor elk uur dat ze tv-kijken.

HENRY: Je hoeft het niet nu al te beslissen.

RAE: En natuurlijk zonder dat man-zijn.

HENRY: Ik begrijp het, Rae.

[Einde van de band.]

Indertijd drong bovenstaande aflevering nauwelijks tot me door. Terwijl het landschap met een snelheid van honderdtien kilometer per uur voorbijschoot, werden mijn gedachten totaal door mijn eigen misstappen in beslag genomen. Ik heb veel fouten gemaakt in

376

mijn leven, maar ik kan er geen een bedenken die zo erg is als deze maandenlange inschattingsfout evenaart. Om te zeggen dat ik
hierdoor mijn toekomst heroverwoog, was te zwak uitgedrukt. Ik
heroverwoog mijn hele leven.

EPILOOG

Vier verontschuldigingen en een bruiloft

Juni

Een paar weken na de 'reddingsoperatie', zoals Rae het achteraf noemde, werden mijn vader en ik het erover eens dat ik een tijdje vrijaf moest nemen. We werden het er ook over eens dat ik een aantal mensen excuses verschuldigd was. Ik vroeg mijn vader wat voor aantallen hij in gedachten had en hij antwoordde vier. We bespraken nooit welke vier mensen dat dan wel niet waren, dus dat bepaalde ik zelf.

Maar eerst was er een verontschuldiging die ik niet hoefde aan te bieden. David vertelde me twee weken na Petra's terugkeer uit Arizona en minstens vijf onbeantwoorde telefoontjes later dat zij uit elkaar waren en van plan waren om te gaan scheiden. Nog eens twee onbeantwoorde telefoontjes later gaf ik het op om nog langer te proberen om haar te bereiken en besloot ik te wachten tot zij bij mij kwam. Een maand na Petra's terugkeer uit Arizona klopte zij op de deur van mijn hok.

'Ik ben een lafbek,' zei ze.

'Dat weet ik,' antwoordde ik.

'Dit is iets tussen mij en je broer. Ik hoop dat het op een dag minder moeizaam is.'

'Wat is er gebeurd?' moest ik wel vragen. Zij stond nog altijd in het portaal.

'Het ging allemaal zo snel. David begon over kinderen en ik dacht: wanneer is dit gebeurd? Wanneer ben ik opeens volwassen geworden? Ik was er niet klaar voor. Het ene moment bedenk ik waar ik zal gaan borrelen, en voor ik het weet geef ik dineetjes voor de partners van zijn advocatenkantoor. Op een dag werd ik wakker als de echtgenote van een respectabele advocaat en daar was ik gewoon nog niet klaar voor.'

'Heb je hem onlangs nog gezien? Zo respectabel is hij niet.'

'Het komt wel goed met hem,' zei Petra. 'Dat weet jij ook, toch?'

'Maar waarom moest je verdwijnen?'

'Ik was bang voor jou en je familie. Ik durfde jullie niet onder ogen te komen. En eerlijk gezegd wist ik niet wat jullie zouden doen. Het was doodeng.'

Die angst van haar was niet ongegrond; ik nam een iets minder vijandige houding aan. 'Hij heeft feitelijk geprobeerd jou tegen ons te beschermen,' zei ik.

'Dat weet ik nu ook, maar indertijd wist ik dat niet,' antwoordde zij, terwijl ze zenuwachtig haar mouwen over haar handen trok. Ik werd nerveus van haar weifelende oogcontact. Petra was altijd de meest evenwichtige van ons twee geweest. Maar de vrouw die mij aankeek daar in de hal van mijn armoedige flatgebouw herkende ik nauwelijks.

'Kun je me vergeven, denk je?' vroeg zij.

Als zij niet getrouwd was met mijn broer, had het me niet echt kunnen schelen als zij haar echtgenoot had bedrogen, en daardoor was die vraag zo moeilijk voor me. Maar door Petra's verdwijntruc drong het tot me door dat zij meer Davids vrouw (of ex in spe) dan mijn beste vriendin was. Deze rolwisseling had zich voltrokken zonder dat ik het in de gaten had. Die beste vriendin zou nooit zomaar zijn verdwenen. Dat was de misdaad die ik niet echt kon vergeven. Uiteindelijk zou ik dat wel doen, maar niet op dat moment.

'Misschien,' antwoordde ik. 'Maar niet nu. Hij is wel mijn broer. Ik moet zijn kant kiezen, ook al is het voor de schijn.'

'Is het alleen voor de schijn?'

'Nah. Je hebt het verkloot.'

'Ik weet het. Nou, je weet waar je me kunt vinden,' zei Petra, en ze vertrok.

Dat wist ik eerlijk gezegd niet. Ze had hun huis verlaten zonder een adres achter te laten. Maar daar konden we gemakkelijk achter komen. Ik zag haar opnieuw verdwijnen door het portaal, en heel eventjes probeerde ik me voor te stellen wat zij doormaakte.

Het had haar waarschijnlijk weken gekost om de moed bijeen te rapen voor deze verontschuldiging. Door het uitstel werd het nog moeilijker om die te aanvaarden. Op dat moment besloot ik niet langer te wachten met mijn eigen kwartet excuses. Ik zou de pleister er met een ferme ruk af trekken.

Verontschuldiging #1: Mrs. Chandler

Het werd tijd om eerlijk te zijn tegen Mrs. Chandler.

We dronken in haar keuken een kopje kruidentheebrouwsel dat volgens mij in sommige staten wel eens illegaal zou kunnen zijn.

'Ik weet niet zeker of u dit weet, Mrs. Chandler, maar ik was degene die verantwoordelijk was voor de eerste aanvalsgolf op uw voortuin. Dat is nu bijna vijftien jaar geleden.'

'Liefje, iedereen wist dat jij dat had gedaan.'

'Echt waar?'

'Echt waar.'

'Nou, het wordt tijd dat ik mijn excuses aanbied. Ik bied mijn verontschuldigingen aan voor het leed dat ik u heb aangedaan.'

'Excuus aanvaard.'

'Dank u wel,' zei ik, en ik bedacht dat het gedoe met die excuses gemakkelijker was dan ik had gedacht.

'Onder één voorwaarde,' voegde Mrs. Chandler eraan toe.

'Zeg het maar,' antwoordde ik, want ik vond dat ik haar dat verschuldigd was.

'Dat jij me helpt bij de installatie voor 4 juli. Volgens mij heeft ons land in deze zware tijden vooral een geheugensteuntje nodig om de vrede een kans te geven.'

Ik ging akkoord met Mrs. Chandlers voorwaarden, al wist ik ineens weer wat mij indertijd had aangezet tot die 'aanpassingen' van haar tableaus.

Verontschuldiging #2: Milo

Mijn excuus aan Milo was veel eenvoudiger. Ik ging aan de bar zitten en bestelde een whisky puur.

Ik zei: 'Ik ben een vreselijk, ongevoelig mens. Soms kan ik alleen maar aan mezelf denken. Vergeef je me?'

'Mmja,' zei Milo terwijl hij een wegwuivend gebaar maakte met zijn hand.

Verontschuldiging #3: David Spellman

Ik maakte mijn bedoelingen bekend bij de voordeur. Davids geduld met mij had de afgelopen weken een absoluut dieptepunt bereikt, wat er niet beter op werd toen hij erachter kwam dat ik de auto van zijn toekomstige ex had gemolesteerd.

'Ik kom mijn excuses aanbieden,' zei ik. 'Vraag me alsjeblieft binnen en bied me iets alcoholisch aan. Ik heb wat hulp nodig om me hier doorheen te slaan.'

Voorzover ik me kon herinneren, was dit namelijk de eerste keer dat ik probeerde om verontschuldigingen aan mijn broer aan te bieden. Davids pijnlijke volmaaktheid stond een echte verontschuldiging altijd in de weg. Mijn broer liep naar zijn bar en schonk ons allebei een borrel in.

'Jarenlang werd ik razend door jouw goddelijke perfectie. Ik heb bijna tien jaar lang je playboyfratsen met vrouwen aangezien en ik vond je weerzinwekkend.'

'Noem je dat een verontschuldiging?' vroeg David.

'Daar kom ik zo op,' zei ik.

'Schiet op.'

'Ik ging ervan uit dat jij de schuldige was, want jij had het al eens eerder gedaan.'

'Eerder was ik niet getrouwd.'

'Ik dacht altijd dat ik het beroerd getroffen had met jou als broer, maar laten we eerlijk wezen, jij bent degene die werd bedrogen.'

'Zo heel erg ben je nu ook weer niet, Isabel.'

'Da's waar. Ik kan nog veel erger.'

'Herinner me er niet aan.'

'Het spijt me echt heel erg, David.'

'Het is al goed.'

Verontschuldiging #4: John Brown

Wat ik ook nog geleerd heb wat verontschuldigingen betreft, is dat je rekening moet houden met de behoeften van degene aan wie de verontschuldigingen worden aangeboden. Ik persoonlijk zou John Brown het liefst een uitvoerige verklaring voor mijn recente gedrag hebben gegeven, maar nadat Henry Stone de volgzender van Subjects auto had gehaald, stelde hij voor dat ik het veel simpeler zou houden. Ik schreef hem een heel kort briefje en stuurde dat naar een postbusadres dat Henry voor me had opgesnord.

> Lieve John,
> Het spijt me.
> Het beste,
> -Isabel.

En nu... de bruiloft

Daniel Castillo (Ex #9) trouwde werkelijk met zijn ex-olympische liefje tijdens een verrassend protserige plechtigheid in Grace Cathedral. De receptie voor driehonderd gasten werd in het Mark Hopkins-hotel gehouden. Henry Stone vergezelde me als mijn partner. Dat had Rae geregeld, die hem vertelde dat ik geen andere mogelijkheden had en dat het gewoon 'zielig' zou zijn als ik met een familielid of alleen zou gaan.

Henry en ik gingen samen met een taxi naar huis, want we hadden allebei al vroeg besloten dat dit een gebeurtenis was die grote hoeveelheden alcohol vereiste. Op het eind van de avond hadden mijn partner en ik onszelf voorgesteld als zijnde een breed scala aan hoogwaardigheidsbekleders en lage royalty (Henry was de 167ste en ik de 169ste in lijn voor de troon*).

'Ik heb nog nooit van mijn leven zoveel olympiërs ontmoet,' zei ik.

---

* We realiseerden ons achteraf dat we daarmee familie van elkaar waren, en we besloten de afstand te vergroten als we het nog eens zouden doen.

'We hebben er maar twee gesproken: de Guatemalteekse worstelaar en de bruid.'

'Toch klopt mijn vorige opmerking.'

'Heb ik je wel eens verteld dat ik aan de Olympische Spelen heb meegedaan?' zei Henry, met een verrukkelijk slepende stem

'De academische olympiade telt niet mee,' antwoordde ik.

Terwijl het lawaai en de schittering van de avond plaatsmaakten voor de rust van de straten van San Francisco in de vroege uurtjes van een zaterdagochtend, zaten Henry en ik in een aangename stilte bij elkaar. Een avond die volgens mij geheid ondraaglijk zou worden, was volmaakt gebleken. De drank maakte me loslippig en ik sprak me uit.

'Wij verdienen jou niet, Henry,' zei ik, een echo van mijn moeders gebruikelijke refrein.

Maar het geluk was met mij die nacht. Henry was compleet buiten westen. Een bedankje was zeker op zijn plaats maar er was geen reden om hem op dat idee te brengen. De Spellmans hadden Henry veel harder nodig dan hij de Spellmans.

De Philosopher's Club

Ik besloot het werk bij het familiebedrijf voor onbepaalde tijd te onderbreken en ging voor Milo werken in de Philosopher's Club. We bedachten dat een bescheiden renovatie gevolgd door een 'feestelijke opening' de kroeg weer wat leven zou kunnen inblazen. Ik nam contact op met iedereen met wie ik ooit iets had gedronken en haalde uiteindelijk een grote mensenmassa binnen. Al snel trok de handel aan en werkte ik vijf avonden per week, zodat ik meer verdiende dan ik als werknemer van Spellman Investigations ooit had gedaan. Ik was niet van plan voorgoed barkeeper te blijven, maar als ik toch ooit zou besluiten terug te gaan, had ik tenminste een goeie onderhandelingspositie.

Mijn regelmatige aanwezigheid in de kroeg trok een niet-aflatende stoet bekende gezichten aan. Ongeveer twee weken nadat ik was begonnen, kwam Rae langs in de kroeg, bestelde een gingerale voor zichzelf om iets te vieren en onthulde mij dat zij eindelijk het snotmysterie had opgelost. Rae had Henry's hamstertheorie van het begin af aan niet geslikt en probeerde voortdurend een andere plausibele verklaring te bedenken. Ten slotte besloot zij het Mr. Peabody op de man af te vragen: 'Waarom bewaart u gebruikte tissues in uw bureaula?'

Het bleek dat Peabody een meningsverschil had met de conciërges over de recycling van gebruikte tissues. Volgens de conciërges was dat afval. Mr. Peabody vond dat er geen goede reden was om de gebruikte tissues niet te recyclen aangezien lichamelijk afval biologisch afbreekbaar is. Om conflicten te voorkomen verzamelde Peabody de tissues en gooide hij ze persoonlijk in de recyclingbak. Rae genoot met volle teugen van de kortstondige zege van haar logica op die van Henry Stone.

Morty kwam graag langszeilen op donderdagmiddag, officieel

de dag van onze vaste lunchafspraak. Dan had hij een sandwich bij zich en bestelde hij een koffie, waar ik een scheut whisky in deed. We ontdekten dat de kamertemperatuur van Milo's brouwsel geen aanpassingen van Morty vereiste.

Ik had een half jaar gekregen om mijn twaalf door de rechter opgelegde therapiesessies te voltooien. Als ik een keer per week ging, had ik uitgerekend, kon ik het nog drie maanden uitstellen voor ik beslist een afspraak moest maken. Omdat ik me bepaald niet verheugde op wekelijks gegraaf in mijn geestelijk landschap, bleef ik treuzelen. Mijn moeder bleef op haar beurt in de kroeg langskomen om te kijken of ik wel aan mijn therapie was begonnen. Ze nam me met een zogenaamd geleerde blik op en zei vervolgens op autoritaire toon: 'Nee, je gaat duidelijk niet naar een psych.'

Ze hield ermee op toen ik haar wees op het bordje waarop stond 'Wij behouden ons het recht voor een ieder bediening te weigeren'. Ter verdediging van mijn moeder moet ik wel zeggen dat ze het geheim dat ik haar had toevertrouwd, voor zich hield. De verlovingsring belandde weer in haar juwelenkistje. De kinderbescherming kwam nooit meer langs.

Wat betreft ander nieuws over de Spellmans: papa had me een deadline gegeven om uit te zoeken hoe ik tegenover het familiebedrijf stond. Die deadline kwam steeds dichterbij. Mijn vaders niet-VUTWA, die inmiddels aan mijn moeder was onthuld als een ernstig gezondheidsprobleem, zorgde eerst voor conflicten binnen de Eenheid maar versterkte nu hun band. Stevige ochtendwandelingen en yogalessen in de middag gingen deel uitmaken van hun dagelijkse activiteiten. Mijn vader morde niet meer over het ontbreken van rood vlees bij het avondeten en bedacht zelfs 'interessante' manieren om tofoe te consumeren. Het nieuwe menu beperkte vanzelfsprekend wel mijn bezoekjes aan de Spellman-dis, maar ik geloof niet dat iemand dat opmerkte. Mijn vaders cholesterolgehalte bleek bij zijn volgende bezoek aan de dokter tachtig punten gezakt te zijn en zijn arts erkende dat een operatie niet langer noodzakelijk was. Mijn ouders ontdekten dat weekendjes weg precies was wat zij nodig hadden. Dat hun jongste dochter hen weg probeerde te krijgen, hadden zij geen van beiden door of ze zaten er niet mee. Binnen enkele weken kreeg Rae precies wat zij wilde:

een weekend zonder toezicht in huize Spellman.

David en Petra gingen inderdaad uit elkaar, al hebben zij tot op heden geen van beiden een scheiding aangevraagd. David begon weer te douchen, te sporten en vierentachtig uur per week te werken. De laatste keer dat Rae bij hem langsging op kantoor, maakte hij glashelder dat de geldmachine voorgoed was gesloten.

Rae wijdde na de teleurstelling van haar eerste mislukte rijexamen al haar vrije tijd aan het bewerken van gezinsleden om ze zover te krijgen dat ze haar les gaven. Henry hield vast aan zijn rijlesboycot, maar de rest van de familie (en Milo) kon niet ontsnappen aan haar vastberadenheid. Binnen twee maanden na de eerste mislukte poging ging Rae opnieuw op en slaagde met vlag en wimpel. Mijn ouders realiseerden zich dat hun een nieuw tijdperk wachtte.

De laatste keer dat Henry mij belde voor een Rae-verwijdering, moest ik hem uitleggen dat hij, nu zij zelf reed, een andere manier moest bedenken om haar vertrek te bespoedigen. Ik bedacht dat ik Henry misschien nooit meer zou zien nu de Rae-verlossingen niet meer nodig waren. Maar toen kwam Henry langs in de kroeg tijdens mijn doodse maandagavonddienst, en hij kwam de maandag erna weer en de maandag daarop weer.

Het lijkt erop dat Henry en ik ergens tussen arrestatie #1 en arrestatie #4 vrienden waren geworden.* Het duurde bij mij alleen wat langer voor ik het doorhad dan de meeste mensen.

En wat Spellmanloos nieuws betreft: Bernie stuurde me een ansicht uit Jamaica, waar hij en Daisy heen waren gegaan om de vonk in hun huwelijk opnieuw te doen ontbranden. Ik heb er geen behoefte aan meer details te vermelden, hoewel Bernie er meer dan genoeg verschafte.

Enkele weken nadat ik gewend was aan mijn nieuwe baan, kwam Subject het café binnen. Hij had mijn verontschuldiging via de post ontvangen en contact opgenomen met mijn ouders om erachter te komen waar hij mij kon vinden. Een eenvoudige verontschuldiging is kennelijk niet genoeg als je iemand drie maanden achter elkaar hebt getreiterd.

---

* Hoewel ik mezelf altijd ben blijven voorstellen als zijn lifecoach.

Subject ging aan de bar zitten en bestelde iets te drinken. Hij stak zijn hand in zijn zak om te betalen, maar ik zei hem dat het gratis was.

'Je staat bij me in het krijt,' zei hij.

Dat kon ik niet ontkennen.

'Als ik je hulp in de toekomst nodig heb, krijg ik die van je. Toch?' vroeg hij, hoewel het geen vraag was.

'Zeker,' antwoordde ik.

Subject dronk zijn glas leeg en verdween.

Op vrijdag, de dag van de deadline, kwam papa om drie uur 's middags langs in de Philosopher's Club om te vragen of mijn toekomst bij Spellman Investigations lag.

'Heb je me iets te zeggen?' vroeg hij.

'Je kunt maar beter voor jezelf zorgen, pap, want ik ben nog niet klaar om te beslissen wat ik ga doen. Het is niet anders.'

Papa dronk zijn wijn (de enige alcoholhoudende drank die ik hem van mama mocht geven) en dacht na over mijn reactie.

'Goed, Isabel. Je krijgt meer tijd. Maar je zult ooit een besluit moeten nemen. We moeten allemaal een keer volwassen worden.'

'Goed, pap. Als jij daar nou eens mee begon.'

'Heel grappig. En wat ga je in de tussentijd doen?' vroeg papa.

'Volgens mij heb ik een verdwijning nodig,' zei ik.

'Dat lijkt me een goed idee. Je kunt wel wat rust gebruiken.'

Aanhangsel

Lijst van ex-en

Ex #1
Naam: Goldstein, Max
Leeftijd: 14
Beroep: eersteklasser, Presidio Middel School
Hobby: skateboarden
Duur: een maand
Laatste woorden: 'Hé man, mijn moeder vindt het niet goed dat ik nog langer met jou omga.'

Ex #2
Naam: Slater, Henry
Leeftijd: 18
Beroep: eerstejaars, UC Berkeley
Hobby: poëzie
Duur: zeven maanden
Laatste woorden: 'Heb je nog nooit van Robert Pinsky gehoord?'

Ex #3
Naam: Flannagan, Sean
Leeftijd: 23
Beroep: barkeeper bij O'Reilly's
Hobby's: Iers gedrag; drinken
Duur: tweeënhalve maand
Laatste woorden: 'We hebben behalve Guinness niet veel gemeenschappelijks.'

Ex #4
Naam: Collier, professor Michael
Leeftijd: 47 (ik: 21)
Beroep: filosofieprofessor
Hobby: naar bed gaan met studentes
Duur: een semester
Laatste woorden: 'Dit is verkeerd. Ik moet hiermee ophouden.'

Ex #5
Naam: Fuller, Joshua
Leeftijd: 25
Beroep: webontwerper
Hobby: AA
Duur: drie maanden
Laatste woorden: 'Onze verhouding is een gevaar voor mijn
    nuchterheid.'

Ex #6
Naam: Ryan, Sean
Leeftijd: 29
Beroep: barkeeper
Hobby's: porno; streven een romancier te worden
Duur: twee maanden
Laatste woorden:* 'Volgens mij hebben we niet genoeg overeen-
    komsten.'

Ex #7
Naam: Greenberg, Zack
Leeftijd: 29
Beroep: eigenaar van een webdesignbedrijf
Hobby: voetbal
Duur: anderhalve maand
Laatste woorden: 'Heb je mijn broers kredietwaardigheid gecon-
    troleerd?'

* Dit keer door mij uitgesproken.

Ex #8
Naam: Martin, Greg
Leeftijd: 29
Beroep: grafisch ontwerper
Hobby: triatlons
Duur: vier maanden
Laatste woorden: 'Als ik godallejezus nog één vraag moet beant-
    woorden, maak ik mezelf van kant.'

Ex #9
Naam: Castillo, Daniel
Leeftijd: 38
Beroep: tandarts
Hobby: tennis
Duur: drie maanden
Laatste woorden: 'Na die zogenaamde drugsdeal was het afgelo-
    pen.'

Ex #10
Naam: Larson, Greg
Leeftijd: 38
Beroep: sheriff
Hobby: geen tegengekomen
Duur: zes weken
Laatste woord: 'Nee.'

**Mark Twains vermeende uitspraak: 'De koudste winter die ik ooit
heb meegemaakt was mijn zomer in San Francisco.'**
Om te beginnen heeft Twain dat nooit gezegd. Ten tweede is het
waar dat de zomers in San Francisco mild zijn in vergelijking met
de rest van het land, maar bij de huidige opwarming van de aarde
wordt het soms regelrecht heet, en alleen als je in het district Sun-
set of Richmond woont, voelt het winters aan. Dit is het meest
misbruikte citaat over San Francisco. Ik hoop werkelijk dat ik het
nóóit meer hoef te horen. En nu ik het toch over mijn stad heb,
noem het nóóit en te nimmer 'Frisco'. Het is meteen duidelijk dat

je een toerist bent en de lokale bevolking zal misbruik van je maken.

Controlelijst voor kandidaatvriendjes (mama vulde hier ooit met Kerstmis mijn kous mee op)

· Moet zijn bestaan kunnen verifiëren (d.w.z. sofi-nummer, geb. dat.).

· Hij moet al zijn tanden nog hebben.

· Hij moet een adres en telefoonnummer hebben.

· Hij moet ten minste één taal vloeiend spreken.

· Je mag hem niet op een meter afstand ruiken.

· Al zijn vaccinaties moeten zijn bijgewerkt.

· Hij moet minstens één vriend en één familielid hebben die voor hem instaan.

· Hij moet een baan hebben of een redelijk excuus voor het tegendeel.

(De lijst telde eigenlijk drie pagina's, maar dit leek me wel genoeg.)

Memorandum

Aan: alle geïnteresseerden

Van: Isabel Spellman

Datum: 17-05-1998

Onderwerp: Nieuwe naam M I LWA

M I LWA's heten voortaan V U TWA's

Aangezien Albert Spellman vijftig jaar is geworden, wijzen wij erop dat de term M I LWA niet meer gepast is voor zijn midlifecrisisachtige manifestaties. De nieuwe benaming voor dit verschijnsel wordt V U TWA, oftewel Vervroegde-uittreding-waanzin. Naar onze mening is dit een beter acroniem, waar u naar wij hopen mee instemt.

De verandering gaat met onmiddellijke ingang in.

Lijst door Henry goedgekeurde gespreksopeningen

1. Hoe gaat het?
2. Hoe is het met je werk?
3. Nog nieuws?
4. Onlangs nog een goede film gezien?
5. Ik sta voor je klaar als je iets nodig hebt.
6. Wil je een biertje?
7. Wil je nog een biertje?
8. Wat dacht je van nog één biertje?
9. Whisky?
10. Leuk shirt.
11. Mooie schoenen.

(Let op: gespreksopeningen #6-11 komen uit mijn eigen koker.)

DANKWOORD

Vanzelfsprekend vind ik mijn redacteur, Marysue Rucci, en mijn agent, Stephanie Kip Rostan, geniaal, fantastisch... vul elk denkbaar gloedvol bijvoeglijk naamwoord maar in. Sterker nog, als je met een manuscript aan het leuren bent, moet je hun beiden meteen een exemplaar opsturen.*

Ik begin maar met de meer professionele bedankjes. Bij S&S: waar moet ik beginnen? Ik houd van jullie allemaal. Als ik ooit huisdieren krijg, dan noem ik ze Simon en Schuster. Carolyn Reidy, je steun voor de Spellman-boeken is van onschatbare waarde. Heel erg bedankt. David Rosenthal, mijn steun en toeverlaat. Had ik maar een opname van die prachtige speech van je tijdens dat ene diner. Dat weet je vast niet meer, want je zat stevig te pimpelen. Nogmaals bedankt voor het eten, Marysue.** Virginia 'Ginny' Smith, als redactieassistente ben je geweldig, als actrice*** verdien je een oscar. Eveneens bij S&S, Leah Wasielewski, Aileen Boyle, Deb Darrock, Michael Selleck; mijn zwaar overwerkte editor Jonathan Evans; en een speciaal bedankje voor mijn buitengewoon hard werkende en toegewijde publiciteitsagenten: Kelly Welsh, Tracey Guest, Deirdre Mueller en Nicole de Jackmo.

En nu moet ik alle fantastische mensen van de Levine Greenberg Literary Agency bedanken (dit is een bedrijf met alles erop en eraan – aanbevelingen voor restaurants en theaters, belangwekkende artikelen worden doorgestuurd, naast feilloze loop-

---

*Nee, niet doen. Maar als je het toch doet, zeg dan tegen ze dat ik je manuscript heb gelezen en geweldig vind!

**Marysue moest betalen, want David wist niet zeker of zijn creditcard het kon trekken.

***Misschien klinkt een 'acterende' redactieassistente onlogisch. Ik ben niet in de stemming om er nader op in te gaan.

baanadviezen): Daniel Greenberg, Jim Levine, Elizabeth Fisher, Melissa Rowland, Monika Verma, Miek Coccia (zijn voornaam wordt net zo uitgesproken als 'Mike' – niet over doorzeuren), Sasha Raskin en Lindsay Edgecombe. Ik werk altijd heel graag met jullie en ik kom heel graag bij jullie op kantoor langs, want er is altijd cake.

En nu de iets minder professionele bedankjes:

Ik wil graag de Rucci-clan toeroepen. Debbie en Joe Rucci, ontzettend bedankt dat jullie bij mijn evenement waren. Mijn acteurs – Ted en Josh – jullie waren geweldig. Ted, ik hoop dat ik je voor volgend jaar kan engageren. Dave Rucci, jammer dat je niet kon komen. Joe Rucci, bedankt voor de titels van de Spellman-afleveringen. Ik ben er als ik heel eerlijk ben vrij zeker van dat ik Marysue moet bedanken, maar als zij bereid is om de erkenning te delen, moeten jullie dat samen maar uitzoeken.

Nu breekt het moment aan waarop ik denk dat je (aangezien je mij niet persoonlijk kent) echt moet ophouden met lezen:

William Lorton, bedankt voor het verstoppen van de revolver. Ik beloof je dat ik je er binnenkort van verlos. Bedankt Dan Fienberg, neef en financieel adviseur. (We hadden afgesproken dat ik hem zou noemen in mijn dankwoord als hij mijn eerste boek had gelézen voor ik dit boek had geschréven.) Eigenlijk heb ik de wedstrijd gewonnen, maar het was nipt en ik ben allesbehalve ongenereus. Bovendien is hij echt top als financieel adviseur.* Ik moet ook Jay Fienberg bedanken, mijn neef/medewebsiteontwerper en in de allereerste plaats mijn vandalismeadviseur. Ik wist dat ik op je kon rekenen.**

Anastasia Fuller, bedankt dat je altijd de eerste versie van alles leest, mijn website ontwerpt (met Jay) en een deel van mijn reisafspraken regelt en me hielp inpakken voor mijn reis naar New York. (Al vraag ik je nooit meer te helpen inpakken, want je was veel te efficiënt. Hoe gênant was het niet toen ik mijn bagage niet meer in mijn koffer kreeg en aan Nicole – eerder genoemde publiciteits-

---

* Mocht je er een nodig hebben, hij zit in Beverly Hills.

** Hij werd alleen voor ondervraging meegenomen; hij werd nooit gearresteerd.

agente – moest vragen bepaalde dingen per post naar me terug te sturen.) Bedankt, Nicole.

Ashleigh Mitchell en Jill Ableson, bedankt dat jullie me op de been hebben gehouden of me weer overeind hebben geholpen. Ik weet soms niet wat het verschil is.

Onderstaande bedankjes hebben uitsluitend te maken met mijn promotietournee.

Ik ben mijn moeder, Sharlene Lauretz, dankbaar dat ik al mijn spullen bij haar mocht neergooien of tenminste stallen, dat ik geld van haar kon lenen (niet omdat ik blut was maar omdat er geen tijd was om naar de bank te gaan) en dat ze niet klaagde als ik me gedroeg als een vreselijke etter.

Het lijkt mij van belang dat ik nu iedereen bedank die me bij hen thuis de was liet doen. Bedankt, tante Bev en oom Mark, Julie Ulmer en Steve Alves (ik moet je eigenlijk voor nog veel meer bedanken dan de was, maar ja), en Lori Fienberg. Nu we het toch over de was hebben, ik wil alle hotels laten weten dat de was iets belangrijks wordt als je op promotietournee bent (en ik ben er zeker van dat dit ook voor andere zakenreizen geldt), en ik zou niet bijna honderd dollar moeten hoeven betalen om een halve lading was te laten doen. En ik zou nóóit mijn sokken aan een hangertje terug moeten krijgen. Dat is belachelijk. Dat je de prijzen voor de minibar opkrikt kan ik volkomen begrijpen. Als jullie zes dollar voor M&M's willen rekenen, prima. Maar schone kleren mogen niet als een luxe worden beschouwd. Ik vind echt dat dit aspect van de hotelwereld moet worden heroverwogen.

En dan nu de gemengde bedankjes:

Morgan Dox en Steve Kim, bedankt voor van alles en nog wat. Ik weet niet waar ik moet beginnen of eindigen. Rae, ik zal je naam nog een paar jaar in bruikleen moeten houden. Dan mag je hem terug hebben. Peter Kim en Carol Young, bedankt dat jullie me ongeveer drie uur hebben rondgereden op zoek naar mijn motel. Ik wil graag nog even opmerken dat het precies daar was waar ik zei dat het was en dat jullie weigerden om mij te geloven. Maar gezien de omstandigheden neem ik jullie dat niet kwalijk. Ik ben jullie ook dankbaar voor al jullie adviezen op reisgebied. En gefeliciteerd! Kate Golden, bedankt dat je altijd klaar staat om dingen te corrigeren en me te helpen uitpakken. David en Cyndi Klane, nogmaals bedankt voor al jullie steun – als artiesten, correctors en in de allereerste plaats vrienden. Tante Eve en oom Jeff Golden, nogmaals bedankt voor diverse dingen, maar koop alstublieft nooit meer rugula voor me, oom Jeff. U bent net een drugdealer, maar dan met gebakjes.

Ik wil iedereen bij Desvernine Associates* nog eens bedanken dat ze bij zo veel mogelijk evenementen kwamen opdagen en ongelooflijk veel steun gaven: Graham 'Des' Desvernine, Pamela Desvernine, Pierre Merkl, Debra Crofoot Meisner en Yvonne Prentiss. Gretchen bedank ik onder voorbehoud – je leest proeven, je helpt me optreden – maar álle keren dat ik met jou was tijdens de promotietournee had ik een vreselijke kater waarna ik de volgende dag naar de andere kant van het land moest. Ik geef jou niet de schuld, ik wil alleen maar zeggen…

En ik wil Google Translate bedanken dat ze me in staat stelden iets in het Frans te zeggen: *Pour Charlie: Pue importe où je suis ni où vous êtes, je pense que vous êtes toujours moutarde.*

Tot slot: als mensen me vragen of mijn personages gebaseerd zijn op mensen die ik ken, zeg ik meestal 'nee' en zo is het ook. Maar Mort Schilling deelt veel trekjes met mijn grootvader Milton Golden. Opa Milt was geen advocaat, maar directeur van een verffabriek. De temperatuur van zijn koffie was nooit ofte nimmer de gewenste en hij zag er geen been in om om hulp te vragen. Volgens mij zou dit boek hem zijn bevallen… als ik alle scheldwoorden eruit zou halen.

* Behalve Mike Joffe.